本书系2005年度浙江省哲学社会科学规划课题

中国式 充分就业与适度失业率控制研究

史及伟 杜辉／著

人民出版社

目录

导言

失业问题困扰了市场经济国家几百年。当社会主义国家选择了市场经济模式后,也面临着失业的困扰。所有的国家都力求实现“充分就业”,但是在不同的国度、不同的时代条件下,充分就业的实现又包含了不同的内容和标准。西方国家有凯恩斯的充分就业,有新古典式的充分就业,有合理预期学派的自然失业率。

中国自改革开放以来,失业问题逐渐显性化和公开化,特别是近些年来,有严重化趋势。党和政府多次举行高层会议,把解决失业问题当作国家经济生活的头等大事。以胡锦涛为核心的中国共产党的领导集体,更是将促进就业作为以人为本、建设和谐社会的重中之重。在中国这样的人口大国,在转入市场经济轨道后实现快速工业化的今天,我们应当如何把握“中国式”的充分就业,因为如何推动社会实现充分就业,不仅关系到经济资源的充分利用,也关系到和谐社会的建设。

国内经济理论界有关失业和充分就业的研究主要集中在以下几个方面:一是研究中国失业的一般原因和特殊原因,其中多数人以马克思讨论资本主义市场经济条件下失业的根源和机制之方法,讨论社会主义产业后备军形成的规律和作用,认为市场经济的资本运动和社会化大生产规律构成失业一般原因,而中国的人口快速增长、体制转轨、产业结构调整等则构成中国失业特殊原因;二是促进就业的政策,包括宏观财政政策、货币政策和人力资源政策,尤其是社会和地方政府如何通过就业贷款、就业培训、创业式就业、职业介绍等体系形成中国特点的就业促进体系；三是关于适度失业率的研究，多数学者套用西方的适度失业率定义和比率，如弗里德曼货币学派的适度失业率和新自由主义的自然失业率，认为适度失业率可以定义在4%左右，还有的学者认为不存在中国条件下的适度失业率。但学界依旧缺少对中国条件下的适度失业率的内涵研究，如自然失业率占多少，是否存在自愿失业人口，以及对中国条件下失业“蓄水池”应当保持多大规模，尚缺少适当的定义和测定；四是很少有人涉及“中国式充分就业”课题方向的研究。有些讨论只是从一般意义上转述西方充分就业目标、标准等，没有围绕“中国式充分就业”的命题提出相关概念思考，如：中国式充分就业模式定义、中国式充分就业模式（与西方充分就业模式相比较）的特点、中国式充分就业模式框架设计等。

作为向市场经济转轨期间的中国经济，既要承继人口增长的惯性压力和体制转轨中的失业压力，又要面对工业化升级中就业弹性系数不断降低的趋势；如何界定中国特色的“充分就业”，如何将中国失业率控制在适度区间，采取什么样的宏观调控政策和微观机制化解失业压力，将是中国今后一段时期内需要解决的重大理论和实践难题。随着中国改革的不断深化和市场机制的健全，未来20年内，中国由大量失业问题引发、积累的社会矛盾将继续加深，为了化解失业矛盾，构建和谐社会，必须从基本理论上界定中国充分就业模式的目标，从定量上界定适度失业率和失业警戒线，对失业加以有效控制。

本书力求在比较研究马克思主义失业学说和西方充分就业学说的基础上，以我国社会主义市场经济实践中的失业问题为轴心，探讨一种社会主义充分就业的新理论新思路。

本书的研究思路和方法，首先是概述西方充分就业理论、模式的要点；其次，分析西方充分就业模式在现阶段中国遇到的新情况，进而提出建立“中国式充分就业”的命题；再次，探讨性阐述中国式充分就业应具有的主要特点；最后，重点围绕着建立中国充分就业模式框架问题进行理论与实践的探讨性设计。

第一章

失业与充分就业理论的过去和今天

失业与就业是相辅相成的概念。一般来说，研究失业问题总是与研究就业问题紧密联系在一起的。从理论体系构成上来讲，失业理论也是构成就业理论的一部分；反之亦如此。当然，这并不是否定失业理论与就业理论各自所具备的理论独立性。

1.1 马克思的失业学说

失业问题是随着资本主义雇佣劳动制度的产生而出现的。但它作为一个重大问题而受到经济学界的重视，时间却较晚。马克思是较早注重失业问题的经济学家，在《经济学手稿》和《资本论》中都有论述，内容涉及到劳动力商品、工资、劳动分工、相对过剩人口等等，其中，相对过剩人口理论是核心。马克思的失业理论以劳动力商品学说和资本、剩余价值学说为基础，以分析资本主义生产过程为背景，以分析相对人口过剩为重点。根据马克思的失业理论，就业是指劳动者将自己的劳动力作为商品出卖给资本家，实现了自身价值，其使用价值作为资本的要素进入生产过程；而失业是指劳动力作为商品未被资本购买而停留在流通领域，没有实现其价值，其使用价值未在生产活动中发挥作用。

相对过剩人口理论。马克思在1857—1818年的《经济学手稿》和186l—1863年的《经济学手稿》以及《资本论》中都对相对过剩人口理论做了论述。《经济学手稿》中论述的主要观点是,从相对剩余价值生产中直接推导出过剩人口产生的必然性,揭示了生产资本的发展所造成的两种相互矛盾的人口变动趋势,深入论证了这种人口过剩的相对性质。他说,“剩余价值的第二种形式是相对剩余价值,它表现为工人生产力的发展,就工作日来说,表现为必要劳动时间的缩短,就人口来说,表现为必要劳动人口的减少”。绝对剩余价值生产和相对剩余价值生产是资本家进行剥削的两种主要方法。一方面,绝对剩余价值生产的方法是资本家力图延长工人的劳动时间,并且力图雇佣更多工人来扩大剥削范围。而从雇佣更多工人的社会经济现象来看,则表现为劳动者就业的扩大。另一方面,相对剩余价值生产的方法又使资本家力图缩短工人的必要劳动时间,相对延长剩余劳动时间,与过去相比,生产相同的剩余价值所需要的劳动力数量将下降,从而减少必要劳动人口。这势必会使一部分人口变成过剩人口,成为产业后备军,这就必然产生失业。

在《资本论》中,马克思的相对过剩人口理论是指在资本主义经济运行过程中,资本有机构成有不断提高的趋势,使得资本家投入的可变资本相对于不变资本来说不断减少,这种相对减少随着总资本的增长而加快,而且比总资本本身的增长还要快,从而雇佣劳动的数量也相对减少,出现了大量劳动者被排挤在资本主义生产之外,成为失业者。马克思说:“资本积累不断地并且同它的能力和规模成比例地生产出相对的,即超过资本增殖的平均需要的,因而是过剩的或追加的工人人口。”可以看出,相对过剩人口是在资本积累过程中必然会出现的。资本有机构成的提高源于资本家为追求利润最大化而不断采用先进的技术、更新机器设备,使得不变资本在总资本中的比例增加,而可变资本在总资本中的比例相对下降,即资本有机构成提高,这是资本积累中的一般趋势。可变资本的相对减少,意味着用较少量的劳动就可以推动较多量的机器和原料，这正是技术进步的体现。由此会引起对劳动需求的减少。“对劳动的需求,同总资本量相比相对地减少，并且随着总资本量的增长以递增的速度减少。”

这就说明了资本主义经济中失业产生的原因。资本积累总量的增加,会相应地增加劳动需求;但可变资本相对减少的事实会逐渐抵消对劳动力需求的增加，即对劳动力的需求不仅受制于资本积累的总体规模,还与资本结构的变化有关,而这一切都与资本的本质——追求利润最大化相关。关键在于劳动隶属于资本,劳动就业取决于资本的需要,而不是一般生产的需要。剩余价值学说和资本积累学说在阐述资本主义失业问题中是相互联系、密不可分的。工作日中必要劳动时间的缩短和生产资本中可变部分的减少，不过是资本主义条件下劳动生产率提高的两重表现。而且,剩余价值理论是资本积累理论的前提和基础。

离开了剩余价值学说，就不能深入理解资本积累理论所揭示的规律。甚至以为过剩人口产生的原因在于技术进步和生产率增长，实质问题在于技术进步被作为相对剩余价值生产的方法。反之,资本积累理论也对剩余价值学说有作用。马克思说:“一切生产剩余价值的方法同时就是积累的方法，而积累的每一次扩大又反过来成为发展这些方法的手段。”即只有积累达到足够的数量，才有条件大规模投资，采用先进的设备进行生产,使得必要劳动时间缩短,剩余劳动时间延长。不仅如此,就业工人人数的减少比可变资本的减少还要快的这一事实，也要结合剩余价值生产来分析。如果单个工人提供更多的劳动，资本家可以从较少数量的工人身上而不是用同样低廉的花费从较多的工人身上榨取一定量的劳动，这主要是资本家通过从外延方面或内涵方面加强对工人的剥削，即剩余价值生产的方法来实现的。这样,当可变资本增大时,无需招收更多的工人,利用现有的工人就可以推动更多的劳动。所以,可变资本相对减少后,就业工人的数量减少得更多。“相对过剩人口的生产或工人的游离,比生产过程随着积累的增进本身而加速的技术变革,比与此相适应的资本可变部分比不变部分的相对减少,更为迅速。”既然相对过剩人口产生的根源在于资本主义经济的积累的实质,那么相对过剩人口出现的经济作用也与积累相关。“过剩的工人人口是积累或资本主义基础上的财富发展的必然产物,但是这种过剩人口反过来又成为资本主义积累的杠杆,甚至成为资本主义生产方式存在的一个条件。”这里是说,过剩的工人人口可以随时满足资本主义扩大生产时对劳动力增加的需求,从而成为产业后备军,成为资本主义经济周期性波动、发展的必要条件。并且过剩劳动力的存在也增加了在职工人的失业压力,使资本家可加强对工人的剥削,从而降低工人的工资。同时,相对过剩人口理论是资本积累规律的重要内容,它对工人阶级的贫困产生直接影响。“社会的财富即执行职能的资本越大,它的增长的规模和能力越大。从而无产阶级的绝对数量和他们的劳动生产力越大,产业后备军也就越大。可供支配的劳动力同资本的膨胀力一样,是由同一原因发展起来的。因此,产业后备军的相对量和财富的力量一同增长。但是同现役劳动军相比,这种后备军越大,常备的过剩人口也越多,他们的贫困同他们所受的劳动折磨成反比。最后,工人阶级中贫困阶层和产业后备军越大,官方认为需要救济的贫民也就越多。这就是资本主义积累的绝对的、一般的规律。”

如果撇开马克思失业、就业理论的资本主义生产关系性质,从考察一般市场经济运动规律来认识失业与就业问题,就会发现失业是市场经济关系运动的必然现象。在市场经济条件下,资本吸收劳动力就会引发劳动者就业,而资本排斥劳动力就会引发劳动者失业。(在其他条件一定的情况下)资本对劳动力需求的增加就会带来劳动者就业的增加,而资本对劳动力需求的减少就会造成失业。在市场经济发展过程中,资本对劳动力的需求是不断变化的,而随着科技的不断发展进步,科技作为第一生产力,科技要素被资本日趋重视和吸收,资本有机构成提高是必然趋势，而资本有机构成的提高导致失业的发生是无法避免的。另外，经济运动的周期性是市场经济运动规律之一，而经济周期性的存在也要求社会存在一个能够吸收失业和提供就业的劳动力市场，即劳动力“蓄水池”。问题和困难不在于是否存在失业，而在于失业的数量不能过度，在于如何将一定数量的失业通过一定方式转化为就业。

1.2 西方学者的失业原理和充分就业理论

经济学各个流派在研究失业、就业问题的过程中，形成了各具特点、各有侧重的失业、就业理论，并提出了有针对性的政策建议。考察这些失业、就业理论及其对策，无疑对解决中国日益严重的失业、就业问题有重要的参考价值。

1.2.1 古典学派的充分就业理论

西方经济学所说的古典学派是指由萨伊奠基的、以马歇尔和庇古为主要代表的，19 世纪末 20 世纪初在西方经济学占统治地位的边际主义学派。该学派的失业理论从完全竞争的市场结构出发，在这种市场上产品价格和货币工资可以根据市场供求状况灵活调整。劳动供给和劳动需求相互作用决定实际工资和就业水平，供求平衡时的就业量就是充分就业量。由于货币工资具有完全的伸缩性，一旦出现劳动的供求不平衡，出现失业，货币工资就会自行调整下降，它所引起的实际工资的下降将促使就业和产量扩大，直到达到充分就业为止。古典学派经济学家认为，由于不存在工资刚性，工资率可以自由伸缩，劳动市场总能达到充分就业均衡，长期持续的非自愿失业不可能存在，存在的只是自愿失业和短期性的摩擦性失业。失业和萧条状态之所以出现，原因在于工会和劳动者人为地阻止货币工资的下降。因此他们认为解决失业的办法是消除货币工资的刚性，使它们自行降低,通过降低货币工资(在货币供应量和物价水平给定不变条件下)以降低实际工资。

1.2.2 凯恩斯的失业、就业理论

1929年西方经济大萧条,从根本上动摇了古典就业理论,这时产生了凯恩斯建立在有效需求概念基础上的宏观经济理论。凯恩斯接受了传统经济学的摩擦性失业和自愿失业两个范畴,并提出了第三个失业范畴:非自愿失业。凯恩斯认为,在各种形式的失业中非自愿失业是最重要的,只有消除非自愿失业,才意味着充分就业,资本主义未能实现充分就业,并将未充分就业的原因归于有效需求不足。凯恩斯认为,总就业量是由总需求量决定的,总需求增加,总就业量就增加;反之,总就业量减少。而在现实经济中存在有效需求不足,这是边际消费倾向递减、资本边际效率递减、流动偏好三大基本心理规律的结果。在凯恩斯看来,既然有效需求不足是市场机制自发作用的必然产物,因此,扩大有效需求,实现充分就业的目标就不可能由市场机制本身来达到,而必须通过政府的力量对经济实施干预,用扩张政府需求的办法来弥补私人有效需求的不足,以促使总需求与总供给在充分就业的水平上实现均衡。围绕这个思路,凯恩斯提出的政策主张是:(1)赤字预算。主张政府扩大支出,进行各种投资,刺激投资欲。(2)适度通货膨胀。主张增发纸币,扩大信贷,压低利率。认为这样,一方面可以使企业家增大预期利润,从而增加投资欲;另一方面,纸币流通量的增加造成物价上涨,压低工人的实际工资,相对提高资本边际效率,增强了投资引诱,从而使"流动偏好"越来越小,投资需求便会高涨。(3)福利措施。认为向富人征税再救济给穷人,有利于提高整个社会的边际消费倾向,从而会扩大消费需求,刺激生产,实现充分就业。

1.2.3 供给学派的失业、就业理论

供给学派经济政策的基础是实行供给管理,其政策核心是

减税。供给学派认为，税率的提高会使劳动资源流向居民户部门或用于享受闲暇，使劳动供给减少；相反，减税导致实际工资提高，从而会使居民向市场部门提供的劳动增加。供给学派具体分析了高福利的危害，在他们看来，高额的失业保险津贴制度实际上鼓励了失业者延长失业时间，并诱使雇主和雇员以加剧临时解雇和失业的方式来组织生产。因此高失业的原因并非完全是由于需求不足，失业的真正原因是由于政府执行高税收、高失业津贴和最低工资法等政策所造成的对就业有害的刺激和人为的障碍。因此，他们主张经济自由，反对政府的不适当干预；削减社会福利支出中的失业保险津贴，严格规定失业救济的发放条件，停办公共服务就业计划，取消最低工资的规定，充分发挥市场机制的作用。

1.2.4 货币主义的失业、就业理论

货币学派的代表人物是美国经济学家弗里德曼，其失业理论可以简单归结为“自然失业率”假说。在经济周期过去以后，经济中总是还会存在一定比例的失业人口，即使在经济繁荣时期，这部分失业也难以消除。经济中的这一部分失业被弗里德曼称为自然失业，其对总劳动力的比率称为自然失业率。自然失业率就是指在没有货币因素干扰的情况下，劳动力市场和商品市场自发供求力量发挥作用时应有的处于均衡状态的失业率，就是充分就业情况下的失业率。自然失业率的工人包括：认为实际工资低于劳动力边际效用的自愿失业；源于信息不完全的“寻业的失业”；源于现行劳动力流动性不完全的摩擦性失业；经济结构和技术发生变化，劳动力流动性和技术水平不相适应的较长期处于失业状态的结构性失业。

对于决定自然失业率的因素，以及何种原因使得自然失业率不断上升。经济学家们认为，生产力的发展、技术进步以及制度因素是决定自然失业率及引起自然失业率提高的重要因素。具体包括：(1)劳动者结构的变化。一般来说，青年与妇女的自然

失业率高，而这些人在劳动力总数中所占比例的上升回会导致自然失业率上升。(2)政府政策的影响。如失业救济制度使一些人宁可失业也不从事工资低、条件差的职业，这就增加了自然失业中的寻业的失业；最低工资法使企业尽量少雇用人，尤其是技术水平低的工人，同时也加强了用机器取代工人的趋势。(3)技术进步因素。随着新技术、新设备的投入使用，劳动生产率不断提高，资本的技术构成不断提高，必然要减少对劳动力的需求，出现较多失业。同时，技术进步使一些文化技术低的工人不能适应新的工作被淘汰出来。(4)劳动市场的组织状况，如劳动力供求信息的完整与迅速性，职业介绍与指导的完善与否，都会影响到自然失业率的变化。(5)劳动市场或行业差别性的增大会提高自然失业率。厂商、行业和地区会兴起和衰落，而劳动者和厂商需要时间来与之适应与配合。这些无疑会引起劳动者的大量流动，增大结构性失业。

货币学派经济学家认为，自然失业率不是自然的，它不是最优失业率。同时自然失业率也不是一成不变的，它不仅受到客观经济条件的影响，而且受许多制度性因素的影响。所以政府可以通过加强对劳动力管理，改善劳动力市场，减少自然失业率。

1.2.5 分享经济学的失业、就业理论

威兹曼的分享经济学认为，西方国家现存的工资制度才是造成失业的真正原因。他认为，工资具有能升不能降的所谓“工资刚性”。由于经济总是存在着周期，因此，当经济萧条时，雇主还必须支付在经济繁荣时期所定下的固定工资，那么，他就不得不解雇工人。如果公司不解雇大部分的工人，它就得破产。这就是引起失业的最本质的原因。

既然现行的工资制度是失业的根源，那么，要消除失业，就必须变革工资制度。为此，威兹曼设计了一个新的雇工报酬制度：“分享制”。即企业不是按人头设固定工资，而只规定出劳

资双方对经营成果的一个分享比例。各个企业的分享比例由劳资双方共同协商决定,但这一比例确定下来之后,则不管企业收入如何，雇主和全体雇员都必须遵照这一比例进行分配。分享制与工资制相比，最大的优点就在于它天然具有无限扩大就业和无限扩大产量的倾向。因为如果分享制比例小于某一特定值,那么,边际成本将始终小于边际收益,这就意味着企业增产永远有利可图，企业就会不断吸收工人就业。如果经济中大多数企业都转而实行分享制,经济会产生扩张效应:新就业工人的消费促使总需求增长，反过来又会导致投资增加。当社会上再也没有可以雇佣的失业人员时,整个经济的扩张才会终止。

1.2.6　理性预期学派的失业、就业理论

理性预期深化了弗里德曼的自然就业率假说分析，把理性预期引入了失业理论。理性预期学派认为,劳动力市场具有不完全竞争性，工资和价格也是完全浮动的。在价格机制的灵活调节下,劳动力市场随时可以出清,随时可使劳动力供求达到均衡。因此不会出现劳动力供给的过剩，也就不会出现凯恩斯所说的非自愿失业。在理性预期学派的理论中，劳动力的供给或就业、失业的抉择是一个产品和闲暇在现实和未来之间的选择过程,其依赖于人们预期的最近和将来的工资。若现实的工资较低被预期为暂时的,人们可能接受按此工资提供的职位,这时失业率就会下降;否则失业率上升。理性预期学派认为,人们可以合理预期实际就业水平,因而否认工资对失业的调节作用;认为劳动力市场是由就业人数或实际提供的劳动量的变动来调节的,因为人们是根据自己的预期提供劳动的。因此,他们提出了政府不干预的就业政策。

1.2.7　发展经济学派的失业、就业理论

发展经济学家认为失业是经济发展过程中所必然出现的现象。他们假设在经济发展之前,人口的增长快于经济的增长,经

济的发展往往是在“劳动力无限供给”或存在一个“最低生存费用”部门这一基础上进行的，而工业部门的工资水平不可能是“最低生存费用”这个水平，因此相对于劳动力的需求，劳动供给是无限的。发展经济学家认为，在发展中国家，劳动对资本的替代度是极低的，或者说是根本不可能的。这样，工业化的结果就是不断排斥生产过程中的劳动力，并且不发达经济在经济发展过程中所出现的失业是结构性的。发展经济学家认为，利用本国比较优势加快现代工业部门的资本积累，可以增强其吸纳传统农业部门劳动力的能力，最终达到解决二元结构失业问题。

1.2.8 新凯恩斯主义学派的失业、就业理论

新凯恩斯主义在就业理论中维护了凯恩斯主义劳动力市场非出清的信条，克服了凯恩斯主义研究劳动力市场几乎不涉及劳动力市场的致命缺陷。新凯恩斯主义劳动力市场理论的关键在于工资的粘性。所谓工资的粘性是指工资不能随着需求的变动而迅速调整，工资上升容易下降困难。既然工资有粘性，所以当社会有效需求减少，从而劳动需求减少时，社会又不可能用降低工资的办法来减少失业，从而必然导致失业增加。因此必须进行国家干预，但他们的干预政策与凯恩斯主义的政策不同，后者着重于需求方面的干预，新凯恩斯主义则着重从供给方面进行干预，且从强调工资、价格的粘性出发，又认为国家的干预力度宜缓不宜急。

1.3 中国失业理论的百家争鸣

1.3.1 转型时期我国失业问题面临的几对矛盾

我国的现实国情和“本土化特征”决定了在解决转型时期

的失业问题时，不可避免要遇到如下几对矛盾：

一是失业理论的滞后与失业问题日益严峻之间的矛盾。当前，我国在失业理论方面的研究相对滞后，主要表现为：受传统观念束缚，人们对劳动力商品属性、劳动力市场、劳动要素配置、就业、失业、再就业等基本概念的认识模棱两可、含混不清；虽然理论界对转型时期我国失业理论和就业问题进行了一定程度上的分析与思考，但是并未形成理论上的突破，更别说建立真正意义上的“理论体系”了。可以说，从某种程度上来看，失业理论目前在我国还是一个空白与盲点。然而，现实情况却是，随着改革向纵深推进和经济结构的战略性调整，我国的失业问题日益严峻，失业规模逐步扩大，失业层面不断加宽，治理失业的难度更加明显。由此，失业理论的滞后与现实问题的严峻之间形成强烈反差与对比，这应当引起理论界的高度关注。

二是政府管制壁垒与劳动力市场化之间的矛盾。在传统计划经济体制下，实行的是“大一统”式的刚性就业制度，劳动力一般是不能自由流动的，只能通过计划调配。尤其是不同所有制之间劳动力的流动更是壁垒森严。在不同行业、企业、事业、行政部门之间的劳动力流动不仅要受到国家规定的政策和条例的限制，而且还要受到许多部门和单位自行制定的“土政策”的限制。进入转型时期，市场化取向的改革目标决定了我们必须建立较为完善的劳动力市场，通过市场机制来对劳动要素和人力资源进行合理有效配置。而目前我们在国有企事业单位、公共事业部门实行的人事制度、劳动管理制度明显滞后于就业体制的改革步伐，这对于我国劳动力市场的培育和发展是极为不利的。

三是二元经济结构下农村和城市两个“市场”的非对称性或劳动力单向转移的矛盾。中国作为一个发展中国家，有着其他发展中国家共同具有的一个典型特征，即“二元经济结构”。在这种二元经济结构下，中国的市场化是与工业化联系在一起的，面临着市场化与工业化的双重转型。与一般发展中国家不同，我国的城乡二元结构并非主要取决于经济发展因素，而是明显受到体制和人为因素制约。我们不仅存在发展经济学描述的“现代的”与“传统的”二元经济结构，而且还存在着与这一经济结构交错在一起的“二元社会结构”。户籍制度以及相关的社会福利制度造就了整个社会“农业”和“非农业”的人口结构，它在实际上使农村和占70%以上的农村人口被排斥在了现代工业文明之外。

农业生产方式的转化是以人口城市化为标志和动力的，而在二元经济社会结构条件下，由于农业人口向非农领域转移的速率缓慢，一方面城市经济不仅难以有效带动农村发展，而且其自身的结构升级也受到严重制约；另一方面，在人多地少的尖锐矛盾中，农业生产效率的提高与农业产业化、市场化始终难有大的突破。因此形成了二元经济结构下农村和城市两个“市场”的非对称性或劳动力的单向转移，即大量农村剩余劳动力涌向城市，而这种转移是与经济转型同步发生的，这就意味着，当农村剩余劳动力大量地向城市中的工业涌来时，工业中对劳动力的需求已经由于其本身开始进入内涵发展阶段并主要依靠技术进步来实现增长而逐步下降了。换言之，农村剩余劳动力向工业的转移是与工业中技术、资本对劳动力的排挤同时发生的。这种农村剩余劳动力转移与经济转型的同步化，无疑加剧了我国失业问题的严峻性和复杂性。

四是全方位对外开放与国内大量劳动力被“拒之门外”之间的矛盾。中国正式加入世贸组织，标志着我国的对外开放进入一个新阶段，随之而来的是国外商品的大举进入，我国面临着进口扩张的极大压力，国内那些竞争力不强的行业和企业将会受到较大冲击，失业人数趋于增加。与此不对称的是，由于国外劳务市场并未对外承诺“全方位开放”，因此我国国内大量剩余劳动力相应被“拒之门外”，这种开放经济条件下产生的对我国劳动力市场的“非对称”冲击应当引起我们的高度关注与思考。

五是人口自然增长与经济增速减缓之间的矛盾。作为世界上人口最多的国家,长期实行“计划生育”的基本国策,已使我国人口过快增长的势头得到基本控制,但是由于人口基数大,每年净增人口数仍在1300—1400万之间,这使中国原本沉重的人口包袱更加沉重。而作为世界第一人口大国,我国劳动力数量同样也是世界第一,并且增长速度一直很快。据统计,2000年我国劳动力数量为6.77亿左右,比1995年净增4800万,年均增加960万,到2010年将达7.52亿左右,比2000年净增7500万,年均增加750万。然而,当前我国经济发展阶段的一个显著特征是,经济增长速度已从高速扩张转向近年来的自发收缩态势,经济增速明显减缓。而我国失业问题的日益突出和就业压力的不断加大,又对保持持续快速的经济增长提出了渴求。这就要求我们在制定宏观经济政策时,必须把经济增长与解决就业二者结合起来进行考虑。

1.3.2 关于失业性质的探讨[1]

主要观点有以下几个方面:一是人口决定理论或者“总量失业理论”。有的学者(崔大鹏、吴松林、王诚、盛乐、姚先国等人)经过研究认为,我国失业的根本特征是“总量性失业”,也就是指“由于总供给和总需求的非充分就业均衡所引发的失业”。导致失业的根本原因是由于我国人口基数太大导致“劳动力总量供过于求”。主要表现在我国劳动力资源历史存量太大而且增长迅速,导致供求不平衡产生失业。有的学者(如盛乐和姚先国)认为,失业是“由于劳动力总供给与总需求的暂时失衡造成的”,“我国长期以来劳动力大量积累,从而形成了充足的劳动力供给,于是,因劳动力总量大于就业岗位而造成了总量性失业”。李培林分析了今后几年我国劳动力持续增长所带来

1. 参阅宋丰景:《国内失业问题研究最新进展(上)》,《城市问题》2005年3月23日。http://www.sannong.gov.cn/njlt/gnwz/default.htm.

的就业压力，认为“无论采取哪一种可能的生育率假设来测算，在未来相当长的一个时期内，中国劳动力供给持续增长的局面都是无法改变的”。经过测算，他认为，“1995年的劳动力资源是8.2亿，2000年为8.6亿，2005年将超过9亿，2025年将超过10亿，其后一直到2050年都会保持在10亿以上”。具体到我国城镇，李培林认为，城镇劳动力供给过剩状况较前几年更加严重，2000年我国城镇能提供就业机会为700—900万个，而实际的劳动力供给在2000万人左右，劳动力的实际供给过剩高达1100—1300万人。

需要特别指出的是，就业方面“人口决定论”和劳动力供大于求的观点不仅被学者所接受，而且经常见诸于政府决策部门的研究报告，成为当前关于我国失业问题的主流观点。2002年，《中共中央国务院关于进一步做好下岗失业人员再就业工作的通知》明确指出，“当前和今后一个较长时期内，我国就业形势仍十分严峻。我国就业方面的主要矛盾，是劳动者充分就业的需求与劳动力总量过大，素质不相适应之间的矛盾。当前，主要表现在劳动力供求总量矛盾和结构性矛盾同时并存，城镇就业压力加大和农村富余劳动力向非农领域转移速度加快同时出现，新成长劳动力就业和失业人员再就业问题相互交织”。

1.3.3 关于失业原因的探讨[1]

一、结构性失业

结构性失业是指就业结构变化与产业结构变化不一致所导致的失业。在劳动力市场上结构性失业表现为存在失业的市场和存在岗位空缺的市场同时并存。许多学者（宋丰景、崔大鹏、吴松林、李培林、冯煜、毛炳寰等人）对我国的结构性失业进行了研究。宋丰景认为，“有人没事干和有事没人干”是我国结构

1.参阅宋丰景：《国内失业问题研究最新进展(上)》，《城市问题》2005年3月23日。http://www.sannong.gov.cn/njlt/gnwz/default.htm.

性失业的具体体现。在劳动力市场上，表现为具有相应技能的劳动力供不应求，劳动保障部2002年第二季度的全国劳动力市场供求分析表明，各技术等级的求人倍率均大于1；而另一方面，国有企业的下岗失业人员却无业可就。李培林认为，“在现代化的过程中，产业结构的升级和技术创新的加快，使技术和资本对劳动的替代优势日趋强化。在农业生产领域，大量的人力和畜力耕作被机械耕作取代；在制造业，大量的手工操作过程变成了机器的流水线；即便在管理领域，电脑的广泛使用使很多人脑的工作岗位缩减”。他认为，虽然我们不能简单地推定“技术和资本在经济增长中的贡献越大，失业状况就会越加严重”，但是，“20世纪90年代中期以后，在农业劳动力还在大量向非农产业转移的时候，工业不是在大量吸纳劳动力而是开始饱和吐出劳动力，服务业缓慢增长的就业机会，难以容纳同时来自农业和工业外溢的劳动力”。而冯煜则运用计量经济学的分析方法分析了经济结构调整对失业率的影响。虽然毛炳寰在分析失业的原因时并不认为结构调整是导致失业的根本原因，而将失业归咎于“人力资本投资体制的失败”，但是从他的分析可以看出，由于原有的人力资本投资体制并没有解决劳动力素质结构和产业结构之间的不适应问题，因此其理论的核心仍然属于结构性失业理论的范畴。

二、垄断性失业、制度性失业和劳动力市场分割性失业

王诚率先提出了“行业垄断性失业”和“制度性失业”的概念。行业垄断是指政府部门对某些生产行业进行直接的行政干预和控制，设置准入壁垒限制竞争，而造成对该行业在产量和价格上的垄断状态。行业垄断从以下两个方面导致了失业的发生。对于“夕阳产业”而言，过度的垄断和保护，延缓了产业结构的调整，导致行业内部的“无效就业”和“隐蔽失业”；对于“朝阳产业”而言，过度的保护和垄断导致行业低产出、低效率和高物价、高工资并存，使本来可以进入该行业竞争的劳动力处于闲置状态，成为失业者。“‘行业垄断性失业’常常伴随着垄断行业外的高失业和垄断行业内的高收入(或高成本)并存的现象”。针对自然失业,王诚提出了“制度性失业”的概念。认为当前我国存在的表面上像是“自然失业”的失业现象,根本上是“制度性失业”。由于“经济体制的配套改革和政治体制的改革滞后所造成的劳动力无法接受市场经济的观念,或者虽然在消费行为上接受市场观念但在就业行为上不接受市场观念,劳动力并非花时间寻找好的工作而是在耗时间等待政府给这些‘国家主人’送来体面的工作,这样的失业恐怕也难称其为‘自然的’”。

杨宜勇系统地研究了我国劳动力市场的“行政分割”。他认为劳动力市场的分割一般分为两种情形,一种是纵向的劳动力市场分割,是指劳动力职业等级的客观界限,也称技术分割,这种分割源于劳动者个人的素质及受教育培训程度的差距;另一种分割是横向的劳动力市场分割,是指劳动力的单位分割、产业分割、城乡分割、地区分割,也就是劳动力市场的行政性分割。我国劳动力市场的行政性分割不仅涉及城乡问题,而且涉及区域性问题。我国劳动力市场的行政性分割具体表现在三种歧视:一是对本地农村劳动力的歧视;二是对外地农村劳动力的歧视;三是对外地非农劳动力的歧视”。李培林分析了我国就业市场的“断裂和残缺”。他认为,处在体制转型和结构调整时期的中国就业市场由两个相互分割的市场,即城市和农村组成。在城市就业市场,又分割为三个不同的市场:一是城市的正式部门,包括国有部门、大公司以及知识技术密集部门。这一部门一般具有比较完善的社会保障制度和收入比较高并非常稳定的工作岗位;二是城市非正式部门中待遇较好或者劳动强度比较轻的部门。这一部门一般没有社会保障但工作稳定性比较好;三是城市非正规就业部门中待遇相对比较差,劳动强度比较高的产业和领域,这主要是进城农民工竞争的就业市场。李培林认为,由于劳动力市场的分割,导致了劳动价格、保障制度、用工制度和劳动力供求关系的不统一,致使在某项政策下对劳动力市场的调整信号并不能在整个分割的市场得到正确的反映,有时还会得到相反的结果。

杨先明、徐亚非和程厚思分析了我国“双轨二元劳动力配置机制”下的失业问题。所谓“双轨二元配置机制”就是指劳动力配置的市场机制和行政机制同时并存，农村劳动力市场和城市劳动力市场“二元市场”同时并存的情况。

三、“有效需求不足”性失业

一批学者（崔大鹏、吴松林、王诚等）认为，导致当前失业增加的主要因素之一就是“有效需求不足”。和我国庞大的人口规模、每年1—2千万的劳动力供给数量来比，每年经济增长创造的数百万个就业岗位简直微不足道。因此，有效需求不足性失业理论总是和人口决定理论相联系，提倡大力增加对劳动力的有效需求以提高就业率。有效需求不足论者还认为，当前我国由于投资需求、消费需求的严重不足致使社会总需求明显不足，社会总供给大大超过总需求，导致物价下降，产品滞销，就业机会减少和失业人员增加。“大量的失业和下岗人员难以找到新的就业机会，与总需求不足有较大关系”。

四、“核心就业”不足导致的失业

王诚在《中国就业发展新论》一文中，以企业创新理论为基础，研究了我国的核心就业和非核心就业问题。“所谓核心就业，是指与企业创新活动相联系(即产生、促进和扩展企业创新)的就业。非核心就业或虚拟就业是指通过与企业的创新活动无关的其他手段所创造的就业”。分析当前中国就业滑坡的根本原因时，王诚认为，“从表面的原因看，就业或下岗失业的困难来自于国有企业改革力度的加大和政府部门、事业单位的机构精简改革的深化，以及农村大量剩余劳动力的释放速度加快。但是我们认为，造成中国当前就业困难的根本原因，恰恰是这些方面的改革没有真正深化所造成的。从本质上看，这些年就业困难的积累是企业创新和核心就业扩展缓慢和滞后所导致的”。尽管王诚对非核心就业影响整体就业的运行机理表述得不是十分清楚，但是，他的核心就业理论的确为研究中国的失业问题提供了一个新的视角，开辟了一个新的领域。

五、有的学者根据造成失业原因的不同，将失业大致分为以下几种类型[1]

转型性失业，即由于经济体制转型（传统计划经济转为现代市场经济）和经济增长方式转型（由粗放性经营转为集约性经营）所造成的失业现象。这种类型的失业主要集中在城市部门、国有企业等。

隐蔽性失业，是指劳动边际生产率等于或接近于零时的就业，亦即由于人多地少的国情产生的一部分劳动者从农业中撤出而不会使总产量减少，这部分被撤出来的劳动者就是处于隐蔽性失业状态。此类失业一般主要分布在我国广大农村地区。

结构性失业，是指由于经济结构调整和产业结构升级而造成的失业。一般地，这类失业主要集中在第一产业的农业和第二产业的工业等领域，而作为第三产业的服务业则是吸纳失业人员和提供就业岗位的主要场所。那些面临产业升级的传统行业同样存在较大失业压力。

摩擦性失业，这是指由于社会流动性增强所导致的找工作需要时间而产生的失业现象。此类失业更多反映的是社会转型与变迁。

追浪性失业，这是指由于人口自然增长对本已高企的失业率形成逐波推高之势（就像大海起潮时出现的一浪高过一浪的"追浪"现象），使得失业问题更趋严重。

1.3.4 关于二元经济条件下农村劳动力转移问题以及经济增长和就业关系的研究[2]

在我国农村劳动力转移研究方面，周天勇、何景熙等人从刘

1. 参阅《构建转型时期我国失业理论的几点思考》，http://www.itebook.net/disquisition/2005/3-0/21034.html.

2. 参阅宋丰景：《国内失业问题研究最新进展(上)》，《城市问题》2005年3月23日。http://www.sannong.gov.cn/njlt/gnwz/default.htm.

–拉–费模型描述的二元经济条件出发，研究了我国的二元经济条件下的劳动力转移问题，提出了新的研究思路和理论模型。周天勇和何景熙主要从我国的实际出发对托达罗迁移模型进行了理论修正，而高翔则在对刘易斯模型和主流学派失业理论批判的基础上，提出了一个适用于发展中国家和发达国家的一般理论模型。朱农并未局限于刘易斯的二元经济模型，他从职业流动和地域流动两个方面研究了农业劳动力的关系。

周天勇认为，为了解决我国的城市化和农村劳动力的流动问题，我国采取了一系列的和托达罗理论模型相吻合的政策措施，如严格的户籍管理制度，严厉的行政管理措施，对农业教育、生产的不断投入等，这些政策和措施的实施，从效果上看不但没有解决我国的城市化和劳动力的流动问题，反而使我国的城市化进程出现倒退。这表明，托达罗模型存在着重大的理论缺陷。解决的办法应反托达罗之道而行之，即加快农村剩余劳动力向城市的转移进程，取消户籍制度，利用城乡收入差距引导农村劳动力向城市流动等。

何景熙通过对托达罗模型的反思提出了“开源断流”模型。何景熙认为，托达罗将自己的影响迁移决策因素中劳动力对城市部门就业率的预期普遍化和绝对化了，因而落入了“托达罗教条”：第一，迁移数量或迁移率直接随就业概率的变化而变化，城市就业机会越多，来自农村的劳动力转移规模也越大，而随之而来的是城市失业率的上升；第二，既然城市就业机会影响或决定迁移行为，农村劳动力基本上是根据对城市就业概率的了解而做出迁移决策的，那么，迁移在很大程度上是“盲目的”。之所以得出这样的结论，是因为托达罗模型中关于劳动力迁移决策的“城市就业概率”预期的假设是不符合经验事实的。为此，何景熙提出，“劳动力迁移主要受人们来自比较经济利益和费用这些合理的经济考虑的刺激”。同时，“至少中国的迁移者获取净收入相对较高的就业机会的迁移决策与行为，虽然是趋利性的但绝非是投机性的，因而是一种理性经济行为，而非‘盲目的'非理性行为"。在此基础上,何景熙提出了"开源断流"模型。该模型的主要政策含义是:第一,中国农村寻求剩余劳动力的非农化转移与充分就业的目的在于增加经济收益。因此,不论城镇还是农村,本地还是外地,工业部门还是非工业部门,只要预期净收益高于本地农业部门,就会形成农业劳动力的转移。对此,应当建立城乡一体的劳动力市场,加强劳动力职业信息的发布,消除一切制度障碍,促进农村劳动力的转移。第二,要切实遏制农村劳动力的过快增长。只有这样,农村劳动力的就业不充分问题才能得到解决。

朱农将农业劳动力的流动分为地域流动(迁移)和职业流动(从事非农职业),通过建立模型和进行实证分析,朱农认为,"劳动力的地域流动(迁移)和职业流动(从事非农职业)都具有很强的选择性。与地域流动相比较,在农村地区从事非农职业是一种更容易参与的活动,这种就地职业转移对劳动力所接受的正规和非正规教育要求比外迁还要低"。"职业转换在劳动力流动过程中占有非常重要的位置。我们的分析揭示了农业劳动力的职业流动和地域流动之间的密切关系。一方面,迁移可以看成是一种人力资源的积累,因此,迁移一般可带来职业上的'升级';另一方面,农业劳动力从农业中出来,从事非农职业,能增加收入,开阔视野,掌握技术,增强迁移的愿望和克服迁移障碍的能力"。关于职业流动的局限性,朱农认为主要有四个方面:一是作为农业劳动力职业转移主要目标的乡镇企业存在污染环境、效率低下等问题,影响了农村非农产业的发展;二是乡镇企业的产业结构的升级将会削弱其吸纳农业劳动力的能力;三是非农产业的发展会导致农业劳动力转移不彻底;四是将农业劳动力的职业转移看作一种城乡转移的替代,而这种替代是不完全的,从长远来看,乡镇企业的发展还是要向城市集中。

面对经济高速增长中日益严重的失业问题,我国的经济学家们试图从理论上解释这种"背率"现象。他们(邹薇、胡鞍钢、邓志旺、蔡晓帆、邓棣华、龚玉泉、袁志刚、李红松、刘勇军等）就我国改革开放以来经济增长和就业增长的关系以及就业弹性的变化进行了深入的研究。邹薇等研究了我国经济增长对奥肯定律的偏离问题。研究表明1980—1996年中国总量经济增长与城镇登记失业率之间的关系是不符合奥肯定律的。主要原因是“在转轨时期，中国经济的波动较大，政府经济政策的变化很快,引起产出和失业率的不规则变化”。在经济增长和就业增长的关系上,胡鞍钢认为,过去的五年(2004年以前)全国就业人数年平均增长率为1.2%,是建国以来就业增长率最低的时期。从各产业看,第一产业年均增长0.5%;第二产业为0.8%;第三产业为3.1%。胡鞍钢按照经济增长和就业增长之间的关系变化，将改革开放以来的20多年分为两个阶段：一是1978—1989年间,属于高经济增长和高就业增长的阶段,这期间经济增长的就业弹性系数为0.315;二是90年代以后,属于高经济增长与低就业增长的阶段,就业弹性为0.112。而邓志旺、蔡晓帆、邓棣华经过研究认为,从1985年到1994年间,考虑了城市和农村隐性失业的就业弹性系数除了1990年出现了比较大的波动以外,就业弹性系数基本变化不大，并没有发生所谓的急剧下降，因此，“高经济增长,低就业增长”的矛盾并不存在。刘勇军认为,当前关于我国就业增长和经济增长之间关系的研究都不能令人满意,应当做更深层次的分析和探讨。他们认为:第一,企业才是我们分析经济增长和就业增长之间关系的就业弹性的关键。由于经济增长是产品和劳务的增长,就业增长是要素投入的增长,而企业则是产品市场和劳动力市场的纽带;第二,经济增长和就业增长都是宏观经济的研究范畴，但是对宏观经济的分析不能忽视和脱离宏观经济运行的微观基础。因此，研究企业对劳动力的需求行为是我们研究经济增长和就业增长之间关系的微观基础;第三,就业增长和经济增长之间存在着极为复杂的传动关系。产品市场的需求通过企业的供给来平衡，并将这种需求传导到劳动力市场上，形成劳动力市场的需求。而企业对劳动力市场的需求在要素市场上表现为工作机会的创造和提供，它还必须同劳动力市场劳动力的供给方相匹配，才能形成现实中的就业。同时，劳动力的匹配过程还存在一个摩擦性失业和结构性失业的问题，而就业匹配效率更受到就业制度、就业政策、就业环境的制约。在就业的众多环节中，一旦其中某一个环节发生异动就会导致整个就业结果的变化。因此，仅仅通过对经济表象的简单数据处理很难揭示经济增长和就业增长之间的规律性变化，必然会陷入各说各话的怪圈。刘勇军认为这是当前理论解释不力的症结所在。

1.3.5 关于失业统计的方法及失业现状的研究[1]

在研究中国失业问题的过程中，经济学家们发现我国的就业失业状况和经济运行的其他各项宏观指标很少存在规律性的联系，反映失业和就业状况的指标和实际的失业状况有很大的差距。针对这种状况，许多学者（周天勇、王诚、程连升、张车伟、姚裕群、莫荣等）从我国当前失业统计制度的问题和弊端，估算我国当前真实失业率的方法，我国真实失业率水平等几个方面研究了我国的就业和失业状况，提出了不同的观点，得出了不同的结论。针对当前我国失业、就业统计制度存在的问题，王诚认为，"中国由于长期以来实行计划经济，……不承认社会有失业现象，所以失业统计体系一直十分脆弱。改革后，尤其是进入90年代以来，失业问题变得越来越严重。这时候才发现支撑中国宏观经济政策的失业统计数据难以使用"。当前失业率问题在于：一是统计面太窄。仅仅包括城镇劳动力中的登记失业人员，同时还排除了公有单位下岗未就业人员。二是统计频率太低。失业率采取一年一报，而且是年末登记数，无法反映宏观政策一年内的变化情况。程连升也对我国的失业统计制度提出了批评，

1.宋丰景：《国内失业问题研究最新进展（下）》，《城市问题》2005年3月24日。http://www.sannong.gov.cn/njlt/gnwz/default.htm.

除了王诚谈到的上述问题外，他认为，当前的统计体系“缺乏科学的失业数据的统计方法”。同时，“根据劳动就业部门的登记而获取的失业人员资料，其准确度也是值得怀疑的”。另外，张车伟、周天勇等人也都注意到了我国失业登记制度存在“漏登”而带来的数据不准确的问题。

由于当前的失业数据不能真实反映现实的客观情况，因此就需要研究一种分析方法来测度我国真实的失业率。主要的方法有：一是周天勇的“适度城镇人口劳动参与率推算法”。首先根据历史数据计算出我国平均城镇人口劳动参与率，公式为 $R'=\sum L/\sum P$，确定我国适度人口劳动参与率为 55%；其次，再根据公式 $U=(R'-R)\times P/L'$ 来推算真实城镇失业率。其中，R' 是平均城镇人口劳动参与率，R 是真实城镇人口劳动参与率，L' 是城镇劳动力总供给。结果是，2000 年以来，我国城镇失业率分别为：8.31%，9.44%，10.27%。二是富余劳动力估算法。这一方法主要认为我国当前的失业率并没有覆盖国有企业的富余人员、国有企业的下岗职工和农村的富余劳动力，而这三类人员实质是在职失业，同社会的失业没有什么区别。因此，在失业规模的计算上，应当将估算的国有企业的富余人员、下岗职工和农村富余劳动力与城镇失业人员直接加总。由于对两类富余人员的估算方法和调查数据的来源不同，因此得出的结论也有很大的差距，最高的失业率达到 20%以上。三是采用抽样调查和利用人口普查资料推算我国真实失业率数据。张车伟在《失业率定义的国际比较及中国城镇失业率》一文中，首先对于失业及失业率的定义、测度方法等问题进行了国际比较研究。他从“如何计算失业率的分母”、“对失业者找工作的要求”、“暂时下岗者能否到岗”、“暂时下岗者一些具体情况的处理”、“找工作能够到岗的学生工作不足 15 小时、找到工作能够到岗的家务劳动者”五个方面，对国际劳工组织(1982 年后)、美国(1994 年后)、加拿大(1997 年后)、欧盟(1992 年后)关于失业的定义进行了比较。他认为影响失业率的关键是如何确定“劳动力市场的边际附着群体”。在加拿大边际附着群体的数量通常占失业者数量的四分之一到三分之一。在澳大利亚边际附着群体则是失业者的2—3倍。关于中国的真实失业率的测度问题，张车伟认为，我国在2000年进行的第五次人口普查中，基本遵循了国际组织推荐的就业和失业标准。但是在两个方面比较宽：第一是关于就业的认定。将季节性歇业者视为就业，会低估失业；第二是在失业方面没有限定“能够到岗”。将许多非经济活动人口计入了失业人口，会导致对失业的高估。根据“五普”资料，我国15岁以上人口失业率为3.58%，但城乡之间的失业率存在着巨大的差距。城镇失业率为8.27%，其中城市失业率为9.43%，镇的失业率为6.24%，而农村失业率仅为1.15%。四是德尔菲(Delphi)调查法。德尔菲是古希腊神话中可预测未来的阿波罗神殿所在地。20世纪40年代，美国兰德以“德尔菲”为代号，研究如何通过有控制的反馈更为可靠地搜集专家意见，德尔菲调查法从此闻名。姚裕群、莫荣首先运用德尔菲调查法，在2000年7月—2001年6月期间，对50位来自政府机关、研究机构和高等院校的专家进行了两次问卷调查。调查结果表明，当前我国的城镇失业率已经达到7%，预计今后一两年将有小幅度的增加。

1.4 “中国式”充分就业的内涵

如上所述，充分就业这一概念始于凯恩斯的《就业、利息和货币通论》一书。凯恩斯认为，充分就业就是“在某一工资水平下，所有愿意接受这种工资的人都能得到工作”。凯恩斯把失业分为“自愿失业”和“非自愿失业”两种。在有了非自愿失业这一范畴基础上，凯恩斯才确立了相应的“充分就业”概念，按照其思想，只要解决了非自愿失业人员的就业问题，就是达到了充分就业。

在凯恩斯以后，经济理论界对充分就业进行了深入研究，有两种意见很有代表性：一是认为充分就业是指劳动力和生产设备都达到充分利用状态；二是认为充分就业并不是失业率等于零，而是总失业率等于自然失业率。

除了从概念角度分析充分就业之外，西方学者还从定量的角度说明充分就业。例如20世纪50年代，有些经济学家认为，失业率不超过3%—4%就可以算作充分就业。

美国等西方国家以充分就业为就业目标的就业模式，将充分就业作为政府的宏观调控目标，具体设计了充分就业的目标、统计、失业控制等方法，以此作为促进充分就业的法律法规依据；同时注重充分发挥工会组织在促进充分就业目标的影响和积极作用，建立健全社会保障制度、就业指导和培训制度。

1.4.1 西方充分就业模式在中国遇到的新特点

中国经济转入市场经济轨道以后，西方的充分就业理论和制度模式在中国也遇到新的特点。其中：

一是西方市场经济国家的充分就业模式所依赖的成熟市场经济体制及其劳动力市场在我国目前还没有完全建立起来。劳动力供求信息的传递还不十分畅通，信息不对称普遍存在，有利于劳动力自由流动的机制还没有完全建立，这必然要影响、阻碍劳动力及时、合理、公平地有效配置。

二是西方建立起的充分就业模式与我国目前开始建立的充分就业模式，各自所处的工业化、城市化发展程度存在十分明显的差距。西方发达国家都是在工业化、城市化完成或完成若干年后，才建立起充分就业模式；而我国目前才处于工业化、城市化发展的中期阶段。由于社会工业化和城市化的发展水平还比较低，产业结构不合理问题比较突出，特别是具有吸纳劳动力优势的第三产业的发展明显落后，由此带来的问题是，产业向社会能提供的实现充分就业的需求就必然要受到局限。

三是中国人口众多，劳动力资源严重相对过剩，这是西方根本不存在的国情；体制转轨、产业结构调整过程中，从原公有制企业排放出大量失业工人，这也是西方国家目前看不到的。由此造成的严重、巨大的社会就业压力是建立中国充分就业模式面临的严肃挑战。

四是中国地区经济发展不平衡严重，实现充分就业的区域矛盾突出。我国地域辽阔，但由于地区经济发展严重不平衡，造成就业的地域矛盾严重，这恐怕也是西方国家见不到的。东部沿海地区人均资源十分匮乏，失业队伍庞大，流动劳动力数量多，就业需求严重不足；西部地区产业规模小、总体水平还很落后，对劳动力吸纳有限。

中国国情的特点产生的综合结果是：过度的就业人口供给（新增就业人口＋失业再就业人口）与有限的就业岗位需求之间矛盾严重，由此带来或诱发的社会不稳定因素日益增加，完全按照现代西方通行的充分就业模式已经远远不能适应实现中国充分就业的现实要求，客观上要求建立一种具有中国特色的充分就业模式。

1.4.2 "中国式"充分就业的内涵

"中国式"充分就业的内涵，可以从多重角度定义。

定义中国式的充分就业，就必须考虑到中国特殊的国情特点，既不能以完全市场机制调节的就业率作为充分就业标准，也不能按照西方的4%的失业率作为自然失业率。

考虑到中国工业化进程和人口自然增长率的惯性，我们将中国式充分就业划分为近期标准和中长期标准两类。

从定性角度定义近期"中国式"充分就业：一是现有劳动年龄人口中具备劳动能力的劳动力资源都能得到利用的状态；二是现有劳动年龄人口中具备劳动能力的、愿意接受现行最低工资条件的劳动力人口都能够得到就业的状态；三是城乡居民依靠现有土地资源、生产资料进行劳动可以维持城乡居民最低生活标准的就业状态。

上述近期三种定义，没有定义为劳动力的充分利用，是鉴于中国人口过多、劳动力过剩的现实，只要是有业可就，只要是劳动收入超过城镇职工最低工资标准、农村居民超过最低生活标准，无论是固定职业还是流动性就业，都应当定义为中国式充分就业状态。也就是说，只要有业可就、有收入维持最低生活标准，就算是达到了充分就业。

从定量角度来看，近期"中国式"充分就业也是应当维持在一个"自然失业率"的基础之上。这个"自然失业率"包括摩擦性失业、技术性失业、结构性失业和季节性失业在内，也包括自愿性失业在内。西方国家定义的4%—6%的自然失业率，不一定适合中国国情。在目前中国人口规模基础上，中国的城市自然失业率应当至少定义在8%左右。这个自然失业率还不包括农村的潜在失业率。

从中长期来看，一个是中国工业化进程发展到高级阶段，生产力有了大的发展，二是中国的市场化水平尤其是劳动力市场的市场调节程度的发展，三是中国的人口自然增长率到2030年前后才能变为零增长。

中国的"自然失业率"标准是否合适，从直接标准看，主要是看摩擦性失业、技术性失业、结构性失业和季节性失业以及自愿性失业在内的统计口径；从间接角度看，一是看就业满意度，二是看社会承受力，三是看社会保障水平，四是看收入结构，五是看劳动力就业弹性。

"中国式"充分就业作为中国社会发展的目标和政府宏观调控的目标，在制定标准和设定目标时，必须考虑以下几个基本原则：一是有效利用劳动力资源的原则；二是稳定社会、促进社会公正和谐的原则；三是兼顾城乡生产发展水平、兼顾工业化发展水平的原则；四是兼顾市场调节和政府调控能力的原则。

1.4.3 讨论"中国式"充分就业的若干思路

我们在讨论如何实现"中国式"充分就业中，应当力求考虑以下的思路：

其一，加强中国充分就业的测定和预测：①中国可利用劳动力资源的界定和调查；②中国自愿失业率的比重、自然失业率的测定；③居民可支配收入变动、恩格尔系数变动、社会救济、最低工资、最低生活保障水平与中国可接受的失业率的相关性；④中国不同阶段的产业就业系数和弹性系数；⑤中国适度就业率的确定；⑥中国充分就业相关因素理论模型；⑦充分就业率（就业人口占总可利用劳动力资源的比重）= f（总投资，就业系数，就业扶植公共支出，人均生产资料，人均工资水平）；⑧中国失业警戒线的确定。

其二，强化宏观财政政策和货币政策的需求管理效应：①改革开放以来我国宏观财政政策和货币政策的就业效应逐渐明显，尤其是20世纪90年代后半期，有效地刺激了经济增长，有效地扩大了就业空间；②相对来说，财政支出就业效应较为明显，财政支出中公共开支就业效应更为明显；③由此反映了我国就业促进的间接手段尚待进一步完善，尤其是利率、汇率、税率等杠杆的就业促进作用，需要通过金融深化和金融体制改革来实现。

其三，中国式菲利普斯曲线的走势和宏观政策的松紧搭配和相机抉择：①20世纪90年代以来，我国经历了90年代上半期的通货膨胀与失业并存的“滞胀”；②20世纪90年代后半期以来的通货紧缩与失业率上升的“滞缩”；③总结这15年的失业率与通货膨胀发展历程，总结这些年我国宏观调控的经验，寻求能够灵活应对“滞胀”和“滞缩”的松紧搭配的政策体系，寻求高超的相机抉择的艺术。

其四，中国劳动力资源开发与利用的制度创新：①国家、单位、家庭、个人教育投入规模与比重的提升；②职业教育与技能培训体系；③继续教育和岗位培训体系；④雇员制、文员制录用制度；⑤富余人员劳动力储备制度。

其五，中国区域就业空间合理布局对策：①城乡之间就业转移对策，包括城市工业转移和农产品深加工产业链，乡村工业产业集聚与人口集聚，中小城镇布局吸纳富余农业劳动力政策；②东中西部就业转移对策，中西部产业开发与岗位创造，西部就业激励，户口政策与学籍、户籍、劳动关系预留制度；③海外就业转移对策，海外工程承包、劳务出口政策。

其六，我国就业政策和就业促进对策：①政府、社区、企业全方位就业促进体系；②就业信息收集与发布制度；③多渠道职业介绍机构和职业介绍中介网络；④政府就业基金使用方向向技能培训、创业扶植、就业贷款、公共服务安置倾斜。

其七，微观劳动力供应改进对策：①就业市场在一定条件下供给创造需求的原理和规律；②以劳动力市场需求为导向，通过专业院校、职业培训和企业在岗培训体系、培训专业、应用方向的调整，改进劳动力知识结构、技能结构、质量结构、素质结构；③通过劳动力储备、下岗再培训、保留职业资格等方式，平衡时续结构；④通过人事制度改革和用工制度的调整，平衡劳动力的空间结构。

其八，实现充分就业的劳动力市场建设。劳动力市场通行的基本原则：①竞争选择；②自主交易；③公平交易；④合法交易；⑤正确导向。政府管理、监督，创造良好的劳动力市场环境，维护正常、健康的交易秩序；劳动力市场中介组织的有效运作；劳动力市场信息管理（信息收集、信息分析）与服务（信息发布、信息咨询）；法律保护交易双方利益，特别是重视保护求职者的利益；设施、设备等硬件现代化。

其九，推动充分就业的社会保障：社会保障制度的目标取向：①保障的社会性；②保障的公平性；③适度的保障水平；④促进社会和谐、稳定。社会保障的内容：①养老保险；②医疗保险；③失业保险；④工伤保险；⑤最低生活保障。社会保障的政府管理：①抓紧立法；②加大财政投入；③扩大保障覆盖面。

1.5 国内学者关于实现充分就业的对策思路[1]

实现充分就业不仅是西方国家的目标，也是当前我国经济发展中的重中之重。面临严峻的就业压力和失业局面，国内学者见仁见智，提出各种学说，力求更好地化解失业，实现市场经济条件下的充分就业。

思路一：要明确政府在就业工作中的职能定位。

第一，把扩大就业摆在经济社会发展更加突出的位置。应该认识到，经济增长并不能保证就业自动增长，不同的经济增长模式对就业有不同的影响。因此，必须确立扩大就业优先的目标，不仅保证经济总量持续增长，更要通过产业结构调整，选择适宜的经济发展模式，最大限度地促进就业。第二，坚持发展经济，调整经济结构，充分开发利用劳动力资源。政府在制定经济增长和产业调整政策时，应突出创造就业岗位和扩大就业的战略目标，把创造更多的就业机会作为重要发展目标，并体现到制定国民经济社会发展计划和产业政策、财税政策、投资政策、金融货币政策等宏观经济政策上来，实现国民经济快速健康发展和促进充分就业的双重目标。第三，实行新时期的就业方针，加强劳动力市场建设。全面加强政府公共就业服务机构建设，加强职业介绍、职业指导、职业培训，提供优质就业服务。明确政府促进就业的责任，保持政府就业资金的经常性投入，加快培育和发展劳动力市场。第四，完善创业和就业环境，积极促进就业。建议政府有关部门尽快制定《促进就业法》，并制定各项配套法规，形成完善的就业法规体系；适应市场就业要求，大力发展就业服务体系，加强劳动力市场服务网络的建设，市区县街道和重点乡镇全部建立就业服务机构，将服务范围覆盖全部城镇地区

1. 徐瑞娥：《我国目前的就业问题及解决对策的观点综述》，2004 年 4 月 1 日。http://www.crifs.org.cn.

和大部分农村地区；大力开展劳动力市场信息微机化管理和信息联网工作，初步建成包括市级网、区域网和全国网三个层次的劳动力市场信息网。最后，加强统计调研，不断研究解决就业政策。在社会经济急剧变化时期，掌握及时有效的就业和失业信息，是政府就业决策的需要。目前，我国对失业的统计和调查包括：劳动保障部门城镇失业登记，统计部门城镇失业调查，以及大量的零星调查。[1]

思路二：我国经济保持较高增速，但没带来就业的相应增长。针对这种情况，我国在就业问题上应注意以下几点：

关于继续推行积极、稳健的财政和货币经济政策，拉动物价水平的适度回升。在财政政策方面，应考虑有利于刺激民间投资的优惠政策；在货币政策方面，中央银行应根据宏观经济发展的需要，适当增加货币供应量，以确保经济发展的资金需求。关于调整产业结构，以传统产业的改造和发展服务业为主来带动需求。对于传统产业，一是要积极扶持支柱性产业；二是要通过技术改造，促进产品的更新换代和延长产品链，创造出更多的就业机会；三是要加速制造业的调整，推动传统产业的重组。大力发展服务业，对长期经济发展和解决长期就业问题有着治根治本的作用。面对我国丰富的劳动力资源和相对稀缺的资本资源，在工业化进程和产业结构的调整中要特别注意劳动密集、资本密集及技术密集产业的协调发展、合理布局。推动和促进民营经济发展，大力发展“三非”就业。当前和今后一个时期，增加劳动就业主要应是服务业、中小企业、集体经济和个体私营经济，国家发改委经济研究所副所长杨宜勇把这三个具有发展空间的领域内的就业归纳为“三非”就业。首先要培养非公有制企业。其次，提倡非正规就业。再次，大力发展非农产业，为大量农村剩余劳动力转移创造条件。[2]

1. 莫荣：《要明确政府在就业工作中的职能定位》，《经济参考报》2004 年 1 月 29 日。
2. 李元真：《隐性失业使奥肯定律在我国失灵》，《中国经济导报》2004 年 2 月 24 日。

思路三：实行积极的就业政策，促进经济增长与就业增长的协调，重点是改善就业环境和采取适当的政策支持。

关于深化劳动管理、户籍制度和社保体制改革，建立全国统一、开放、竞争、有序的劳动力市场。加强对劳动力市场收费、拖欠民工工资等专项检查。把增加就业作为考核干部政绩的重要指标。采取减低国有房屋租金或给予适当的房租补贴及降低其他有关税费等办法，鼓励个人和家庭从事小商品、饮食业、市场中介服务业。鼓励非盈利社会服务机构的发展，重点发展教育培训、公共信息服务和公共管理。全面贯彻实施《中小企业促进法》，加快推出中小企业信用担保和国家中小企业发展基金等相关管理办法。用财政专项资金引导和鼓励社会各类服务机构为中小企业提供服务。进一步放宽国内民间资本市场准入限制，在投资、税收、土地使用和对外贸易等方面给予支持，促进非公有制经济发展，拓展社会就业渠道。[1]

思路四：要有效地扩大就业并更加积极地应对失业，应在如下几个方面加大政策的着力点：

大力开发人力资源，消除劳动力市场的分割。劳动力市场的第一重分割是城乡分割；第二重分割是人才市场和劳动力市场的分割。这一分割通过把人分成不同身份而拒其于特定的市场之外。消除劳动力市场的多重分割，才能整合出一个能更加有效地配置劳动力资源统一的市场。建立以劳动力市场需求为导向的教育和培训体制。目前大学生就业难并不完全是总量过剩的问题，而是一个结构性的问题。正规的教育体制也应该适应不断变化的市场需求。不同类型的高校应有不同的定位，不能把全国所有相同专业的学生，都定位在同样的需求层次上。加大积极就业政策的力度，不断提高失业者的就业能力。实现经济政策和劳动力市场政策的整合，提高经济增长的就业含量。

1. 国家发展改革委课题组：《着力解决结构矛盾和体制瓶颈》，《中国经济导报》2004年2月5日。

扩大就业的最根本途径当然还是依赖于经济增长。要使经济增长中就业的含量不断增加，就应大力发展劳动密集型产业、非国有经济和民营经济，鼓励创造各种各样的就业形式。

思路五：推进“以人为本”的新型工业化，解决就业问题。

让尽可能多的人有参与工业化或就业的岗位。第一，确定有利于创造就业岗位、扩大就业的工业化和经济发展战略，保持一定的经济增长速度，采取有利于提高经济增长就业弹性的宏观经济政策。第二，大力发展吸纳劳动力容量大的产业——劳动密集型产业。第三，大力发展吸纳劳动力容量大的企业。第四，大力发展吸纳劳动力容量大的区域。第五，大力发展有利于创造就业岗位的适用技术和中性技术。第六，适当加大“公共工程”建设。第七，鼓励出国留学和工作，组织劳务输出，并促进跨地区的劳务协作。

让尽可能多的人有参与工业化或就业的机会。第一，建立和完善劳动力市场，形成公平竞争的制度环境。第二，加强就业服务，健全再就业服务体系。第三，全面落实就业扶持政策，推进“再就业工程”。第四，提倡灵活多样的就业形式。

让尽可能多的人有参与工业化或就业的能力。第一，坚决落实九年制义务教育特别是农村的九年制义务教育。第二，大力发展各种形式的成人教育。第三，大力开展各种形式的有针对性的职业培训和再就业培训。第四，积极开展劳动年龄人员的创业知识和创业技能培训。

让尽可能多的人有参与工业化或就业的愿望和动力。第一，在全社会加强就业观念教育，培养竞争和开拓意识。第二，建立和完善适应市场经济要求的全民福利保障制度。[1]

思路六：促进就业要坚持数量和质量并重的原则对于促进就业的总的看法是，要着眼于制度创新，坚持数量和质量并重的

1.李佐军：《解决就业问题的主线是推进“以人为本”的新型工业化》，《经济要参》2004 年 7 月。

原则。

如果说国有企业改革要走抓大放小的路子，那么，解决就业问题则要放大扶小，活强助弱。大拨靠市场，靠发展，小拨靠政府和社会帮助。要不断培育和发展劳动力市场，不断改革限制劳动力自由流动、合理配置的制度障碍，不断减少劳动者创业和就业的制度成本，让绝大部分有竞争能力的劳动者到劳动力市场的海洋里自由活动。同时要完善相关政策和制度。对于改革和结构调整过程中出现的少部分市场竞争能力很弱的群体，需要政府和社会伸出援助之手，对他们的基本生活和再就业提供必要的帮助。当务之急，要研究完善非正规就业的劳动关系、社会保障政策问题。[1]

思路七：我国要想在比较短的时间里较好地解决就业问题，并且实现经济的平稳、快速发展，就应该在以下几个方面加强投资和政策引导作用：

首先，国家要调整财政投资的结构。从增加就业和促进经济发展的角度考虑，财政投资应该逐步从竞争性领域退出，转而加大对公共产品的投资，包括教育、卫生、环保以及基础设施建设投资等。退出竞争性领域，一方面可以节约大量资金用于其他行业和领域的投资，另一方面可以为其他类型投资的进入提供更多的机会，通过竞争，提高经济效率。其次，国家要大力鼓励非公有制经济的发展。国家可以放宽行业准入限制，加强法制建设，为各类企业的公平竞争提供一个很好的平台。通过企业之间的优胜劣汰竞争，不仅实现缓解就业压力的目的，还有利于经济活力的提升，促进经济的持续增长。再次，国家应大力发展第三产业，尤其是应该加快服务业的发展。最后，国家应采取有力措施促进中小企业的发展。国家一方面加强对国有商业银行的政策指导作用，促使其能为中小企业的发展提供充足的资金，另一方面国家应该放松民营银行的设立限制，降低门槛，让民间

1. 刘军：《促进就业要坚持数量和质量并重的原则》，《经济要参》2004年10月。

金融活动活跃起来，以此促使中小企业融资问题得到解决。[1]

思路八：促进农村劳动力转移与优化农村就业结构的思路。

继续推进农业结构战略调整，扩大农业就业容量。农村生产应紧紧围绕提高质量和效益这个中心环节，面向市场，依靠科技，因地制宜地引导农民调整种植、养殖结构。适当增加劳动密集型农产品种植面积，大力发展优质、高产、高效农业，向农业生产的广度和深度进军。最大限度地实现劳动力在农业内部就业。

充分发挥乡镇企业吸纳农村剩余劳动力的主渠道作用。一是要通过开拓产品销售市场、完善信贷金融服务，使乡镇企业继续保持较快的增长速度。二是乡镇企业要抓住机遇大力调整产业结构，把发展高新技术产业、农产品加工业作为再次创业的突破口。三是深化乡镇企业产权制度改革和要素市场的培育，促进乡镇企业连片集中发展。四是出台优惠政策，鼓励和扶持农村个私民营企业的发展。

大力发展第三产业和新兴产业。推进农村城镇化，拓宽农村劳动力就业渠道，把更多的农村劳动力转移到流通、服务等领域。发展第三产业，一方面要大力发展包括各种服务业在内的劳动密集型产业，另一方面应积极发展高新技术及信息产业。

积极创造条件，促进农村劳动力向经济发达地区和大中城市转移。一是要成立相应的组织机构，加强对外出劳动力的组织和指导，为劳动者提供及时的准确的就业信息，并且做到跟踪服务。二是要加强对农村劳动力的专业技能培训，增强外出劳动力的就业能力。三是要逐步消除城乡分割，打破城乡封锁，取消户籍制度，构造城乡统一的就业市场。四是切实解决外出农民工的后顾之忧，帮助外出打工人员解决家庭的生产、生活等方面问题。[2]

---

1. 任淮秀：《对投资和就业关系的几点认识》，《劳动经济与劳动关系》2004 年 1 月。
2. 薛俊侠：《农村劳动力转移与农村就业结构的调整优化》，《现代经济探讨》2004 年第 2 期。

思路九:城市贫困群体就业保障的政策建议。

建立并完善贫困群体就业保障机制。要研究一套针对贫困群体的就业保障或就业援助措施，把这项工作当作一项长期工作任务来抓；要拨出专门资金用于支持贫困群体职业培训和就业援助工作并保证所需资金供给。为优化反贫困资源,防止内耗和浪费,建议在城市街道一级最低生活保障和失业保险、就业援助等就业保障工作由同一个机构承担，并建议在政府机构改革时将最低生活保障职能交由劳动和社会保障部直接承办。

强化失业保险的就业保障功能。一是待遇给付期限缩短到不超过六个月,在此期间养老和医疗保险视同缴费,增强失业人员再就业紧迫感;二是待遇给付标准与本人缴费工资挂钩,可考虑为缴费工资的50%，最少不低于最低工资的70%—80%（达到现水平）；三是大部分失业保险缴费应当用于转业培训和再就业方面的支持；四是由失业保险管理机构负责失业人员的再就业援助,就业援助的目标是对每一位失业人员负责到底,直至就业脱贫；五是逐步将非正规就业的灵活就业人员纳入失业保险范围,先将在正规部门就业的非正规就业人员覆盖进来。

开展多种形式的再就业培训和就业援助服务。第一,要通过失业保险和国家财政提供充足的培训资金。第二，要运用市场机制办培训,鼓励民办培训机构参与培训,通过招标由社会各类培训机构竞办再就业培训,并实行由培训机构提供转业培训、介绍就业一条龙服务。第三,对文化程度较低、接受新技术能力较差、不适合参加正规就业培训的,可由失业保险机构直接联系用人单位进行试工。第四，对上述几种方式都难以再就业的长期失业者,由政府资助、单位或个人经办的就业安置项目安置失业人员,除享受国家规定的社会保险费补贴外,对这些单位发给本人工资50%的工资性补贴,期限一年。第五,对接近退休年龄或家庭极为贫困,上述措施都难以奏效的,由政府购买就业岗位直接安置，政府购买就业岗位的工资报酬应控制在一个合理的限度内,标准要稍低一些,以免影响失业人员通过市场机制自立的积极性。

要千方百计扩大就业、鼓励用人。一是调整产业结构和所有制结构。一方面对原有第二产业进行结构调整，在调整中寻找新的吸纳就业的领域和机会；另一方面，要进一步解放思想，大力调整所有制结构，发展非公有经济，增加就业岗位。二是通过大力发展第三产业开辟就业岗位。第一，要加快服务业社会化的步伐，积极引导消费，促进全社会和广大劳动者就业观念和消费观念的更新，从而创造大量的就业岗位。第二，要把握住加入世界贸易组织给我国第三产业发展提供的难得机遇。第三，发展旅游业。第四，逐步调整对文化艺术和新闻出版业的政策，促进该产业发展，并通过这些行业带动相关产业成长，增加就业机会。第五，发展老年照顾事业和社区服务业，增加就业机会。第六，政府在精简行政机构的同时，在事业和其他有关公共服务部门可适当增加雇佣岗位，同时放开对民办事业或非事业单位的限制。三是扶持中小企业和鼓励下岗失业人员自谋职业。四是鼓励非公有制企业扩大用人，尤其是招用下岗失业人员。[1]

思路十：提升服务业在劳动就业中贡献的政策。

关于实施有效的产业政策，明确服务业发展的目标，调整服务业的内部结构。调整我国第三产业内部结构势在必行。当前及今后一段时期，应把发展的重点放在下面几个方面：一是与科技进步相关的新兴行业，如咨询业、信息产业和各类技术服务业等；二是就业容量大、与经济发展和居民生活密切相关的行业，如金融保险业、房地产业、仓储业等；三是对国民经济发展具有全局性、先导性影响的基础行业，如交通运输业、邮电通讯业和公用事业等。

从财税政策上为服务业的大力开展创造良好的经济环境。一是对愿意接受国有企业下岗职工的第三产业，国家应在税收、利润分配和劳动管理等方面给予更优惠的照顾。二是要区别对

1. 华迎放：《城市贫困群体的就业保障》，《经济研究参考》2004 年第 11 期。

待，重点扶持。对那些社会急需而又发展滞后的第三产业，应实行低息低税政策，有的可实行有条件的免税。三是要增加投入。除了增加财政资金、信贷资金外，还应注意把预算外资金引导到对第三产业的投入上来，把分散在地方、企业和个人手中的资金集中起来，用于第三产业建设，特别是用于投资少、效益高、就业容量大的第三产业。

加快城市化进程，鼓励中小城市适度扩容。要尽快放松并最终取消对农村人口城市化的政策限制，同时采取一些鼓励中小城市扩容的政策措施。比如可考虑在新安排的财政公共投资中将一定的份额投入到大中城市的基础设施结构中。再如放宽服务业市场准入，降低服务业进入门槛与成本，消除阻碍第三产业发展的体制障碍。[1]

1. 夏杰长:《大力发展服务业是解决“增长型失业”的有效途径》,《经济研究参考》2004年第11期。

第二章

从计划就业到市场就业的演变特点

中国就业问题,经历了至少两个基本阶段。一个是从1949年解放到1978年以前的计划经济时期的计划就业安置,一个是1978年到现在28年时间的专项市场选择就业的阶段。这两个阶段的劳动就业不仅数量差距极大,而且就业方式和就业内容也发生了重大变化。

2.1 计划经济体制下的就业指导方针和特点(1949—1978年)

一、计划经济体制下的就业指导方针

为了缓解建国初期失业高峰的压力,1952年7月2日—19日,政务院专门召开了全国劳动就业问题会议。会议针对失业幅度骤增等问题,提出了就业问题由国家统筹安排的“统一介绍”方针。根据上述方针,7月25日,政务院批准通过了《关于劳动就业问题的决定》(以下简称《决定》)。《决定》的内容要点是:①一切公私企业,对于因实行生产改革,提高劳动效率而多余出来的职工,均应采取包下来的政策,不得任意解雇;②对于城市中的失业和无业人员全部进行登记,并对其进行有计划的就业或转业训练,然后由国家统一调配;③一切公私企业招工,必须通过当地劳动部门审核批准,从失业登记人员中挑选,由劳

动力调配机关统一介绍；④农村富余劳动力应通过发展农业生产和多种经营就地解决，设法不使其流向城市，增大就业压力[1]。《决定》确定了以“包下来”统一安置为特征的新就业方针。提出劳动力的统一介绍要逐步向统一调配过渡，这种就业政策充分体现了传统计划经济的思想。全国统一的劳动力招收和调配制度,起初在建筑行业开始建立,后来逐步扩大到工矿企业和交通运输等各个部门。

1955年5月,劳动部进一步明确了劳动力统一招收和调配的基本原则和具体办法。基本原则是八个字:“统一管理、分工负责”,即在劳动部门统一管理之下,由企业主管部门分别负责进行。关于劳动力统一招收和调配的具体办法规定为:(一)在招工方面,企业招用工人和技校学生,统一经过劳动部门进行,机关和事业单位招用人员应报当地劳动部门备案。在调配方面,企业之间劳动力的余缺调剂主要由主管产业部门在系统内部进行,但为避免同类职工相向调动和远距离调动所造成的浪费,也可请地方劳动部门进行地区平衡调剂。(二)各部门、各地区之间劳动力余缺调剂以及抽调技术工人支援内地重点建设，由劳动部门进行。(三)在劳动力平衡计划方面,各部门和各地区根据国家批准的劳动计划,编制本部门、本地区的年度劳动力平衡计划,劳动部门进行部门间、地区间的劳动力调配。[2]

在计划经济体制下,劳动力的统一招收和调配制度,使得旧中国遗留下来的失业问题很快得到了解决。1949—1958年,社会劳动者由18082万人增加到26600万人，职工人数由809万人增加到5194万人。大批失业人员获得了就业(详见表2-8)，城镇登记失业人数和城镇登记失业率明显下降。到1958年底，

1. 参阅陈少晖:《从计划就业到市场就业》第22页,中国财政经济出版社,2003年3月。

2. 参阅杨宜勇:《两种经济体制下的就业特征》(上),2004年3月24日。http://www.jjxj.com.cn/news_detail.jsp?keyno=2938.

表 2-1 1949—1958 年解放初期城镇失业人员的就业情况

年 份	当年就业人数（万人）	累计就业人数（万人）
1950	36.6	36.6
1951	37.0	73.6
1952	24.0	97.6
1953	43.9	141.5
1954	11.9	153.4
1955	5.4	158.8
1956	102.5	261.3
1957	12.5	273.8
1958	200.4	474.2

资料来源：国家统计局社会统计司编，《中国劳动工资统计资料（1949—1985）》，中国统计出版社 1987 年 7 月版，第 109 页。

中国政府宣布彻底消灭了失业现象。

二、计划经济体制下就业的特点 [1]

计划经济作为一项经济制度，在社会主义建设的初期曾经发挥了不可替代的作用，对于迅速建立我国的重工业体系和军事工业体系功不可没，并在较短的时间内恢复和发展了国民经济，这些都是值得充分肯定的。计划经济是一种用军事的（高度集中统一）方法来发展经济，在非常时期、在某些领域内取得突破是有效的；但是，在信息化程度不高、社会发展水平相对较低的情况下，长期实行这种制度会使得某些失误难以纠正，会使得单位和个人的多方面积极性难以充分调动起来。这些负面影响也在劳动就业问题上有所表现。菲韦尔考察了波兰 20 世纪 50—70 年代的经济发展史以后，在 1974 年出版的《社会主义工业经济中隐蔽失业的原因及其后果》一书中写道：（实行计划经

1. 参阅杨宜勇：《两种经济体制下的就业特征》（上），2004 年 3 月 24 日。http://www.jjxj.com.cn/news_detail.jsp?keyno=2938.

济的）社会主义国家特有的充分就业政策目标是“过度就业”和“隐蔽失业”现象大量存在的根本原因。

新中国成立以后的几年内，先后对旧的经济制度进行了改革和整合，到1957年一种成熟的计划经济体制框架已经基本形成。计划经济是全面统一的行政经济。首先，从经济主体来看，政府的权力凌驾于企业和个人之上，各级政府的直接管理经济取代了企业和个人的部分经济权利。其次，计划经济的运行机制由三大统一制度构成：统一的资本分配制度、统一的产品调拨制度和统一的劳动就业制度。这种高度集中统一的制度体系与经济主体的一元化趋势相辅相成，逐渐成为一种典型的计划经济制度。在这种大的制度背景下，劳动就业的主要制度支撑是：

1.统一的劳动力招收和调配制度。劳动力的统一招收和调配，事实上解除了企业、事业单位自行招工的权力，将招工的权力集中于劳动部门一家。由于劳动部门往往不可能完全了解生产情况，再加上安置就业的任务又很重，时间一长，结果企业、事业单位出现了“想要的人得不到，不想要的人硬往里塞”的现象，严重影响企业的生产和事业单位的工作。对高等院校和中等专业学校、技工学校的毕业生由国家统一分配，复员军人由国家统一安置。统一分配和统一安置的人员都成为用人单位的固定工，不许随便辞退。这种“只进不出”的局面，使得企业、事业单位用人制度逐渐僵化起来。

2.统一的工资分配制度。统一的工资分配制度取消了同一地区企业和单位之间的工资差别，只承认工资的地区差别。这样原则上同一地区的同等级职工，不管在什么企业或者单位工作，拿的工资都是相同的。统一的工资分配使得职工工资与企业的经济效益开始脱钩，因为产品是统一调拨的、资本是统一分配的、劳动力是统一招收和调配的，所以职工工资也是统一计划的。企事业单位和国家机关的工人实行等级工资制，企事业单位和国家机关的职员实行职务工资制。统一的工资分配制度由于要在全国范围内进行综合平衡，所以长期执行下来的结果就是工资“低水平、少调整”。

3.统一的社会保险和社会福利制度。企业和机关事业单位还实行全国统一的社会保险和社会福利制度。虽然企业和机关事业单位的具体做法有一定的差别，名义上企业实行的是劳动保险和职工福利，机关事业单位实行的是社会保险和社会福利，但是其保险和福利水平是基本相当的，而且其保险和福利的支出都是以单位为基础，由国家计划来保证国有企业和机关事业单位的社会保险资金来源和福利设施建设所需经费。

4.统一的户籍管理制度和人民公社制度。为了禁止农村剩余劳动力盲目挤占城市就业机会，1958年国务院专门颁布《中华人民共和国户口登记条例》，广泛实行与户籍制度相配套的就业安置、粮食供应、子女入学和住房分配等各种制度，从而堵死了农村劳动力自由流入城市的渠道。在此后的20年间，城市和乡村人口、劳动力流动处于基本相互隔绝的状态。由此，人口和劳动力的城乡分布处于一种稳定的结构。在农村，实行“一大二公”的人民公社制度，人民公社界定为“既是经济组织，又是政权组织，既管理生产建设，又管理财政、粮食、贸易、民政、文教卫生、治安、民兵和调解民事纠纷及其他基层行政任务，实行工农兵学商结合，成为经济、文化、政治、军事等的统一体”。这种制度实际上是一种高度集中统一的政治、经济和社会制度。人民公社不仅决定了统一的集体生产劳动方式，决定了统一的、低层次的收入分配和社会保障制度，而且从根本上决定了农村劳动力的就业方式，在一定程度上影响了劳动者个人的生产积极性。此外，人民公社根据国家的指令不仅严格限制劳动力往城市的流动，而且限制劳动力在农村不同地区之间的流动，把农村剩余劳动力牢牢地束缚在土地上，限制了农民进一步发展的空间。

综上所述，我们把计划经济体制下就业的基本特征做如下归结：

表 2–2　计划经济体制下就业的基本特征

项目	计划经济体制
失业	不承认存在失业现象,追求政治效果最大化,但是隐性失业普遍存在。
机制	按计划行政配置劳动力资源,企业缺乏用人自主权,劳动者个人缺乏择业自主权。劳动力配置属资源约束型。
流动	对城乡劳动力流动，特别是从乡村到城镇的流动严格限制,总的劳动力流动率十分低下。
工资	口号上实行按劳分配,但是客观上“大锅饭”现象、平均主义比较严重;为了保持高的就业率,实行低工资政策,收入增长缓慢。
所有制	所有制追求“一大二公”,限制个体、私营经济发展;身份认同第一，人们认为只有安置到全民所有制单位和相当于全民所有制的大集体才算真正的就业,其他不算就业。
保障	就业保障,以全部就业为追求目标。保险福利以单位为基础。
结构	优先发展重工业,忽视服务业和轻工业,就业结构畸形。
效率与公平	劳动效率较低,收入分配差距较小。

2.2　双轨就业体制模式的形成[1](1978—1992 年)

一、提出“三结合”的就业方针

1. 参阅陈少晖:《从计划就业到市场就业》第 142—165 页,中国财政经济出版社, 2003 年 3 月。

在传统的计划经济年代末期，劳动就业制度已处于相当混乱的状态。一方面，城镇就业形势不断恶化，积累了大量待业人员，并在1978年末和1979年初达到了相当尖锐的程度，这其中最为突出的是城镇待业青年的安置问题。1978年待业人数总计530万人，其中待业青年为249.1万人，占待业人员总数的47.0%。1979年待业人数上升到567.6万人，其中待业青年为258.2万人，占待业人员总数的45.5%。另一方面，随着“文革”的结束，1966—1978年期间“上山下乡”的城镇知识青年强烈要求回城就业。传统的计划经济就业体制再也无法“包”下这样庞大的待业大军，客观上就要求对原有就业体制要有所突破。

1980年8月召开的全国劳动就业工作会议对过去统包统配的计划就业制度进行了深刻的剖析，下决心改革这种制度，提出了“三结合”的就业方针，即实行在国家统筹规划和指导下，劳动部门介绍就业、自愿组织起来就业和个人自谋职业相结合。劳动部门介绍就业就是国营和大集体企业、事业单位按国家计划指标招工；组织起来就业就是指群众自愿组织的各种集体经济单位；自谋职业是指个体劳动者从事个体商业和服务业。“三结合”的就业政策无疑将传统统包统配的计划就业制度打开了一个缺口，由过去单一的国家统一计划就业转变为国家、集体、个人一齐开拓就业门路。从此以后，劳动力配置逐步被分为两块：一块是由国家进行行政控制；另一块则可以自由流动，自谋职业，受市场调节，从而逐步形成了劳动力配置的双轨运行体制。

二、改革传统用工制度

对传统用工制度的改革较之“三结合”就业方针的深刻进步意义在于，它开始真正触动传统就业制度的本质。20世纪70年代末，根据邓小平的“今后，不仅大中学校招生要德智体全面考核，择优录取，而且各部门招工用人也要逐步实行德智体全面考核的办法，择优尽先录用”的指示精神，一些地区对招收新工人试行了德智体全面考核、择优录取的办法。1983年2月，劳动人事部颁布了《关于招工考核择优录用的暂行规定》,对于实行的范围、考核的内容、择优的标准、录用的审批等都作了具体规定。

针对统包统配劳动就业体制下的一些用工制度的弊端,特别是职工退休子女顶替制度的弊端,1986 年 7 月,国务院发布了《国营企业招用工人暂行规定》,除要求今后企业招工必须在国家劳动工资计划指标之内,贯彻招工先培训后就业的原则,坚持面向社会、公开招收、全面考核、择优录用的基本原则外,对传统的"子女顶替"制度作出废止性规定:企业不得以任何形式进行内部招工,不再实行退休工人"子女顶替"的办法。

三、试行、推行劳动合同制

传统的劳动就业制度的最突出特征之一是固定工制度。它享有"铁饭碗"之称。其主要弊病是带来企业劳动力结构不断老化,冗员、懒人、散人越积越多,导致生产效率和组织效率低下。僵化的固定工制度与企业改革发生了激烈的矛盾,改革势在必行。

1980 年,劳动合同制试点最早在上海开始实施。1982 年末,合同制的试点又扩大到北京、广西、河南、湖北、安徽、甘肃等地区。1983 年 2 月,劳动人事部下达《关于积极试行劳动合同制的通知》,要求已经试行劳动合同制的地区和单位适当加快改革力度,尚未试行的地区要求在 1983 年内统一安排试点,逐步总结、推广。在连续几年试点的基础上,同时也为了以更加严格的形式巩固劳动合同制改革的已有成果,并且在这个基础上进一步深化改革,国务院在 1986 年 7 月 1 发布了关于劳动制度改革的四个重要规定:《国营企业实行劳动合同制暂行规定》、《国营企业招用工人暂行规定》、《国营企业辞退违纪职工暂行规定》和《国营企业职工待业保险暂行规定》,开始了比较全面深刻的劳动就业制度的配套改革。到 1988 年底,全民所有制单位实行劳动合同制的职工已达 992 万人,占职工总数的 7.2%。合同关系是一种契约关系,契约关系的本质是双方的平等关系。把契约关系引入劳动就业机制,实际上就承认了劳动力供求双方的平等地位，它反映了商品经济对劳动就业制度的内在要求，初步确立了劳动者与企业的双向选择关系，用工主体开始由国家向企业转换。这既有利于调动劳动者的积极性，又有利于企业对劳动要素的灵活配置。虽然由于客观条件的限制，劳动合同制还没有反映出契约关系的本质，存量部分的固定工制度在一定程度上对增量部分的劳动合同制起到了同化作用，但它毕竟是向商品经济方向迈出了坚实的一步，因而是值得肯定的。

进入 90 年代以后，劳动合同制这项触及传统固定工制度的改革进入全面推行阶段。1992 年 2 月，劳动部发出了《关于扩大试行全员劳动合同制的通知》，对试行全员劳动合同制的基本原则要求、范围、方法、步骤及若干政策性问题作出了明确规定。1993 年 11 月，劳动部出台《关于建立社会主义市场经济体制时期劳动体制改革总体设想》提出了全面推行劳动合同制的时间表："八五"时期，在 2/3 以上地区的各类企业和职工中全面实行劳动合同制，使劳动关系的建立初步走上法制化轨道；通过制定劳动合同管理法规及集体谈判的程序规范，建立劳动合同签订、签证、履行及集体谈判和协调的规则；在非国有企业，特别是外资企业、私营企业，有条件地试行集体谈判制度。"九五"时期，初步建立与社会主义市场经济体制相适应的劳动用工制度，在全国各类企业全部职工中实行劳动合同制，使劳动关系走上法制化轨道；在非国有企业全面建立规范化的集体谈判制度，并进行行业、地区集体谈判的试点工作；有步骤地在一些国有企业中进行集体谈判或集体协商制度。

从 1992 年—1994 年，实行劳动合同制的覆盖面进一步扩大，不仅在国有企业推行，而且在城镇集体企业、外资企业、私营企业、乡镇企业以及个体工商户中也逐步展开。据统计，全国签订劳动合同制的职工，1992 年为 2000 多万人，1993 年为 3000 多万人，1994 年则高达 4500 多万人，占全国职工总数的 25.9%。

四、双轨就业体制模式的生成

经过 10 多年的改革，劳动力配置中的市场化程度愈来愈高，但传统计划就业体制的坚硬内核尚存，从而形成劳动力配置的双轨制。公有企业（主要是国有企业）基本维持着传统计划就业模式，微观企业照顾宏观就业目标状况没有根本性改观；其他领域（农村、乡镇企业、三资企业、私营企业、个体工商户等）则已基本上是按照市场方式配置劳动力资源。两大板块的并存使整个就业领域表现为典型的双轨运行特征。按照建立市场经济体制目标的要求，必须要有市场就业制度相适应，但是，在传统的劳动力配置制度向新的市场化的劳动力配置制度过渡的过程中不可能一蹴而就，向单一的市场配置方式的转变需要一个过程。在这个过程中，行政配置的范围逐步缩小，其作用方式也逐步在进行改革，而市场机制的作用范围则不断扩大，最终将取代行政配置方式。

2.3　市场就业制度模式的确立（1992年以来）

社会主义市场经济体制的确立，国有企业经营机制的进一步转换和现代企业制度的建立，要求彻底打破国有企业劳动力计划配置体制，使目前我国市场与计划双轨并存的二元就业机制向一元化的市场就业机制转化，最终实现全社会劳动力的市场配置，这已成为国有企业劳动就业体制改革的必然选择。

一、我国市场就业的发展[1]

到1993年，国有企业逐步实现了全员劳动合同制，启动了固定工改革，企业与员工通过劳动合同确定劳动关系。虽然由于国有企业的计划体制还没有从根本上得到改变，劳动合同制在很大程度上还是流于形式，但劳动合同制在一定范围内使企业、劳动者双方获得自主选择的权利，为就业市场化提供了运行

1. 参阅杨宜勇：《劳动就业体制改革攻坚》第111—115页，中国水利水电出版社，2005年1月。

条件。实行劳动合同制势必要打破原有统包统配的用工体制，代之以市场化的用工体制，因此必然要求建设、完善劳动力市场，为就业市场化创造载体。1993 年 2 月劳动部在《关于实施（全民所有制工业企业转换经营机制条例）的意见》中使用了“劳务市场”，第一次将就业问题与建立劳动力市场联系起来；1993 年 12 月劳动部根据党的十四届三中全会精神制定了《关于建立社会主义经济体制时期劳动体制改革总体设想》，把通过劳动力市场实现劳动力充分就业和合理流动作为即将建立新型劳动就业体制的内涵之一。1994 年通过的《中华人民共和国劳动法》为就业市场化提供了法律保障，自此就业市场化进入了发展阶段。

我国非国有经济得到快速发展，它们具有自主用工、自主分配的经营特点，可以直接通过劳动力市场进行劳动力资源配置。它们以市场化的工资水平吸引了不少国有企业高素质员工，对国有企业的就业机制产生了冲击，并且促进了整体就业市场化的进程，从而确立了不仅是非国有企业，还有国有企业作为劳动力市场的主体地位。

自 1998 年以来，各地按照中央的要求普遍建立了“再就业服务中心”，国有企业职工下岗后，进入再就业服务中心，在没有实现再就业以前，享受基本生活保障。政策规定，下岗职工在“中心”的期限最长不超过 3 年。目前，期限已满，再就业中心的过渡性使命已经或即将完成。这就意味着，一方面滞留在中心的下岗职工必须离开中心，进入失业者队伍；另一方面，国有企业新下岗职工不再进入中心，而是直接进入市场寻求再就业。总之，再就业工程的实施，使原来具有固定工身份的职工逐步进入了劳动力市场就业。

国有企业的工资制度改革已经取得一定效果，劳动力市场的工资水平决定了企业员工工资水平。作为劳动力市场重要基础的社会保障制度正在逐步完备，一定程度上支持了员工与单位解除劳动关系，进入劳动力市场，重新就业。《中华人民共和国劳动法》的正式颁布,进一步完善了我国就业管理的劳动立法与劳动监察体系,规范了劳动力市场,为劳动关系中处于弱势的劳动者提供了保护。

建立市场就业机制是一项社会系统工程，需要诸多的匹配条件。但目前还存在许多不利于新机制建立的制约因素,主要有:严峻的就业形势;社会保障体系的不健全;劳动力市场的人为分割和劳动力市场服务体制不完善等。而这些制约因素只有随着国民经济的持续、快速、平稳发展,市场经济体制改革的不断深化,社会保障体系建设的不断完善等的顺利进行,才能逐步被克服。

二、市场就业目标模式的框架构建

关于国有企业劳动就业体制改革的目标模式问题，不少学者都进行了十分有意义的研究和设计,使大家很受启发[1]。我们认为，国有企业的劳动就业体制改革的目标模式框架构建的要点是:主体明确化、工资市场化、失业公开化、择业竞争化、保障社会化、调控宏观化。

1. 主体明确化。在市场经济条件下,劳动就业的实际活动是由劳动者与企业直接承担的，本应由这两个身份平等的实际交易者通过劳动力市场的交换来完成劳动就业的实际组织活动。但在计划经济体制下,政府则担当了招工和用工的主体,而企业和劳动者则没有成为就业的主体。因此，要深化国有企业劳动就业体制改革，首先必须促进就业主体的转换。对于企业来说,要从就业的被动承受者转变为用工的自我选择者;对于劳动者来说，要从被调拨者转变为职业的自主选择者。在劳动力市场机制的作用下,劳动者作为劳动力的所有者,有充分的权利按照自身职业偏好选择就业单位，拥有法人财产权的企业也有充分权利按照劳动者的边际劳动生产率实现用工要求，劳动供

1. 参阅陈少晖:《从计划就业到市场就业》第218—221页,中国财政经济出版社,2003年3月。

求交换活动完全由两个身份平等的交易主体依托市场来进行与完成。

2. 工资市场化。在市场经济体制下,劳动力作为一种特殊的生产要素,也具有商品的属性,企业支付给职工的工资是劳动力价值或价格的转化形式。构建市场经济条件下的企业劳动工资体制,发挥好工资机制的经济杠杆作用,工资机制的设计要体现以下要求:①体现企业独立的市场主体地位的要求;②体现工资是劳动力价值或价格形式的要求;③体现工资作为企业成本构成部分的要求;④体现工资多样化形式的要求。从长远来看,工资市场化是市场经济体制条件下,劳动力市场成熟程度的一个重要尺度:①工资市场化要求工资不仅要取决于职工的劳动供给量,而且取决于劳动力要素在劳动力市场流通中形成的劳动力竞争价格;②工资市场化可以自动调节劳动力的供求关系,形成合理的工资差别;③工资市场化可以在部门之间、地区之间建立就业与工资的动态均衡机制,调剂劳动力的总量平衡和余缺;④工资市场化是促进劳动力素质和生产效率提高的最有力的杠杆。

3. 失业公开化。长期以来,国有企业内部存在着严重的隐性失业问题,直接制约了企业的生机与活力。因此,在以市场为导向的国有企业劳动就业体制改革中,将隐性失业公开化既是建立新型就业体制模式的关键步骤,也是劳动力市场机制正常运行的必然结果。因为,在市场经济条件下,失业也是一种调节劳动力重新分配的市场机制之一。与隐性失业相比,失业公开化对经济的积极作用在于:①失业公开化,反映的是劳动供求矛盾发展的一定程度,并为解决这类矛盾的政府决策和市场机制作用的发挥提供了施展余地和有助于人们心理承受的社会环境;而隐性失业则掩盖了劳动力的供求矛盾,不利于消化和解决后来必然发生的严重的失业矛盾问题。②公开失业会对劳动者形成激励和约束作用,促进劳动者提高自身素质,积极参与就业竞争。而隐性失业使劳动者安于“铁饭碗”和“大锅饭”,缺乏竞争的压力和动力，造成劳动者素质低下。③公开失业能使企业内部就劳动效率提高，推动经济增长，扩大生产规模，增加就业量。而隐性失业则牺牲劳动效率，增加生产成本，从而导致企业内部冗员不断积累。

4. 择业竞争化。在传统的计划体制下，就业实行完全由国家“包下来”的统一分配方式，劳动者没有自由选择职业的权利，就业没有优胜劣汰的竞争机制，加上实行的是普遍的低工资制，劳动者的进步性、积极性和创造性缺乏激励，缺乏持久。市场经济是一种充满竞争的经济，按照市场经济要求建立的劳动就业体制也一定是贯彻竞争的体制。在这一体制中，劳动者就业、择业必须通过公平竞争的途径来实现。就业、择业的公平竞争，给了劳动者充分展示和发挥自己才能的机会，同时也是给了劳动者通过热爱学习、刻苦努力，创造美好未来的机会。就业、择业竞争化必将会激励广大劳动者的全面素质提高，进而推动社会生产力的快速发展。

5. 保障社会化。现代市场经济社会是贯彻“效率—公平”规则的经济社会。市场机制的主要功能是通过利益竞争激发人们劳动积极性和创造性，体现的是效率规则；而政府通过建立完善的社会保障制度，缩小过度的差别，维护人们的基本生存、生活权利，体现的则是公平规则。我们选择了市场经济体制，同时也就选择了贯彻“效率—公平”规则。按照市场经济“效率—公平”规则建立社会化的保障机制，充分体现“社会保障社会办”的特征。它的构成要素主要是：①保障职能的社会化。使法定保障对象的失业、养老、医疗等保障过程与企业完全脱钩，保障职能由企业转向社会；②保障资金的社会化。建立保障基金由国家、企业、个人三方共同负担的社会化筹资结构；③保障机构社会化。建立职能化的社会保障机构，统一筹划和管理劳动保障业务。

6. 政府调控宏观化。市场经济体制下的国有企业劳动力实行市场配置并不意味着政府无所作为。相反，现代市场经济条件下，要求国家在宏观上运用经济的、法律的和必要的行政手段对劳动力市场进行调控，引导劳动力市场的有序运行。但这种调控已经不是传统经济体制下的以就业主体身份进行的直接微观干预，而是一种以培育劳动力市场为主线的间接宏观调控行为。主要的调控方式应该是:①劳动力社会平均价格的调节;②劳动力需求预测,劳动力流动导向的调节;③通过引导资金的调节,形成、创造、提供新的就业机会;④劳动力管理战略、法规、政策的调节引导。

2.4 二元就业结构

由于我国显著的二元经济背景，以及长期的城乡隔离的就业制度,使得我国的就业形成了城镇和乡村两个体系。而以前我们只把解决失业、就业问题重点聚焦在国有企业职工下岗、失业、再就业上,而对农村以及农民的就业问题重视不够。随着国家现代化建设的快速发展,大量农村剩余劳动力的出现,及其对城市、农村发展建设产生的多方面的深刻的影响,使我们必须把从理论和实践上关注、研究中国失业、就业的问题,从城市扩展到农村、农民的失业、就业问题上来。[1]

一、改革开放前我国农村剩余劳动力的转移

改革开放前我国农村剩余劳动力的转移完全服从于国家工业化进程的需要,总体的转移速度受到很大的制约。1952—1970年，农村劳动力的转移相当缓慢,18 年间非农产业劳动力增加0.3 亿人,农业就业比重仅比 1952 年下降 2.8 个百分点。从 1970年到改革前的 1978 年，农村剩余劳动力转移开始有所推进,8年间,农业就业比重下降了 10.2 个百分点,非农产业就业人员增加 0.5 亿人,是前 18 年增加人数的 1.6 倍。尽管如此,到 1978年,我国农村劳动力所占比重由 83.5%仅下降到 70.5%,平均每

1. 参阅蒋选:《中国中长期失业问题研究》第 220—223 页,中国人民大学出版社,2004 年 4 月。

表 2–3 中国农业与非农产业从业人员分布

年份	劳动力绝对数（万人）			构成（%）	
	全社会	农业	非农业	农业	非农业
1952	20729	17316	3413	83.5	16.5
1970	34432	27786	6646	80.7	19.3
1978	40152	28313	11839	70.5	29.5
1980	42361	29117	13244	68.7	31.3
1985	49873	31105	18768	62.4	37.6
1990	63909	38428	25481	60.1	39.9
1995	67947	35468	32479	52.2	47.8
1996	68850	34769	34081	50.5	49.5
1997	69600	34730	34870	49.9	50.1
1998	69957	34838	35119	49.8	50.2
1999	70586	35536	35050	50.3	49.7
2000	72085	36043	36042	50.0	50.0
2001	73025	36513	36512	50.0	50.0

资料来源：《中国统计年鉴（2002）》，中国统计出版社，2002 年。

年下降约 0.5 个百分点。

二、改革开放以来，我国农村剩余劳动力的转移

改革开放以来，我国农村剩余劳动力的转移出现了历史性的突破。这 20 多年的历程大致可分为六个阶段。

第一个阶段：1979—1983 年向农业深度发展转移阶段。由于家庭联产承包责任制的广泛实施，大大激发了农民的生产积极性，农村的生产潜力也被大大释放出来。广大农民从原先的从事农业的单一经营向多种经营转变，加快了进入第二产业和第三产业的步伐。但是从国家的相关制度和政策角度看，改革开放前我国实行的是城乡分割的户籍管理制度和就业制度，农村劳动力的流动受到严格的限制，这种限制到改革开放初期并没有根本的改变。1980 年全国劳动就业工作会议及其后下发的文件，一方面解开对城镇职工流动的禁锢，另一方面又加强了对农村劳动力流动的限制。1981 年中央在提出城市实行合同工、临时工、固定工相结合的多种就业形式的同时，又进一步强化了对农村劳动力流动的管理。

第二个阶段：1984—1988 年的高速转移阶段。从 1984 年开始，国家允许农民自筹资金，自理口粮，进入城镇务工经商。这一小小的城门开放是农村劳动力流动政策变动的一个标志，它表明了 30 年的限制城乡人口流动的就业管理制度开始松动。之后，政府又进一步出台了一些政策和措施，允许和鼓励农村劳动力的地区交流、城乡交流和贫困地区的劳务输出，使农村劳动力的转移和流动进入了一个较快增长的时期。这一阶段的重要特征是乡镇企业的发展壮大。1984 年 3 月，党中央、国务院发布有关文件，确立了乡镇企业在国民经济中的重要地位，社队企业正式改名为乡镇企业，把联办企业、户办企业都包括进去，允许突破原来“三就地”（就地取材、就地加工、就地销售）的限制，并在政策、舆论、资金、税收等方面给予大力支持。据有关资料统计，1984—1988 年，乡镇企业从业人员从 5028 万人，增长 89.8%。这一时期也被视为我国农业剩余劳动力转移的黄金时期。

第三阶段：1989—1991 年的整顿提高阶段。这一时期政府对前一个时期实行的农村劳动力流动政策进行了局部的调整，加强了对盲目流动的管理。这一方面是由于前一个时期实行的允许与鼓励政策引发了大规模的农村劳动力跨地区流动，其负面效应通过交通运输、社会治安、劳动力市场管理等方面的不适应突显出来；另一方面，由于治理经济环境、整顿经济秩序造成了城市与乡镇企业新增就业机会的减少，使得农村劳动力的转移和流动的空间缩小。同时，乡镇企业由于治理整顿等原因进入低潮，吸纳劳动力成了负数，很多职工又回到了农村中。但与此同时，又由于乡镇企业灵活的市场机制和“草根工业”顽强的生命力，乡镇企业开拓了外向型经济的发展，增长量远远超过由于治理整顿所造成的降低量。特别是东部地区在此时期大力发展了

“三来一补”的劳动密集型产业，吸纳了内地大量的劳动力。

第四阶段：1992—1996年的超常转移阶段。1992年初，邓小平同志的南巡讲话，把我国改革开放引向了一个新的阶段。此后，乡镇企业进入了高速增长的阶段，年均增长52%，全国各地创造了多种农村剩余劳动力的就业模式，大量吸纳了农村劳动力。

第五阶段：1996—1997年调整重组阶段。这一时期，中央出台了《乡镇企业法》，国务院召开了乡镇企业工作会议，推动了乡镇企业的健康发展。但是，这个阶段由于部分工业和农业产品相对过剩，加上亚洲金融风暴的冲击，我国实行了战略性的结构调整，重点是解决工业的产业和产品两个“同构”问题，所以城市出现了下岗工人，乡镇企业被压缩和调整，劳动力的转移出现了大面积滑坡。

第六阶段：1998—2000年劳动力转移的新阶段。1998年以后，由于城市下岗职工的增加，实施再就业工程已成为各级政府的重要任务。在这种背景下，虽然国家仍继续强调要根据城市及发达地区的需要，合理引导农村劳动力进城务工，但部分省市却出台了各种限制农村劳动力进城及外来劳动力务工的规定和政策。与此同时，国家也实行了一系列政策来刺激、推动经济发展。如实行积极的财政政策等。这些政策和措施的实施又为农村剩余劳动力的转移和就业开辟了新的空间。

2.5 我国农村劳动力转移的基本特征[1]

一、发达地区农村劳动力转移的比重高于不发达地区

根据国家统计局关于中国农村劳动力流动状况的调查，

1. 参阅：《中国农村劳动力转移现状、问题与发展》，国研网“中国农村劳动力转移”课题组。http://www.usc.cuhk. edu.hk/wk wzdetails.asp?id=4054.

1999年全国农村转移劳动力占农村劳动力比重为21.55%,总数约为10107万人。其中,东部地区农村转移劳动力占农村劳动力总数的比重为34.84%,中部地区和西部地区分别为18.26%和14.98%。如图2-1所示,直辖市农村转移劳动力在50%以上,东部沿海地区在30%左右,均明显高出中部与西南地区农村转移劳动力的比重。

图2-1 东、中、西部农村转移劳动力所占比重(%)

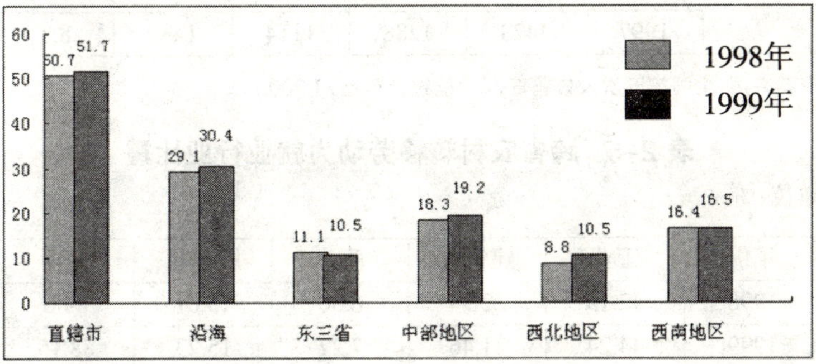

资料来源:全国第五次人口普查,《中国统计鉴》(2000)。

可以看出,越是发达地区,农村劳动力转移数量越多。在1999年转移劳动力中,有20.93%是跨省转移的,总数大约2115万。在跨省转移的劳动力中,又有81.5%流向了东部地区,仅广东省就吸纳了跨省流动的农村劳动力的近一半。

二、农村劳动力跨区域转移呈上升趋势

跨区域流动的省内县外与省外就业比重与数量保持持续上升的趋势,1999年已达到3612万人,占农村转移劳动力总数的35.7%,比1997年上升4.5个百分点,尤其成为农村新增劳动力转移的重要途径。1999年,省外(包括国外)就业的农村劳动力占农村转移劳动力的21.03%,数量为2125万,比1998年增加了309万。

表 2-4 农村劳动力转移地域分布情况

单位:%,万人

	年份	乡内	县内乡外	省内县外	省外	国外
相对数	1999	48.5	15.7	14.8	20.9	0.1
	1998	48.3	18.0	14.1	19.5	0.1
	1997	53.2	15.5	13.4	17.8	0.1
绝对数	1999	4903	1582	1497	2115	9.6
	1998	4633	1718	1346	1862	9.5
	1997	4423	1288	1114	1480	8.3

资料来源:全国第五次人口普查,《中国统计年鉴》(2000)。

表 2-5 跨省农村转移劳动力就业行业比重

单位:%

年份	工业	建筑业	商业	服务业	合计
1998	42.15	22.94	6.50	13.01	84.6
1999	44.24	21.46	7.22	15.23	88.15

资料来源:全国第五次人口普查,《中国统计鉴》(2000)。

表 2-6 农业产值与就业比重对比

年度	农业产值比重%	农业就业比重%
1978	28.1	70.5
1980	30.1	68.7
1985	28.4	62.4
1990	27.0	60.1
1991	24.5	59.7
1992	21.8	58.5
1993	19.9	56.4
1994	20.2	54.3
1995	20.5	52.2
1996	20.4	50.5

1997	19.1	49. 9
1998	18.6	49. 8
1999	17.6	50. 1
2000	15.9	50. 0
2001	15.2	50. 0

数据来源:《中国统计年鉴》(2002)

从流向上看,发达地区劳动力以本地转移为主,而相对落后地区以向外转移为主。例如,1999 年广东省省内转移人数占全部劳动力转移人数的 99.8%,北京市市内转移的占 99.5%,而同年河南省这个比率为 70.2%。

三、工业是农村转移劳动力的第一选择

根据第五次全国人口普查,我国农业就业人员比例由 1990 年的 72.2%下降为 2000 年的 64.38%。同期,第二、第三产业的就业人口分别由 15.2%和 12.6%上升为 16.81%和 18.81%。在农村转移劳动力中,工业是跨省农村劳动力流动的主要选择,其次是建筑业和服务业。同时,因农村劳动力转移的影响,第二和第三产业在三次产业中所占比重分别上升了 3.37 和 6.21 个百分点。中西部地区跨省劳动力流动显著地推动了沿海地区第二产业的发展。

农村劳动力能较多地在工业部门就业显然与中国农村工业内部的行业结构比较齐全有关。在其他发展中国家,农村工业的主体是以农业为原料的工业和直接为农业、农村提供生产投入品和生活消费品的工业。就我国情况而言,农村工业已全面介入各工业部门,其行业分布与城市工业具有很强的"同构性"。

四、非农收入成为农村转移劳动力主要收入

目前,农村劳动力的转移,使农业劳动力占社会总劳动力的份额由 70.5%下降到 45.1%,年平均下降 1.3 个百分点。在农业劳动力比重不断下降的同时,非农收入占农村转移劳动力收入的比重却不断上升。2001 年农民人均纯收入为 2366 元,比 1996

年增加430元，其中，来自于非农产业的纯收入由621元增加到1066元，占农民人均纯收入的比重由32%上升到45%。换言之，目前非农产业收入差不多已占到农民纯收入的一半左右。特别是最近几年，农村劳动力外出流动，获得的劳务收入越来越成为农民收入的重要来源。2000年农民人均纯收入构成中，劳务收入人均240元，劳务收入占农民纯收入的比重为14.85%。2001年农民人均劳务收入375.7元，占农民纯收入的比重为15.9%。2002年，农民人均劳务收入438.2元，占农民纯收入的比重为17%。其中四川、重庆、湖南、安徽、江西等省市农民劳务收入已占农民人均纯收入的30%以上。

五、转移劳动力具有明显的兼业性

目前，我国农村转移出去的劳动力绝大多数还保留着对土地的承包权，每年除在外务工外，农忙季节都要回家从事农业生产，属亦工亦农性转移。兼业长短因家庭劳动力的多寡与从事劳务收入的高低而不同。一般而言，家庭劳动力较多，从事劳务收入又较高的，在外工作时间就长，反之则短。兼业性还体现在劳动力转移存在一定的间隔性，今年外出，而明年可能不外出。农村劳动力兼业转移人员在外工作时间1—5个月的比率为3.4%，而在本乡从事非农行业1—5个月的比率为18.3%。

2.6 农村剩余劳动力就业出路的选择

一、我国农村劳动力转移就业的实践方式及其就业机会[1]

20世纪80年代以后，我国农民就开始了自发地寻找就业的新途径。农民这种就业方式转型，标志着中国由农耕文明向现代化社会转型。农民就业结构出现新的突破，开始摆脱以种植业为主的传统农业，进入乡镇企业或跨地区城市（镇）就业

1. 参阅林汉川、夏敏仁：《农民就业转型的模式与对策研究》。http://www.usc.cuhk.edu.hk/wk_wzdetails.asp?id=3840.

（外出打工）。1996年，国务院发展中心对全国有代表性的38个县市（其中富裕县5个，中等收入县22个，收入较低县11个）的农村劳动力就业分布情况进行了广泛的问卷调查，发现在全部劳动力中，进入乡镇企业和外出打工的人数达到43.7%，滞留在农业的人数只占56.3%（比1978年的90.7%下降了34.4%），这些人中，只有35%为传统农业所消化，其中还有21%为多余劳动力（见表2–7）。

表2–7 38个县市农村劳动力
在农业、乡镇企业、外出就业的分布比例

农村总劳力（万人）	1224.1	100%
1. 留在农业的劳动力	686.6	56.3%
其中：农田常年作业	301.8	35%
林果养殖蔬菜	126	10.3%
富余劳动力	259.5	21%
2. 乡镇企业就业	336	27.4%
3. 外出就业	201.5	16.4%
其中：6个月以上	149.4	12%
非农就业（2+3）	537.4	43.7%

资料来源：《中国经济报》（京）1999年4月7日第5版。

1997年我国全部从业人员为69600万人（1998年为69957万人）乡村从业人员为49393万人，其中60%即相当于27000万人左右为剩余劳动力。乡镇企业与城市二、三产业已吸收12000万人。还有15000万（占农村总劳动力30%）"空悬劳动力"大量积淀在有限的土地上。况且每年还要净增700多万人口。由此可见，乡镇企业和城市化的发展，已成为我国农民就业转型的主要方式。

1. 乡镇企业直接提供的就业机会。改革开放以后,乡镇企业迅猛发展,为农民就业转型提供了一个广阔的空间。从1979年到1995年,乡镇企业直接吸纳农村剩余劳动力1.29亿。每年新增就业人数平均达620万人。年平均增幅为11%。到1995年乡镇企业人员数已占乡村总从业人数的26%。表2-8中的数据反映出乡镇企业发展吸纳就业水平的阶段性特点。从1979—1983年，乡镇企业吸纳农村劳动力年均82万人，年均增幅为2.76%,五年间,乡企人数占乡村总人数的平均比例为9.28%,从未突破过10%。1984—1998年,是乡企发展历史上最好的时期,年均吸纳就业人数1382万人,年均增幅为27.23%,占乡村总人数的平均比例突破20%(为20.13%);1989—1990年乡企吸纳就业人数连续出现负增长，分别比上年减少179万人和102万人,降幅分别为1.87%和1.09%,到1991年缓慢回升。从1992年至今,乡镇企业吸纳农村剩余劳动力的绝对数有所增加,但升幅波动较大,1994年和1997年比上年分别减少327万人和458万人，减幅分别为2.65%和3.39%，吸纳能力总体上呈下降趋势。有关乡镇企业吸纳农村劳动力就业情况详见表2-8。

2. 城市化过程所引致的就业机会。1978年以来,从我国城镇新就业人数变动情况(见表2-9)分析,20年来国有单位安置新就业人数虽然存在波动起伏,但下降趋势明显,而城镇集体和个体私营企业吸纳新就业人数明显上升，已经成为我国吸纳就业的主要渠道。到1997年,城镇国有经济新增就业人员226万人,占新增就业总人数的31.8%,比1978年降低40.17%,而同年集体和个体经济新增就业人数292万人,占比41.13%(其中个体经济占23.10%)。从1992年以后,个体及其他行业新增就业人数迅速上升,到1997年占比达50.14%。这些数据从一个侧面反映了城市化的发展所引致的就业机会的提高。

二、实现农村劳动力就业的政策选择

1. 重视农村劳动力的非正规就业。所谓非正规就业,是国际上一个通用概念，即指在非正规部门的就业。这类部门在中

表 2-8 1978—1997 年乡镇企业吸纳农村劳动力就业情况

年份	农业从业人数（万人）	乡镇企业吸纳就业人数（万人）	比上年增加数（万人）	增幅（%）	占农村从业人员比重%
1978	30638	2826.56			9.23
1979	31025	2909	82.44	2.91	9.38
1980	31836	2999.67	9067	3.12	9.42
1981	32672	2969.58	–30.04	–1	9.09
1982	33867	3112.91	143.33	4.83	9.20
1983	34690	3234.64	121.73	3.91	9.32
1984	35968	5208.11	1973.47	61.01	14.48
1985	37065	6979.03	1770.92	33.99	18.83
1986	37940	7937.14	958.11	13.73	20.92
1987	39000	8805.18	868.04	11.09	22.58
1988	40067	9545.46	740.28	7.75	23.82
1989	40939	9366.78	–178.68	–1.87	22.88
1990	47293	9264.80	–101.98	–1.09	19.59
1991	47822	9609.1	344.3	3.71	20.09
1992	49313	10624.6	1015.5	10.57	21.99
1993	48784	12345.00	1720.4	16.19	25.31
1994	48786	12018	–327	–2.65	24.63
1995	48854	12862	844	7.02	26.33
1996	49035	13508	646	5.02	27.54
1997	49393	13050	–458	–3.39	26.42

资料来源：根据《中国乡镇企业年鉴（1993）》、《中国农村统计年鉴》1998 年、《中国统计年鉴》（1990—1998 年）整理并计算。

国主要表现为大量在城市的自我雇佣人员以及小时工、临时工、季节工和自由职业者以及经常变换工种和工作的从业人员。农村劳动力转移到非农领域，在很大程度上和较长时期内，要以这种非正规就业方式来实现其充分就业。非正规就业方式的基本特点是低收入、低报酬、无组织、不稳定和小规模。这种就业方

表 2-9 改革开放以来我国城镇新就业人数变动情况

年份	国有单位		集体单位		个体劳动		其他	
	新就业人数（万人）	比重（%）	新就业人数（万人）	比重（%）	新就业人数（万人）	比重（%）	新就业人数（万人）	比重（%）
1978	392.0	72.00	152.4	27.99				
1979	567.5	62.87	318.1	35.24	17.0	1.88		
1980	572.2	63.58	278.0	30.89	49.8	5.53		
1981	521.0	63.54	267.1	32.57	31.9	3.89		
1982	409.3	61.55	222.3	33.43	33.4	5.02		
1983	373.7	59.48	170.6	27.15	84.0	13.37		
1984	415.6	57.60	197.3	27.35	108.6	15.05		
1985	499.1	61.35	203.8	25.05	110.7	13.61		
1986	536.3	67.62	223.8	28.22	33.0	41.6		
1987	499.4	62.50	214.0	26.78	85.7	10.72		
1988	492.2	58.30	263.2	31.17	88.9	10.53		
1989	367.3	59.31	191.5	30.92	37.0	5.79	24.0	3.88
1990	475.0	60.50	235.0	29.94	40.0	5.09	35.0	4.46
1991	363.0	47.46	272.0	35.56	60.0	7.84	70.0	9.15
1992	366.9	49.85	218.2	29.64	73.4	9.97	77.5	10.52
1993	310.0	43.97	202.0	28.65	95.0	13.48	98.0	13.90
1994	294.0	41.12	181.0	25.31	125.0	17.48	115.0	16.08
1995	260.0	36.11	170.0	23.61	135.0	18.75	155.0	21.53
1996	243.0	34.47	155.0	21.99	140.0	19.86	167.0	23.69
1997	226.0	31.83	128.0	18.03	164.0	23.10	192.0	27.04

资料来源：王永福等《非公有制经济：扩大就业的一个有潜力的吸纳源》，《经济学动态》1999 年 9 月。

式，发展中国家普遍存在，是特别适于有大量农村劳动力需要转移和就业国家的低成本就业方式。在东南亚和南美国家，非正规部门在城市就业中的份额已由 20 世纪 70 年代的 40%—60%上升到 80 年代的 50%—70%。1996 年，非正规部门占用的劳动力占全部非农劳动力的比例，阿根廷为53.6%，巴西为59.3%，哥伦比亚为57.2%，墨西哥为60.2%，秘鲁为57.9%，玻利维亚为63.1%，巴拉圭为67.9%。事实证明，非正规部门的非正规就业是就业成本低廉，也是富有效率的就业形式，它可以为中国农村劳动力提供巨大的就业和生存空间。

2. 发展第三产业和中小企业。其实，在中国劳动力就业构成中，主要是第三产业就业结构转换滞后，并大大偏离于其他国家的普遍情况。从世界各国情况看，绝大多数经济发达国家与发展中国家，第三产业就业一般高于其产值比。比如，韩国的第三产业就业与其产值比为61∶51，马来西亚为50∶41，菲律宾为45∶45，巴西为56∶50，而中国的数据却是27.7∶33.6，两者偏差为5.9个百分点。第三产业就业结构转换滞后，在很大程度上，是导致中国非农就业结构偏差的重要原因。因此，必须大力发展第三产业，促使农村劳动力充分就业。乡镇企业也要把第三产业发展作为再次创业的突破口。重点是发展农产品流通业、交通、通讯、信息服务、技术服务等行业，开发农村房地产和旅游等新兴产业。与此同时，大力发展中小型企业。一个国家或地区，大型企业主要承担基础工业和新兴工业体系的建设、高新和综合技术的研究和开发、提升国际竞争力等任务，而中小型企业尽管从资源配置和技术构成方面不如大企业进步和有效率，但在提供更多就业岗位，实现劳动力充分就业方面应该发挥更大的作用。发达国家在发展中小企业方面有很多成功经验，完全可以借鉴它们的成功做法，对一些就业量大的企业予以相应政府扶持，使其尽可能地吸纳农村劳动力。

3. 实施多元化的城市化发展战略。城市化是人口迁移，转移农村劳动力，实现农村劳动力充分就业的最根本途径。中国是发展中大国，区域之间自然、经济社会条件禀赋各异，不应当也不可能采取整齐划一的城市化模式。理性的选择是按照比较优势的原则，根据不同区位资源条件、人口规模和经济发展水平，因地制宜，科学规划，把发展特大城市、大城市、中等城市和有重点地发展小城市(镇)有机结合起来。既要注意在一定发展阶段,由于相对较低的进入门槛,中小城市和县城镇对农民进城具有相当大的吸纳功能。更要注意到,城市经济的集聚效应是以规模发展为特征的。按照世界城市化发展的普遍规律,工业化迅速发展阶段,适度扩张大城市,甚至特大城市的发展是适宜的。大城市吸纳劳动力就业能力、居民聚集的成本,特别是第三产业的发展,使农村劳动力转移成本,在一定时期远远低于中小城市和小城镇。这也是为什么经济发达国家在城市化发展过程中,农民的迁移大多数都经历过从农村向大城市转移,再由大城市向中小城镇扩散过程的根本原因。换言之,在一定历史条件下,大量农民和农村劳动力向大城市和特大城市聚集,扩大城市生活和就业空间,是世界城市化发展史上的必然阶段和客观规律。试图人为地避开这一阶段,实现城市化的理想状态是不现实的。

4. 进行较彻底的制度创新。农村劳动力流动与充分就业,需要彻底解除城乡分割的制度障碍,大胆进行制度创新。基本原则是要予以农民平等的发展机会和国民待遇,按照城乡统筹的思路,通过改革促使农村劳动力转移和充分就业。其一,彻底改革户籍制度。城乡分割的户籍制度,是中国城镇化长期滞后的根源。在新的形势下,必须把依附于户籍制度上的各种不合理制度剥离出去,以稳定住房、稳定职业和稳定收入为标准,实行住地登记制度和身份证管理制度替代户籍管理制度的内涵。城市之间要实现人口的无障碍流动,给农民新的自由进城和自由迁移的权利。其二,按照梯度发展理论,从经济发达地区向欠发达地区逐步过渡,建立和完善覆盖全社会的劳动与社会保障制度。改革的基本方面是扩大保障面和建立面向城镇非农产业就业人口的住房、就业、失业、教育、养老和医疗保障体系。对放弃农村土地承包权,转变为城市居民身份的农民,要与其他城镇居民同等对待,实行最低生活保障。其三,一段时间内保留进城落户农民的土地承包权。要充分吸取南美和南亚国家在发展城市化过程中的深刻教训。在发展城市化进程中，尤其是农民到城镇落户未取得稳定的就业、收入保障以前，要保留这部分农民的土地承包权，解除农民的后顾之忧。

5. 为农村劳动力充分就业提供有效服务。政府除了花大力气抓好对农村劳动力的职业技能培训外，还需要帮助农民解决依靠市场不能解决的问题。第一，各级政府要充分利用农村市场信息体系，拓展服务领域，做好信息服务工作，逐步形成包括信息发布、就业咨询、职业介绍、跟踪服务在内的社会化就业信息服务网。第二，为了鼓励分工分业农民顺利转产，政府应设立财政专项资金，对在培训期的农民给予一定的生活津贴，对于分工分业后的农民创办新产业，提供贷款补助等，在这方面，经济发达地区已有一些实践，要及时进行总结。第三，鼓励多部门、多渠道、多形式地为农民工提供法律服务。依法维护农民工的合法权益。要严厉查处拖欠和克扣农民工工资行为，切实解决拖欠工程款问题。加强劳动合同管理。第四，完善失业保险制度。进城农村劳动力的失业要逐渐纳入政府失业保险序列、城乡统筹，促使城乡社会稳定。

第三章

中国失业的特点和成因

3.1 从消灭失业、回避失业到承认失业

3.1.1 消灭失业[1]

新中国成立以后，中央人民政府反复强调建国初期的失业问题主要是帝国主义和国民党反动派长期统治的结果,不是新社会制度的产物，而是国家处于新旧交替过程中出现的暂时现象。

这种观点源于当时政府对经典社会主义能不能消灭失业现象的认识不足和对社会主义建设的急于求成。事实上,马克思、恩格斯和列宁都没有从正面答复过“社会主义能不能消灭失业现象”这个问题。但是,在马克思的著作中曾经反复强调过劳动的义务,指出“人人都必须劳动”,劳动对于原来的剥削者和懒汉甚至带有强迫性。随后,列宁也指出“不劳动者不得食”。从上述论断，人们想当然地推论出马克思和恩格斯所设想的社会

1. 参阅杨宜勇:《两种经济体制下的就业特征》(上),2004 年 3 月 24 日。http://www.jjxj.com.cn/news_detail.jsp?keyno=2938.

主义是没有失业现象的。

前苏联在认识上也走过同样的弯路，这一点可以从列宁在十月革命胜利后不久一段关于苏联失业问题的文章中得到证实。列宁曾经指出:这(失业)是帝国主义战争造成的,就是说,不是社会主义所固有的。列宁在强调劳动的义务时，延伸到劳动的权利,他认为:“全体公民都有利用公共的生产资料、公共的土地、公共的工厂等进行劳动的同等的权利。”1934年,斯大林在联共(布)第十七次代表大会上宣布:“在我们这里却再也没有找不到工作和领不着工资的工人了。”1936年，斯大林在关于苏联宪法草案的报告中强调:“我们现在有了新的社会主义的经济,这个经济不会有危机和失业,不会有贫困和破产。”

在社会主义建设初期,中国受苏联的影响很大,所以中央人民政府成立以后,也反复强调失业是旧社会遗留下来的问题,并不断朝着彻底消灭失业的方向努力。因此,“全部就业”可以说是计划经济体制下的就业指导思想。由于当时对社会主义初级阶段没有认识或者缺乏认识，在社会主义建设方面犯了急于求成的错误。我们把经典马克思主义关于高度成熟的社会主义条件下的消灭失业的论断，运用在一个经济还十分落后的新生社会主义中国。

1952年,政务院颁布的《关于劳动就业问题的决定》(以下简称《决定》),首次提出劳动力的统一介绍要逐步向统一调配过渡,这种就业政策充分体现了传统计划经济的思想。1955年5月，劳动部进一步明确了劳动力统一招收和调配的基本原则和具体办法。

在计划经济体制下,劳动力的统一招收和调配制度,使得旧中国遗留下来的失业问题很快得到了解决。1949—1958年,社会劳动者由18082万人增加到26600万人，职工人数由809万人增加到5194万人。同期,城镇登记失业人数和城镇登记失业率明显下降(详见表3-1)。到1958年底,中国政府宣布彻底消灭了失业现象。基于上述事实,在以后的19年间,中国政府有关部门取消了关于城镇登记失业者的统计和城镇登记失业率的公布。

表 3–1　1949—1957 年全国城镇失业状况

年份	城镇登记失业人数（万人）	城镇登记失业率（%）
1949	474.2	23.6
1950	437.6	19.7
1951	400.6	15.6
1952	376.6	13.2
1953	332.7	10.8
1954	320.8	10.5
1955	315.4	10.1
1956	212.9	6.6
1957	200.4	5.9
1958	0.0	0.0

资料来源：国家统计局社会统计司编，《中国劳动工资统计资料（1949—1985）》，中国统计出版社 1988 年 7 月版，第 109 页。其中，1950 年和 1952 年的城镇登记失业率用插值法计算出来。

3.1.2　回避失业[1]

失业在我国真的不存在吗？“一五”时期是公认的国民经济发展比较正常的时期，尽管政府尽了最大的努力，到 1957 年底仍然有 200.4 万的失业者，城镇登记失业率仍高达 5.9%。1958 年，由于“大跃进”的影响，经济出现了过热现象，1958 年经济增长速度达到 21.3%。仅仅一年的时间，1958 年年末全民所有制单位职工人数达到 4532.3 万人，比 1957 年年末增加了 2081.7 万人，增长速度达到 84.95%；与此同时，农村集体和个体

1. 参阅[illegible]宜勇：《两种经济体制下的就业特征》（上），2004 年 3 月 24 日。http://www.[illegible]xi.com.cn/news_detail.jsp?keyno=2938.

劳动者人数增加了734万人，增长速度达到3.57%，这些显然是极不正常的。

“大跃进”初期，劳动力资源被广泛地动员起来，社会劳动者占总人口的比率一下子由1957年36.8%骤升到40.3%，一时间甚至出现了劳动力短缺的假象。由于经济增长有其自身的规律，一旦违背这些规律，就要为此付出代价。紧接着从1959年开始，经济增长速度、社会劳动者人数、农村集体和个体劳动者人数都出现了滑坡。但是，由于“左”倾冒进思想的影响，全民所有制单位职工人数在1959年和1960年仍然保持盲目扩张的惯性，继续增加了512万人。然而，1960年整个宏观经济开始出现衰退，到1961年出现了高达27.3%的负增长。随后全民所有制单位被迫开始大幅度精简职工，1961年精简了873万人，1962年精简了862万人。

为了应对经济衰退和职工精简，政府当时采取了以下几条主要措施：一是鼓励职工返乡，三年间有近2000万人转回到农业生产。二是开辟新的生产服务部门，使得城镇集体经济和个体经济有所发展，1961—1966年城镇集体所有制单位职工增加了339万人；1961—1963年城镇个体劳动者增加了81万人。三是限制农民进城，劳动部门规定凡在城市的企业、事业单位用人，只能从符合条件的城市青年中招收。四是鼓励知识青年上山下乡，1962—1966年有129.28万名知识青年上山下乡，其中插队的为87.06万人，到国营农场就业的为42.22万人。

1966年，一方面由于“文化大革命”使得刚刚恢复的经济又遭到破坏，从而导致就业岗位的增加非常困难；另一方面由于建国初期高出生率模式下产生的人口开始大规模进入劳动年龄，每年大约200多万人需要就业，这样城市就业岗位不足的矛盾更加突出。所以，从1967年开始“上山下乡”运动的规模不断扩大，到1969年达到最高潮。之后一些年，大批上山下乡的知青还在继续（详见表3-2），使上山下乡的总人数不断增多。

在提倡上山下乡的同时，城市也通过各种途径给上山下乡

表 3-2 知识青年上山下乡情况

单位:万人

年份	插队	到国营农场	到集体场队	合计
1962—1966	87.06	42.22		129.28
1967—1968	165.96	33.72		199.68
1969	220.44	46.94		267.38
1970	74.99	31.41		106.40
1971	50.21	24.62		74.83
1972	50.26	17.13		67.39
1973	80.64	8.97		89.61
1974	119.19	18.66	34.63	172.48
1975	163.45	23.73	49.68	236.86
1976	122.86	23.66	41.51	188.03
1977	113.79	15.99	41.90	171.68
1978	26.04	3.13	18.92	48.09
1979	7.32	1.01	16.44	24.77
总计	1282.21	291.19	203.08	1776.48

资料来源：国家统计局社会统计司编,《中国劳动工资统计资料(1949—1985)》,中国统计出版社 1987 年 7 月版,第 110 页。

的知识青年提供回城的机会。1962—1979 年间,先后有 1499.46 万人陆续调离农村。其中,招工占 61.21%,病退、困退回城占 23.74%,招生占 8.48%,征兵占 5.77%,其他占 0.83%。农村上山下乡知识青年回城也有两个高峰:第一个高峰是 1975—1976 年，年均回城规模为 137.52 万人；第二个高峰是 1978—1979 年,年均回城规模为 325.36 万人。知青返城和新成长劳动力大量增加,大批劳动力在等待就业,形成了较大的就业压力。劳动力待业实质就是一种失业,但当时制度并不承认失业。为反映当时城镇的这种大量劳动力等待就业的状况,政府只是使用“待业”一词,而回避失业,劳动部门建立起了待业登记制度,并计算城镇待业率。

3.1.3　承认失业[1]

一、城镇登记失业人员

进入20世纪90年代的1994年,我国正式使用失业和失业率概念。而随着劳动制度改革的深入，失业和下岗人员不断增加，劳动部和国家统计局着手建立就业服务机构登记系统统计失业率。自1995年以来,我国城镇登记失业人口规模不断增大,

表3-3　1995—2004年上半年城镇劳动力及城镇登记失业人员情况

单位:万人

年份	年末城镇非农户口劳动力	年末城镇登记失业人员	年末城镇登记失业率(%)
1995	17931	520	2.9
1996	18333	550	3.0
1997	18387	570	3.1
1998	18419	571	3.1
1999	18548	575	3.1
2000	19194	595	3.1
2001	18917	681	3.6
2002	19250	770	4.0
2003	18605	800	4.3
2004上半年	19465	837	4.3

说明:年末城镇非农户口劳动力根据公布的城镇登记失业率和城镇登记失业人员计算得出。

城镇非农户口劳动力＝城镇登记失业人员/城镇登记失业率

资料来源:《中华人民共和国劳动和社会保障事业发展年度统计公报》(1995年—2003年);劳动和社会保障部2004年第二季度新闻发布会材料(2004年7月22日);国家统计局:《2004年中国统计摘要》,中国统计出版社2004年版。

1. 参阅李微辉、薛和生:《劳动经济问题研究》,《理论与实践》第157—162页。上海人民出版社,2005年3月。

城镇登记失业率持续上升。这一点在最近几年表现得更为突出(见表 3–3)。

二、没有实现再就业和新产生的下岗职工将成为公开失业人口

20 世纪 90 年代起国有企业改革后,下岗职工不断增加,加上近几年再就业率不断下降,导致下岗失业人数不断膨胀。2003 年后下岗职工进入再就业中心的进口关闭,新产生的下岗职工将直接转为失业人口。据 2003 年至 2004 年中国就业报告统计,到 2003 年为止,北京、天津、辽宁、上海、浙江等 8 个省市已撤销了再就业服务中心,实现了下岗职工基本生活保障与失业保障并轨,因而下岗职工的总人数将有所下降,但城镇登记失业人员的总数将有所上升(见表 3–4)。

三、农村流向城镇的剩余劳动力将成为失业人口重要组成

表 3–4　1997—2003 年企业下岗职工统计表

单位:万人:%

年份	各类企业下岗职工	国企下岗职工	国企下岗职工再就业	国企下岗职工再就业率
1995	/	368	/	/
1996	815	542	/	/
1997	995	692	480	41
1998	892	610	609	50
1999	937	652	492	43
2000	911	657	361	35
2001	741	515	227	31
2002	618	410	120	23
2003	880	260	194	43

说明:2003 年底我国各类下岗职工达到 1100 万人(《2004 年中国的就业状况和政策白皮书》),按以往经验估计其中约 20% 的人员将退出劳动力市场,其余 80% 仍留在劳动力市场等待就业,1100 × 80%=880 万人。

资料来源:国家统计局《中华人民共和国劳动和社会保障事业发展年度统计公报》(1995—2003 年),中国统计出版社 2004 年版。

部分

劳动和社会保障部发表的《2002 年中国就业报告》,按农户达到有效配置劳动力资源的标准，我国农村中有 40%—47%的农业劳动力属于剩余劳动力。2001 年底我国农村劳动力的总数约 4.91 亿人，按此标准推算约有 1.96—2.30 亿剩余劳动力。2003 年,全国乡镇企业吸纳农村富余劳动力 1.36 亿人,扣除从事农业和乡镇企业的劳动力,实际剩余的劳动力大约为 1.61 亿人,实际剩余劳动力比例为 33%。《2004 年中国的就业状况和政策白皮书》指出该数字为 1.5 亿,剩余劳动力比例为 31%(见表 3-5)。

表 3-5　1995—2003 年农村劳动力就业状况

单位:万人

年份	农村劳动力人口	农村就业人口	乡镇企业就业人口	农村剩余人口	农村向城镇流动人口	流动人口中的失业者
1995	49025	19510	12862	16653	4000	40
1996	49028	19510	13508	16010	4500	45
1997	49039	19510	13050	16479	5000	50
1998	49021	19510	12537	16974	5800	58
1999	48982	19510	12704	16768	6600	66
2000	48934	19510	12820	16604	7400	74
2001	49085	19510	13086	16489	8200	82
2002	48960	19510	13288	16162	9000	90
2003	48793	19130	13573	16090	9800	98

资料来源:《中国劳动统计年鉴》(1995—2003 年);《中华人民共和国和社会保障事业发展年度统计公报》(1995—2003 年);《2004 年中国统计摘要》。

四、高校毕业生中的未就业者也是失业大军的一个重要变量

根据《2003—2004 年中国就业报告》显示,2001 年全国普通高校 6 月份初次就业率为 70%;2002 年 6 月初次就业率为

64.7%，到12月底为80%；2003年6月初次就业率50%，到12月底达到83%（见表3-6）。

表3-6 1998—2003年全国各类高校学校毕业生及估计失业人口

单位：万人

	研究生	普通高校	成人高校	合计	估计失业人口
1998	4.7	83	83	170.7	51
1999	5.5	85	89	179.5	54
2000	5.9	95	88	188.9	57
2001	6.8	104	93	203.8	61
2002	8.1	134	118	260.1	78
2003	11.1	187.8	118	316.9	95

资料来源：《中华人民共和国国民经济和社会发展统计公报》（2002，2003年）。

五、1995—2003年全国城镇真实失业情况

根据下表可以看出，城镇真实失业人员大大高于城镇登记失业人员，城镇真实失业率也明显高于城镇登记失业率（见表3-7）。

综上所述，不论是“大跃进”时期农村劳动力的先“进”后“退”，还是后来“文化大革命”时期城市青年劳动力的先“下”后“上”，都表明计划经济时期就业工作出现了大的问题，是对城市失业问题的一种掩盖。在改革开放的一段时期，面对大量的“待业”人员、“下岗”人员、由农村进入城镇的流动人员等暂时没有工作的人员，我们还总是以各种理由不承认他们是失业人口。但最后我们还是实事求是地承认了失业在中国的客观存在。而解决好社会的失业、就业问题是各级政府面临的最重要、最重大问题之一。1937年，庇古在《社会主义和资本主义的比较》一书中曾经指出：从长期来看，社会主义必然存在摩擦性失业和自愿失业，而社会主义国家人为地取消失业机制，很可能是一个错误。

表 3-7　1995—2003 年城镇真实失业率统计表

单位：万人；%

年份	登记的失业人员（A）	下岗的失业人员（B）	流动的失业人员（C）	毕业的失业人员（D）	城镇真实失业人员（E）	城镇劳动力人口（F）	农村向城镇流动人口（G）	各类高校毕业生（H）	城镇真实劳动力（I）	城镇真实失业率（J）
1995	520	368	40		928	17931	4000		21931	4.2
1996	550	815	45		1410	18433	4500		22933	6.1
1997	570	995	50		1615	18581	5000		23581	6.8
1998	571	892	58	51	1572	18419	5800	170.7	24390	6.4
1999	575	937	66	54	1632	18548	6600	179.5	25328	6.4
2000	595	911	74	57	1637	19194	7400	188.9	26782	6.1
2001	681	741	82	61	1565	18917	8200	203.8	27320	5.7
2002	770	618	90	78	1556	19250	9000	260.1	28510	5.5
2003	800	880	98	95	1873	18605	9800	316.9	28722	6.5

说明：城镇真实失业人员 E=A+B+C+D，城镇真实劳动力 I=F+G+H，城镇真实失业率 J=E/I×100%。

资料来源：《中国劳动统计年鉴》（1995—2003 年）；《中华人民共和国国民经济和社会发展统计公报》（1995—2003 年）；《2004 年中国统计摘要》。

3.2　中国失业人口的主要特点

3.2.1　失业人口特征分析 [1]

失业人口可以划分为两类：一是从未工作过正在找工作的

1. 参阅向书坚：《2000 年中国失业人口与失业率的特征分析》，《中南财经政法大学学报》2004 年第 2 期。《中科科技论文在线》：http://www.Paper.edu.cn.本文以国家统计局提供的第五次人口普查 1‰抽样原始数据，对 2000 年我国失业人口和失业率进行分析，旨在了解失业人口的性别、年龄、失业类型、受教育程度、城乡与地区分布等结构特征，以及失业率在性别、年龄、受教育程度、城乡与地区等主要方面表现出来的特征。

人(以下简称Ⅰ类失业人口);二是失去工作正在找工作的人(以下简称Ⅱ类失业人口)。失业人口24782人中,Ⅰ类失业人口13128人,占52.97%,Ⅱ类失业人口11654人,占47.03%。

一、失业人口类型与性别特征

Ⅰ类失业人口13128人,其中男性6929人,占52.78%,女性6199人,占47.22%;Ⅱ类失业人口11654人,其中男性6154人,占52.81%,女性24782人,占47.19%。样本数据显示,性别结构在两类失业人口中没有差异。因为影响失业人口的主要因素之一是年龄,而在这两种简单的分类中,年龄影响没有反映出来,各种因素影响得到了综合,故性别差异不显著。

二、失业人口类型与城乡特征

失业人口24782人中,城镇人口19404人,占78.30%,乡村人口5378人,占21.70%。

Ⅰ类失业人口13128人,城镇人口8877人,占67.62%,乡村人口4251人,占32.38%;Ⅱ类失业人口11654人,城镇人口10527人,占90.33%,乡村人口1127人,占9.67%。失业人口城乡结构特征形成原因,一是我国还是一个农业大国,乡村人口占总人口的比重为63.78%,根据样本数据,15—64岁在业和失业人口之和为671976人,其中乡村人口占65.15%,市镇人口占34.85%。二是根据上文对失业所下的定义,乡村人口失业率远远低于市镇人口,一高一低决定了失业人口中,市镇人口比重高于乡村人口这种格局。

三、失业人口类型与年龄特征

1. Ⅰ类失业人口年龄分布呈偏态分布。该类失业人口大多数集中在15—24岁年龄组,比重达73.46%,其中15—19岁年龄组占41.67%、20—24岁年龄组占31.79%。这两个年龄组的失业人口都是初中、高中及大学毕业后还没有找到工作,正在寻找工作的人口。25—29岁年龄组的Ⅰ类失业人口占13.03%、30—34岁年龄组占6.27%、35—64岁年龄组Ⅰ类失业人口只占7.24%(如表3-8所示)。

2. Ⅱ类失业人口年龄分布近似正态分布。Ⅱ类失业人口中，大多集中在25—49岁年龄组，比重高达85.46%。在我国社会主义市场经济建设过程中，随着经济体制的变化、产业结构的调整，下岗失业人员急剧增加。由于产业结构调整引起的结构性失业决定了失业人口的主体是中青年。

3. 失业人口总体的年龄分布。由于Ⅰ类失业人口年龄分布严重偏态，导致失业人口总体的年龄分布也呈现一种偏态分布趋势。随着年龄的增大，失业人口比重下降。主要原因有二：一是我国女性劳动年龄为16—54周岁，55岁以上的女性就业人员不多；二是许多效益不好的企业或事业单位存在职工提前退休现象，一旦退休则没有作为失业人员统计。

表3-8 失业人口年龄分布表

年龄分组	Ⅰ类失业人口比重(%)			Ⅱ类失业人口比重(%)			失业人口比重(%)		
	男	女	小计	男	女	小计	男	女	小计
15—19	44.28	38.75	41.67	1.53	1.27	1.41	24.17	21.13	22.73
20—24	30.96	32.73	31.79	6.55	8.71	7.57	19.48	21.44	20.40
25—29	11.68	14.53	13.03	13.99	17.56	15.68	12.76	15.96	14.27
30—34	5.46	7.18	6.27	17.42	19.53	18.41	11.08	12.98	11.98
35—39	3.56	3.55	3.56	19.79	22.62	21.13	11.20	12.51	11.82
40—44	1.95	1.79	1.87	17.16	18.24	17.67	9.10	9.52	9.30
45—49	1.15	0.89	1.03	14.17	10.78	12.57	7.28	5.54	6.46
50—54	0.49	0.29	0.40	6.97	1.04	4.17	3.54	0.64	2.17
55—59	0.30	0.16	0.24	2.29	0.15	1.28	1.24	0.15	0.73
60—64	0.17	0.13	0.15	0.13	0.11	0.12	0.15	0.12	0.14
合计	100.00	100.00	100.00	100.00	100.00	100.00	100.00	100.00	100.00

四、失业人口受教育程度特征

如表3-2所示，失业人口包括了从文盲到研究生各个受教育层次的劳动力，但是主体是由受过初中和高中教育的人构成，其比例高达75.60%。小学及以下文化程度的失业人口占10.27%，初中占53.5%,高中占22.1%，中专占9.25%,大学专科以上文化程度者只占4.89%。这里只说明不同文化程度失业人口的分布状况,不能以此说明不同文化程度人口的失业率。两类失业人口受教育程度分布非常相似,都集中在初中和高中两组,但Ⅰ类失业人口中初中文化程度人口比重高于Ⅱ类失业人口相应组近5个百分点,而前者高中文化程度人口比重则比后者低10.75个百分点,中专文化程度人口比重却又高5个百分点。形成这种差异的原因在于:一是许多学生初中毕业之后,如果没有考上高中,往往放弃其他求学之路,过早进入劳动力市场;二是在我国上大学依然是许多青年人的梦想,高中毕业后,即使没有考上大学,很多人也会选择复读、参加成人高考或者进入免试入学的各类民办学校(如自修大学)学习,而不进入劳动力市场;三是最近几年,我国就业形式比较严峻, 中专毕业生找到工作的难度相对比较大,从而在Ⅰ类失业人口中所占比重较高。

表3-9 失业人口受教育程度分布表

受教育程度	Ⅰ类失业人口		Ⅱ类失业人口		失业人口总计	
	人数(人)	比重(%)	人数(人)	比重(%)	人数(人)	比重(%)
未上过学	67	0.51	66	0.57	133	0.54
扫盲班	13	0.10	20	0.17	33	0.13
小学	1309	9.97	1069	9.17	2378	9.60
初中	7331	55.84	5927	50.86	13258	53.50
高中	2237	17.04	3239	27.79	5476	22.10
中专	1526	11.62	767	6.58	2293	9.25
大学专科	555	4.23	475	4.08	1030	4.16
大学本科	87	0.66	88	0.76	175	0.71
研究生	3	0.02	3	0.03	6	0.02
合计	13128	100.00	11654	100.00	24782	100.00

五、失业人口类型的地区特征

分地区的数据表明，在失业人口中两类失业者的构成呈现出两种格局：其一是Ⅰ类失业人口比重小于Ⅱ类失业人口比重的省市有上海、天津、北京、辽宁、重庆、浙江、江苏、青海、四川和广东10个省市；其二是Ⅰ类失业人口比重大于Ⅱ类失业人口比重，其余21个省市属于这种情况。第一组省市中，除了青海以外，其他省市都是我国经济发达和比较发达的地区。这种分布表明，在经济比较发达或增长速度比较快的地区，首次寻找到工作的难度相对小一些，导致Ⅰ类失业人口比重低于Ⅱ类失业人口比重。经济欠发达或落后地区，首次寻找到工作的难度则相对大一些。根据2000年全国31个省、自治区和直辖市Ⅰ类失业人口比重与人均GDP进行相关分析，其相关系数为-0.738（A=1%，统计检验非常显著），说明首次寻找到工作的难度与经济发展水平呈现显著的负相关关系。此外，各地区两类失业人口的比重与15—64岁在业和失业人口中城镇人口比重也有密切关系，两者相关系数为0.702（A=1%，统计检验非常显著）。由于我国城镇人口失业率（8.29%）远远高于乡村人口的失业率（1.23%），故城镇人口比重越大，Ⅱ类失业人口比重也越大（见表3-10）。

六、失业人员生活来源特征

表3-11显示，失业人口中11.84%的人通过领取基本生活费维持生计，而高达69.63%的人依靠其他家庭成员供养，通过失业保险维持生计的只有0.13%。再从失业类别来看，Ⅰ类失业人口中，领取基本生活费的只有0.78%，依靠家庭其他成员供养的占88.32%，依靠保险的只有0.07%；Ⅱ类失业人口中，领取基本生活费的也仅占24.30%，还有48.58%的人依靠家庭其他成员供养。从城乡来看，城镇失业人口中14.16%依赖领取基本生活费，66.30%依靠其他家庭成员供养；乡村失业人口中只有3.50%领取基本生活费，81.7%依靠其他家庭成员供养。无论是从失业人口总体来看，还是从类型来看，在我国失业人口的主要生活来源是依靠家庭其他成员供养，原因在于我国社会保

表 3-10 各地区两类失业人口比重

省份	失业人口比重(%)		省份	失业人口比重(%)	
	Ⅰ类	Ⅱ类		Ⅰ类	Ⅱ类
上海	26.04	73.96	西藏	57.14	42.86
天津	33.96	66.04	黑龙江	59.22	40.78
北京	36.95	63.05	甘肃	60.33	39.67
辽宁	40.09	59.91	江西	60.37	39.63
重庆	41.05	58.95	吉林	60.73	39.27
浙江	41.82	58.18	陕西	61.46	38.54
江苏	45.75	54.25	湖南	61.72	38.28
青海	47.78	52.22	贵州	62.05	37.95
四川	48.05	51.95	福建	63.15	36.85
广东	49.19	50.81	新疆	63.55	36.45
云南	50.91	49.09	河北	64.49	35.51
内蒙古	54.15	45.85	宁夏	65.52	34.48
山东	55.53	44.47	河南	65.87	34.13
湖北	55.92	44.08	山西	67.65	32.35
安徽	56.24	43.76	海南	68.58	31.42
广西	57.12	42.88	全国平均	52.97	47.03

障体系还不健全,相应的失业保险计划尚未在全社会实施。随着社会主义市场经济体制的完善,必须建立健全完善的社会保障体系,从而促进社会稳定、经济繁荣,实现小康社会的建设目标。

3.2.2 中国失业率主要特征分析[1]

一、失业率的性别特征与城乡特征

根据第五次人口普查 1‰抽样调查数据,15—64 岁就业人口 647194 人,失业人口 24782 人,失业率 3.69%,其中男性为

1. 参阅向书坚:《2000 年中国失业人口与失业率的特征分析》,《中南财经政法大学学报》2004 年第 2 期。《中科科技论文在线》: http://www.Paper.edu.cn.

表 3-11 失业人口生活来源结构

按生活来源分类	Ⅰ类失业人口		Ⅱ类失业人口		失业人口合计	
	人数(人)	比重(%)	人数(人)	比重(%)	人数(人)	比重(%)
领取基本生活费	102	0.78	2832	24.30	2934	11.84
家庭其他成员供养	11594	88.32	5662	48.58	17256	69.63
财产性收入	147	1.12	398	3.42	545	2.20
保险	9	0.07	24	0.21	33	0.13
其他	1276	9.72	2738	23.49	4014	16.20
合计	13128	100.00	11654	100.00	24782	100.00

3.58%，女性为 3.81%。失业率的性别差异并不明显。

从失业率的城乡特征来看，城镇人口失业率为 8.29%，乡村人口失业率为 1.23%，相差比较悬殊，原因在于乡村人口难以界定失业与就业，在普查时点过去 1 周内没有从事 1 小时及以上有收入的工作的农民是非常少的。城镇人口中，男性失业率为 7.58%，女性为 9.19%，后者比前者高 1.61 个百分点；乡村人口中，男性失业率为 1.34%，女性为 1.11%，两者相差 0.23 个百分点。数据表明，乡村人口失业率的性别差异不大，而城镇人口失业率的性别差异不小，说明城镇人口中，女性失业的概率要大于男性。这种情况与现实相符。由于各种原因，女性不仅找到合适的工作相对困难，而且，失去工作的可能性也大。

二、失业率的年龄特征

从表 3-12 可以看出，失业率的年龄特征表现在不同年龄段的失业率存在较大差异。15—19 岁组失业率最高，达 11.88%，20—24 岁组次之，为 6.97%，30—44 岁各年龄组之间的失业率没有显著差异，在 3%上下波动。这种分布规律符合实际情况，因为 15—19 岁组中包含许多初中毕业以及高中毕业以后没有

表 3-12 不同年龄组失业率

年龄分组	失业率(%)			失业率(%)		
	男	女	合计	城镇	乡村	合计
15—19	13.24	10.51	11.88	22.66	7.58	11.88
20—24	6.83	7.13	6.97	13.00	3.08	6.97
25—29	3.19	4.10	3.61	7.79	0.91	3.61
30—34	2.48	2.95	2.70	6.46	0.48	2.70
35—39	2.85	3.24	3.03	7.23	0.33	3.03
40—44	3.03	3.38	3.19	7.83	0.26	3.19
45—49	2.30	1.96	2.15	6.00	0.29	2.15
50—54	1.60	0.37	1.09	3.47	0.24	1.09
55—59	0.85	0.15	0.58	2.27	0.11	0.58
60—64	0.16	0.18	0.17	0.75	0.06	0.17
合计	3.58	3.81	3.69	8.29	1.23	3.69

升学的学生,这些刚离开学校的学生大多还没有一技之长,因难以很快找到合适的工作而待业在家。20—24 岁组中则包含高中以上学历的毕业生,这些也是离开学校时间不长,还没有找到合适工作的学生。

从性别来看各年龄组的失业率特征,不难发现 15—19 岁组以及 45 岁以上各年龄组的女性失业率低于男性。原因在于:一是 15—19 岁组的女性容易进入餐饮、美容美发等服务行业就业,而男性相对困难一些;二是我国女性劳动年龄为 16—54 岁,退休年龄早于男性。

从城乡特征看各年龄组的失业率, 城镇人口失业率大大高于乡村人口。15—19 岁组城镇人口失业率高达 22.66%,比乡村失业率高 15.08 个百分点;20—24 岁组城镇失业率也达到 13.00%,比乡村高近 10 个百分点。25—44 岁各年龄组的城镇失业率均在 6%—8%之间变动,而乡村失业率都低于 1%。这些数据表明,总失业率的高低一方面取决于城镇人口失业率,另一方面受低年龄组失业率的影响很大。随着城市化水平的提高, 城镇人口比重将进一步增加。因此，降低失业率的途径除了发展经济，增加就业岗位之外，大力发展我国技术职业教育，使那些初中毕业和高中毕业生能够继续接受教育，也是延缓其就业时间，从而降低该年龄组的失业率的重要途径。

三、失业率的文化特征

从表3-13可以看出失业率的文化特征，受教育程度不同的人口失业率不同，人们一般会认为文化程度越低，失业率可能越高，但样本数据显示，失业率最高的一组是中专组(8.73%)，其次是高中组(8.38%)，而大学专科组与初中组的失业率几乎相同(分别为4.5%和4.54%)，大学本科以上组的失业率居然大大超过扫盲班和未上过学的这两组。原因在于文化程度在小学及其以下人口大多居住在乡村，而乡村人口的失业率只有1.23%。而且，在业和失业人口中，扫盲班和未上过学的人口只占6.51%，因此，其低失业率并不能说明没有文化的人不容易失业。从总体上看，尽管我国女性失业率比男性只高0.23个百分点，但从文化程度看，除了小学、扫盲班、未上过学的三组中女性失业率低于男性之外，其他各组均高于男性。从初中、高中、中专到专科、本科及研究生，各组女性失业率高于男性的百分点依次为：1.17、4.11、1.2、1.87、0.37、2.37。男女失业率的总体差异与分组差异之所以很大，原因在于文化程度越低的组中，女性人口比重越大。在未上过学、扫盲班、小学三组中，在业人口男女性别比例依次为40：100、42：100、93：100，而在女性在业人口中，乡村女性人口占68.40%。如前所述，乡村人口就业率非常高，失业率很低，导致文化程度低的前三组女性失业率低于男性。

从表3-13还可以看出，文化程度不同的城镇人口失业率与乡村失业率也有不同特征。高中组的城镇失业率最高，达11.68%，其次是初中组和中专组，分别为9.79%和9.21%，专科组也达到了4.44%。中专组和专科组乡村失业率也分别达到7.30%和4.93%，而且专科组乡村失业率(4.93%)高于城镇失业率(4.44%)，本科组的乡村失业率(2.43%)也高于城镇组(1.98%)；

表 3-13 受教育程度人口失业率(%)

受教育程度	失业率(%)			失业率(%)		
	男	女	合计	城镇	乡村	合计
未上过学	0.47	0.38	0.41	2.55	0.12	0.41
扫盲班	0.46	0.23	0.30	1.58	0.13	0.30
小学	1.28	0.97	1.12	4.25	0.46	1.12
初中	4.07	5.24	4.54	9.79	1.75	4.54
高中	6.88	10.99	8.38	11.68	2.39	8.38
中专	8.16	9.36	8.73	9.21	7.30	8.73
大学专科	3.75	5.62	4.50	4.44	4.93	4.50
大学本科	1.88	2.25	2.00	1.98	2.43	2.00
研究生	0.26	2.63	1.05	1.06	0.00	1.05
合计	3.58	3.81	3.69	8.29	1.23	3.69

中专组乡村失业率(7.30%)比相应高中组(2.39%)高近5个百分点。这一方面说明我国20世纪90年代随着民办教育的蓬勃发展,乡村人口中自费接受中高等教育的人越来越多,但由于我国特有的户籍制度,这些民办学校的学生虽然接受了高等学历教育,但其户口仍在乡村没有变化;另一方面,表明在我国拥有中高等学历的乡村人口就业相对于城镇人口要难一些。现实中,许多用人单位不仅注重学历,同样注重户口性质。

四、失业率地区特征

从表3-14可以看出失业率的地区特征。失业率最高的地区是天津市、上海市、辽宁省和黑龙江省,失业率在8%以上。导致这种情况的原因有两个方面:一是这些地区是国有企业比较集中的地区,下岗职工比较多。天津市、上海市和辽宁省Ⅱ类失业人口所占比重分别为73.96%、66.04%和59.91%;二是人口城乡结构方面的原因，由于城镇人口失业率大大高于乡村人口，因此导致了这些乡村人口比重较低、城市化水平较高地区的失业率。15—64 岁在业和失业人口中，城镇人口比重最高的前 5 个省市为上海、北京、天津、广东、辽宁，依次为 86. 08%、76.36%、69. 36%、58. 36%、50. 96%。城镇人口比重与失业率的等级相关系数为 0. 86 (A=1%，统计检验非常显著)。为了消除这种结构影响，可以用城镇人口失业率来对各地区失业率水平进行比较，以更好地反映失业率的地区特征。

表 3-14 各地区失业率排序表

排序	地区	失业率(%)	排序	地区	失业率(%)	排序	地区	失业率(%)
1	天津	9. 63	12	新疆	4. 40	23	陕西	2. 56
2	上海	9. 61	13	山西	4. 14	24	河北	2. 50
3	辽宁	9. 57	14	江西	3. 72	25	河南	2. 39
4	黑龙江	8. 18	15	重庆	3. 63	26	甘肃	2. 15
5	吉林	7. 08	16	浙江	3. 43	27	四川	2. 14
6	海南	6. 94	17	青海	3. 42	28	山东	1. 80
7	北京	5. 57	18	江苏	3. 38	29	贵州	1. 77
8	内蒙古	5. 18	19	湖南	3. 21	30	云南	1. 36
9	福建	5. 05	20	广西	2. 84	31	西藏	0. 54
10	湖北	4. 76	21	宁夏	2. 83			
11	广东	4. 73	22	安徽	2. 67		全国	3. 69

表 3-15 中的数字表明，2000 年我国东北三省以及天津市和海南省的城镇人口失业率水平处于全国最高水平。在四个直辖市中，天津市的城镇人口失业率水平最高，位居全国第四位，要比上海高 4 个位次，比北京高 21 个位次。在直辖市中，北京市也比较特殊，其城镇失业率水平为 6. 45%，分别比天津市和上海市低 6. 89 个和 4. 2 个百分点。样本数据显示反映经济发展水平高低的人均 GDP 与失业率之间存在显著的正相关，两者的等级相关系数为 0. 663 (A= 1%，统计检验非常显著)，因为计算

这两个指标没有区分城镇与乡村。但是，城镇失业率与人均GDP之间为等级相关系数只有0.15,与城镇居民年人均可支如经济发展水平、产业结构调整、城乡人口比重等,因此失业率与人均GDP之间的相关关系不明显。

表 3-15 各地区城镇人口失业率排序表

排序	地区	失业率(%)	排序	地区	失业率(%)	排序	地区	失业率(%)
1	辽宁	16.85	12	湖南	8.96	23	贵州	6.49
2	黑龙江	15.00	13	新疆	8.64	24	广东	6.48
3	吉林	13.72	14	广西	8.42	25	北京	6.45
4	天津	13.34	15	安徽	8.28	26	河北	6.18
5	海南	12.60	16	河南	7.99	27	陕西	6.04
6	内蒙古	11.33	17	甘肃	7.95	28	浙江	5.11
7	青海	11.28	18	山西	7.57	29	云南	4.74
8	上海	10.65	19	福建	7.43	30	山东	3.88
9	重庆	9.92	20	四川	7.37	31	西藏	2.55
10	江西	9.77	21	宁夏	7.18			
11	湖北	9.57	22	江苏	6.66		全国	8.29

3.2.3 失业人口和失业率特征比较

失业人口和失业率特征的比较情况,见表3-16。

3.2.4 失业人口的其他特征

一、失业人口的社会特征[1]

中国劳动和社会保障部中国就业技术指导中心曾经于1999年5月组织过一次对下岗职工的调查,调查以后所得到的

1. 邱泽奇:《爆发点在哪里——失业问题对中国社会稳定的影响分析》,中国社会学网。http://www.sachina.edu.cn/Htmldata/article/2005/04/158.html.

表 3–16 失业人口与失业率特征比较

特征分项	失业人口	失业率	政策态度
失业者的性别	从性别分类看：男性略高于女性；从年龄性别分类看：20—44 岁组，女性略高于男性，其他，男性略高于女性；综合来看：差异不明显。	从文化程度及性别看：初、高中、大专女性失业率要略高男性失业率；从年龄性别看：20—44 岁组，女性略高于男性，其他，男性略高于女性；综合来看：差异不明显。	对男性和女性失业者的政策态度、政策目标要一致；对 20—44 岁略高于男性失业的女性失业者要特别关注。
失业者的年龄	Ⅰ类失业人口中，失业人口主要集中在 15—24 岁年龄组；而Ⅱ类失业人口中，则主要集中在 25—44 岁年龄组。	不分性别和城镇、乡村，失业率高峰期在 15—24 岁年龄阶段，尔后，随着年龄增大，失业率呈下降趋势。	大力发展技术职业教育，特别要使那些初、高中毕业生能够继续接受教育，延缓其就业时间；积极扩大就业，特别要关注 25—44 岁失业者的就业。
失业者的受教育程度	失业人口中具有初、高中文化程度的所占比重较高；中专文化也占有一定比例。	失业率较高的是具有初、（中专）高中文化的人员；大专文化程度的也占有一定比例。	大力发展技术职业教育，特别抓好新近初、高中毕业生的继续教育和职业培训，延缓其就业时间。
城镇与农村失业者	城镇失业人口比重大大超过乡村失业人口比重。	国有企业比较集中的地区以及城镇人口比重较大的省市，其失业率比较高。	在发展经济、增加就业机会的同时，制定相关政策，进一步发展教育事业，推迟青年人的就业年龄，减轻就业压力，降低失业率；加快城市化进程，特别是加快发展中小城镇建设，增加吸纳进城农民工的就业机会；加快为农村服务的经济和农业产业开发等的发展，扩大城乡就业空间。
失业人口生活来源结构	无论是从失业人口总体来看，还是分类型来看，在我国失业人口的主要生活来源是依靠家庭其他成员供养。		必须加快建立健全完善的社会保障体系，促进社会稳定、经济繁荣，实现小康社会的建设目标的尽快实现。

结论是，国有企业下岗职工的社会特征可以表述为两高三低：年龄高、女职工比例高、文化程度低、技能低、竞争能力低（劳动和社会保障部调研组，1999）。

2000年11月1日进行的第五次人口普查资料表汇总数据为下面分析提供了最基础的资料。

从年龄结构、文化教育程度等来看我国失业人口社会特征的有关内容，在前面已有反映与说明，下面主要谈我国失业人口的职业分布情况。经过汇总的数据表明，原“生产、运输设备操作人员及有关人员”是失业人口的主体，占56%；其次是“商业、服务业人员”，占26.7%；接下来是专业技术人员，占8.0%；再后依次为“办事人员和有关人员”（4.8%）、“农、林、牧、渔、水利业生产人员”（3%）、“国家机关、党群组织、企业、事业单位负责人”（1%）和“不便分类的其他劳动者”（0.5%）。见表3–17。

表3–17 失业人口的职业分布情况

职业	失业率
生产、运输设备操作人员及有关人员	56%
商业、服务业人员	26.7%
专业技术人员	8.0%
办事人员和有关人员	4.8%
农、林、牧、渔、水利业生产人员	3%
国家机关、党群组织、企业、事业单位负责人	1%
不便分类的其他劳动者	0.5%

当把受教育程度和失业前的职业交叉考察的时候，我们发现失业者中占据主要比例的是具有初中文化程度的“生产、运输设备操作人员及有关人员”。

综合城乡、年龄和受教育程度的资料，可以做一个小结。在中国，失业人员的主体是文化程度为初高中、年龄15—24岁的年轻人，如果他们曾经工作过，也只是从事过一些体力劳动或简单操作劳动。其次才是下岗职工、城镇和农村的隐性失业人口。

二、失业时间偏长

在当前的失业人员中，由于存在着大量的年龄大、文化低的失业者，这些人既难以和拥有较高文化水平且又有一定专业技能的青年匹敌，又不能和大量的农村廉价劳动力竞争，因此失业期一再延长。我国的失业者中长期失业者已经占到了相当高的比例，1998 年失业时间超过 6 个月的人占全部失业者的比例已经达到 40.3%。据上海市总工会的一份调查表明，1994 年，全市下岗待工一至二年的占 39.5%；两年以上的占 21.8%。其中集体企业的待工期更长（这与当时回城青年大多分配在集体企业有一定的关联），一至二年的占 44.2%；两年以上的占 34.0%。据上海市劳动部门在 1994 年 5 月的一项对失业人员的抽样调查表明，失业一年以上的约占失业人员总数的 52%。如北京印染厂、毛线厂、装饰布厂的下岗女工已经有 3—4 年没有工作了。

三、总量失业和结构性失业同时并存

按照传统经济理论，在绝大多数情况下，一个国家的失业情况是与经济增长呈反方向的，即随着一国经济的不断增长，经济规模就会扩大，雇佣需求随之增加，就业情况就会好转；反之，一国经济增长减速，就业情况就会恶化。但我国却出现了经济快速增长与失业同时上升的趋势。这一方面，是因为我国劳动力供给超过了由于经济增长带来的劳动力需求，即总量型失业；另一方面，我国失业人员生成的原因是由于经济体制改革和发展过程中产业结构调整，科技的进步和劳动力自身素质不能满足需求，这属于以结构性为主的综合类失业。后一种类型的失业突出表现是：在大量的人没有工作的同时，也存在着大量的岗位空缺，而失业人员不能胜任。这种"结构性"矛盾在我国经济增长方式的转变和结构调整的过程中还将继续存在。

四、高增长与高失业并存[1]

1. 郭飞：《当前我国失业现状及特征》，资料来源：国务院发展研究中心信息网。http://www.drcnet.com.cn/ 04/27/2004.

按照传统的经济理论，经济增长率高低与失业率高低存在着替代关系，即高增长往往与低失业相伴，低增长常常与高失业为邻。例如，美国1993年经济增长率降为2.2%，失业率则升至6.9%；1999年经济增长率升为4.2%，失业率则降至4.2%。而我国，尽管自20世纪80年代中期以来保持了年均9.44%的经济增长速度，但城镇登记失业率则从1985年的1.8%跃升到2002年的4%，城镇的真实失业率目前已高达9%左右，出现了高增长与高失业并存的局面。根据有关数据，1998—2000年，在12个发达和发展中国家中，高增长与高失业并存比较明显的国家只有法国，而法国的高增长(年均增长约3.4%)也只是相对于同期的其他发达国家而言；同样，根据有关数据，1998—2000年，在7个体制转轨国家中，高增长与高失业并存比较明显的是波兰，而波兰的高增长(年均增长约4.3%)也只是相对于同期的其他转轨国家而言，与我国同期的年均增长速度(约7.6%)尚有较大差距。可以认为，我国近年来高增长与高失业并存的现象在当今世界上颇为少见。我国目前正处于工业化中期阶段，经济体制改革、经济增长方式转变和经济结构调整，市场化、工业化、城市化和现代化进程，都为我国经济持续高速增长提供了巨大的动力和广阔的空间。然而，经济体制改革和以技术进步为主要支撑的经济增长方式转变，又使我国长期存在的人均资源不足、居民消费率低下与劳动力总体素质不高、劳动力总量明显过剩的矛盾凸显出来，使传统经济体制下严重存在的隐性失业逐渐转化为显性失业。

3.3 中国失业的主要原因

失业是市场经济不可避免的经济现象。当前，我国存在大量失业人员，主要原因有以下几个方面：

3.3.1 劳动力供给总量相对过剩，劳动力供求结构矛盾突出

一、劳动力供给总量相对过剩

劳动力供给与需求之间的平衡情况是影响或决定一个国家就业、失业状况的一个决定性因素，而劳动力的供给又取决于一个国家或地区劳动年龄人口总量、劳动力参与率等。国际上通常用15—64岁人口为劳动年龄人口统计（我国通常用男性16—59岁，女性16—54岁）。造成我国失业的一个主要原因，就是人口的过快增长造成劳动年龄人口大量增加，超过经济增长所能吸纳的劳动力数量而导致劳动力过剩。20世纪70年代以前，中国人口发展处于无计划状态，人口出生率一直处在超经济增长状态，尽管从20世纪70年代末中国人口发展进入了有计划发展阶段，但是受人口增长的贯性和累进特性的影响，人口的总量不断膨胀。总人口的不断膨胀使劳动力人口也随之不断膨胀。从劳动年龄人口增长趋势看，进入20世纪90年代以来，劳动年龄人口以平均每年净增1100多万人的速度递增，预计到2016年可望达到峰值8.7亿，即使到了2032年，劳动年龄人口也将保持在8亿以上。一方面，我国劳动力的供给持续大幅度上升，另一方面，随着经济技术结构的推进，经济增长对就业的吸纳能力即劳动力需求在不断下降。劳动力供求不平衡所造成的劳动力供给总量相对过剩，必然导致部分劳动年龄人口失业。

另外，我国劳动力参与率较高也是导致失业人口增大的重要原因。根据世界银行公布的1995年各国劳动力参与率数据，我国15—64岁的男性劳动力参与率为96%，女性为80%，而同一指标在美国分别为86%和60%，德国分别为87%和57%，印度为90%和31%，日本为84%和53%。如果考察各国10—19岁青少年年龄人口劳动力参与率，相比之下我国更高。我国青少年人口劳动参与率男性为45%，女性43%，而美国为27%和24%，日本仅为10%和10%，经济发展水平和我国相近的印度也只有30%和16%。有资料统计，我国总体劳动力参与率比发达国家平均水平要高出近13%。

二、劳动力供求结构矛盾突出

近几年来,由于我国经济结构调整和产业内部结构调整,产生了大量的结构性失业,主要表现在,市场上一方面存在对劳动力的需求,另一方面也存在着失业人员,不过由于劳动者自身的性别、年龄、劳动观念、知识结构、劳动技能、身体健康状况以及其他各个方面的因素限制,使得既定的失业人员无法和存在的岗位匹配,出现结构性失业。概括起来,主要表现在以下几个方面:一是企业用人低龄化与大部分失业人员年龄偏大的矛盾。在经济结构调整中,大量失业人员年龄偏大,文化素质偏低。劳动密集型行业包括服务性行业,往往喜欢招用年轻的劳动力,因此形成大龄劳动力就业困难的局面。二是由于观念原因造成的结构性失业。劳动力市场的供求配置最能反映这个问题,“有人无活干,有活无人干”的现象目前在我国依然十分突出。由于择业观念陈旧,部分就业人员要求过高,不愿从事服务性和劳动强度较大的岗位工作。三是由于技术进步推动下的经济结构调整、产业升级对劳动力素质要求不断提高,失业人员自身技能素质难以适应岗位需要,使部分岗位青黄不接。

3.3.2 经济体制改革过程中大量体制性冗员释放

在传统计划经济体制下,我国对劳动力资源配置和使用实行统一招收、统一调配、统一使用和统一管理,企业只能作为国家机关的一级派出机构执行上级劳动部门的劳动计划,没有任何用工自主权,也不承担由此而产生的企业效率低下的责任。由于国家实行权利—福利型就业制度,低工资、高就业,一个人的饭两个人吃,三个人的活五个人干,国家通过下达劳动计划指标把大量劳动力向企业安置,造成许多单位人浮于事,生产效率低下。而企业行为本身的非经济化也助长了企业大量富余职工的存在。在这种体制下,企业只是国家大工厂的一个车间,只是国家机关的一个派出机构,能否全面完成国家计划下达的产值、产量和劳动等指标,是评价和衡量企业生产经营状况的最主要标准,企业领导人的升迁也和企业的生产规模、职工人数、计划完成程度等密切相关,企业领导人有着增加职工人数、扩大企业规模的外在压力和内在冲动（参见中国国有企业的冗员状况表,表 3–18）。

表 3–18 “九五”期间中国国有企业的冗员状况

冗员占职工人数的比例(%)	占全部企业的比重(%)
30—40	8.9
20—30	19.2
10—20	26.5
0—10	36.7
0	6.2

资料来源:陈红爱《对目前及“九五”期间我国劳动力资源的分析与预测综览》,《社科信息》1997 年第 3 期。

在由计划经济转向市场经济中,面临市场的竞争,就必须把多余的低效职工释放出来，以提高劳动生产率，增加企业的效益,于是就有大量的职工下岗、失业。同时,我国正在建立市场经济体制，市场竞争促进技术进步和劳动生产率提高。在竞争中一些企业因经营不佳而减产、停产甚至破产，也必定会引起失业。加上我国当前还处在由计划经济向市场经济转换的阶段,市场经济体制还未全面建立,劳动力市场机制不完善,就业信息不充分,劳动力流动遇到种种壁垒,这些都加重了劳动力供给与需求的脱节，导致下岗失业的增加。全国总工会有关部门调查资料表明,除社会大量失业人员以外,全国各地停工停产企业职工长期在职无业现象越来越严重。另一方面，由于现代企业制度的建立、企业市场竞争主体地位的确立,最根本的任务是保障企业用工自主权的落实，现代企业制度建立和企业追求利润最大化目标，使国有企业对长期以来以行政手段安置到企业的大量富余人员进行必要的排挤和释放,直接加剧了当前我国城镇就业问题。特别是 1996 年底中央经济工作会议提出“国有大中型企业三年走出困境”的中期改革目标,提出“鼓励兼并,规范破产,减员增效,下岗分流”,实行“投改贷”,优化企业资本结构,培育资本市场,鼓励资本运营,促进要素优化重组,资本等物的要素不断从原有统包统配的束缚中解脱出来，劳动用工制度和市场经济体制改革目标之间的矛盾更趋尖锐。冗员、债务和企业承担大量社会职能成为制约企业深化改革的最主要体制性包袱,减员增效成为国有企业摆脱困境的必然选择。因此,我国当前失业和下岗职工之所以不断增加，从根本上来讲是长期以来积累的深层次矛盾的总爆发和总释放，是我国经济体制改革客观要求调整人的要素与企业关系,客观要求企业内部隐性失业显性化、公开化和社会化。据统计,1998 年至 2003 年全国仅国有企业下岗职工就有 2818 万人,而且近几年下岗职工再就业率呈下降趋势,1999 年至 2001 年,分别为 42%、36%和 30%。

3.3.3 经济结构调整产生大量结构性失业、下岗人员

经济发展过程中的工业化不仅体现在工业产值及其在国民经济所占比重的单纯的量的增长，更重要的是表现在经济结构的不断调整、演变和升级。经济结构的演变和升级是工业化的实质性进展,也是评价和衡量经济发展不同阶段的最重要标志。建国以来,特别是改革开放以来国民经济长足发展,我国逐步形成了一个基础比较雄厚、门类比较齐全的工业体系,对促进我国国民经济发展起了重要作用。但随着经济发展水平的不断提高,国际国内市场环境的不断发展变化，我国工业体系结构性矛盾日渐突出。产品供求结构失衡,部分行业生产能力利用不足,企业组织结构相对落后,专业分工协作水平低,大企业在主导行业发展方向、推动产业技术进步、广泛参与国际市场竞争等方面的作用未能充分发挥。同时产业总体技术水平较低，支柱产业和新兴产业发展不足,各地区、各企业盲目投资,重复建设,产业结构低度化、趋同化现象严重,这就给职工的失业埋下了伏笔。而且在市场竞争日趋激烈的情况下，企业生产的产品不能适应市场变化,生产经营难以继续,经济效益低下,亏损额、亏损面居高

不下且逐年上升。再加上国民经济实现快速协调持续发展和全球经济一体化过程中竞争的不断加剧，经济结构调整过程中的职工就业岗位转移时滞和部分职工技术技能相对落后，使得结构性失业人数急剧增加，就业问题日趋严重。伴随着我国所有制结构的不断调整，国有经济与其他经济成分相比相对萧条，1996—1997 年已经连续出现总体性亏损，旧的吸纳城镇新增劳动力的主渠道的就业容量不断下降，新的就业增长点尚未形成，劳动力供求矛盾突出；市场竞争的不断加剧也推动企业调整产品结构，推动企业依靠质量、产品档次、技术含量、品牌、集中化与高市场份额、售后服务的非价格手段参与竞争，资金、技术、管理对劳动要素替代愈来愈大。而我国经济发展过程中的产业技术结构调整更成为我国当前就业问题产生的最主要原因。

在我国经济发展过程中，曾经经历过几次产业结构调整。但由于历次调整力度不够，重基建、轻技改，从总体上看，结构性矛盾的主要方面仍是发展不足，生产能力扩张、产业规模扩大始终是我国产业政策的主要导向。进入 20 世纪 90 年代以后，我国一些产业生产能力严重过剩的状况开始出现，国民经济逐步从短缺经济进入买方市场，产业缩减和产业优化升级成为我国产业政策的新目标。新的产业结构调整必然使新的支柱产业不断涌现，老的产业不断被淘汰，职工就业转移时滞和部分职工技术技能相对落后，使结构性失业人数不断增加。

从下岗职工的行业构成来看，多数集中在传统产业部门。以天津市为例，1995 年全部下岗职工中，轻工业占 27.1%，其次为机械工业，占 16.3%，化工业占 14%。从纺织行业来看，由于长期以来重复建设严重，造成我国纺织行业生产总量严重过剩。1981—1991 年 10 年间，我国棉纺锭从 1894 万锭增加到 4192 万锭，且相当部分是落后的棉纱锭，大大超过了市场需求。企业生产总量过剩和过度竞争，使相当一部分国有企业在原料、人工成本等各项费用不断提高的条件下，完全丧失了国际市场的竞争优势。加上纺织行业国有企业历史包袱严重，人员过多（据对3059户国有纺织企业分析，资产负债率超过100%的占25%，低于50%的仅占5%，平均为82%；中心城市纺织企业离退休职工与在职职工比例为1:1，有的甚至达2:1；国际上先进水平棉纺织企业每万锭用人100多人，我国却高达600多人），纺织行业成为我国目前国有工业企业中困难最大、亏损最严重的行业。自1993年以来，我国国有纺织行业已连续5年亏损，1996年全行业净亏损106亿元，亏损额居全国工业企业之首。亏损企业1031户，涉及职工108万人，分别占全国国有大中型亏损企业的17.5%和19.6%。1997年，中央经济工作会议不得不提出把纺织行业深化改革作为实现国有企业三年摆脱困境的突破口，提出纺织行业压锭、减员、增效，用三年时间压锭1000万，减员120万，由此导致纺织工业集中区域的失业与下岗现象特别突出。到1997年年末，上海原有60万纺织职工中，有近2/3职工跨行业转岗；重庆市纺织行业下岗职工比重高达70%。因此，我国当前失业人员和下岗职工不断增加的原因，不是投资总量不足，主要是经济发展过程中的经济结构调整和经济结构变动。

3.3.4 大量农村剩余劳动力的转移使失业大军扩大

经济发展过程中人口的合理流动，农村剩余劳动力向非农产业转移和不断城镇化，标志着我国经济发展水平的不断提高，也是我国跨世纪的社会经济系统工程。因此，在经济体制改革初期，我国采取就地实行职业转换的方式实现农村人口流动，通过大力发展乡镇企业实现农村剩余劳动力的转移安置，农民离土不离乡，进厂不进城。但从20世纪80年代后期开始，乡镇企业发展速度不断降低，进入调整时期，就业容量不断下降。大量农村剩余劳动力异地转移和流动，加剧了城镇已经存在的失业问题的严重性。1992年与1988年相比，全国乡镇企业产值翻了一番，而同期就业人员仅增长了10.9%，就业弹性系数从0.35下降到0.13。

乡村两级集体企业的固定资产平均每年增长18.4%，而每万元固定资产吸收的就业人数从3.1人下降到1991年的1.8人,下降了42%。1984—1988年,乡镇企业平均每年吸收农村劳动力1260万人，而1989—1992年平均每年只吸收了260万人。尽管从1997年开始，许多地方出台了一些对农村剩余劳动力进城带有歧视性的限制政策,如征收地方性就业基金、规定限制雇佣农民的行业等，但由于农村剩余劳动力在城镇就业中主要从事于苦、脏、累、险的重体力劳动和服务、小商品流通业等,与城镇劳动力就业岗位呈明显的岗位分流;同时,农村剩余劳动力还依靠其特有的能吃苦耐劳、不挑挑拣拣、没有城镇居民的优越感、好管理等竞争优势占有了大量城镇就业岗位，反过来,又加大了城镇人口的失业数量。

据国家统计局统计,2001年我国农村人口7.96亿人，农村劳动力4.91亿人，乡镇企业和私人企业就业的农村劳动力为1.43亿人,从事个体经营的农村劳动力0.26亿人,从事农业劳动的有3.4亿人。运用劳动力合理负担耕地法测算,我国农业部门仅需要劳动力1.96亿人,因此,现阶段我国农村剩余劳动力有1.44亿人。这是个绝对静态的数据。考虑出生人口增长、农业劳动生产率提高、城市发展对耕地占用和沙漠化对耕地的吞食,我国农村剩余劳动力每年还将以600万人左右的速度递增。可见,我国农村剩余劳动力数量庞大,转移任务十分艰巨。

3.3.5 经济周期性波动所带来的失业[1]

我国经济的发展也是有周期性的。最近的一个经济周期从1990年开始，在1992年达到高峰后开始下落,GDP增长率从1992年的14.2%逐渐降为1998年的7.8%，至于1998年是否为这个周期中的低谷,那还要看今后几年的经济增长速度。下

1. 李哲:《当前我国失业的成因分析》,《中国大学生毕业论文精选精评 经济学卷》2002年10月17日。http://www.xllw.net/show.aspx?id=1392&cid=119.

表列出了在这个周期中各个年份的国民经济增长率和失业率，我们不难发现：从1992年到1998年，随着经济发展速度的减缓，失业率在总体上是逐渐上升的；在这个周期的峰顶1992年失业率最低，为2.3%。

表3–19 我国国民经济增长率与失业率的比较

年份	1990	1991	1992	1993	1994	1995	1996	1997	1998
GDP增长率（%）	3.8	9.2	14.2	13.5	12.7	10.5	9.6	8.8	7.8
失业率（%）	2.5	2.3	2.3	2.6	2.8	2.9	3.0	3.1	3.1

资料来源：《中国劳动统计年鉴》和《中国统计年鉴》有关部分。

第四章

中国的自然人口、经济增长与自然失业率

4.1 中国的自然人口规律

4.1.1 中国人口转变的历程[1]

一、中国人口转变的历史阶段

在过去的50多年里，我国的人口转变大致可以分为两个大的阶段：

第一阶段是死亡率变动主导型的人口转变阶段（1949—1970年）。这一阶段的特点是死亡率率先下降，而出生率在本质上是居高不下的，1970年的出生率水平还与建国初期差不多，在33‰—35‰之间。中国的人口转变早在建国之初就已经开始，这第一个阶段就是死亡率的转变阶段。但真正对人口增长产生遏制的人口转变应该是出生率也开始下降的时候——这就是20世纪60年代末，确切说是在1970年前后进入了人口转变的第二个阶段。

1. 参阅穆光宗：《中国的人口转变：历程、特点和成因（一）》，中国论文下载中心，2004年4月29日。http://paper.studa.com/2003/4-26/2003426113226.html.

第二阶段是出生率主导型的人口转变阶段（1971 年至今）。这一阶段的特征是死亡率已经降到较低的水平上并保持着相对稳定的态势，由于出生率不同的变化态势，又可以分出若干发展阶段：

其一是，出生率直线式急剧下降的阶段（1971—1980 年），在整个 70 年代，出生率从 30‰快速地下降到 20‰以下，下降了 10 个千分点，幅度很大。

其二是，出生率波动中缓慢下降的阶段（1981—1990 年）。这一阶段的显著特点是多年年份的出生率在略高于 20‰的水平上波动，而死亡率则稳定在 6.6‰上下的水平上。

其三是，出生率在一个低水平上继续缓慢下降的阶段（1991—1999 年），在 20‰以下，出生率开始了拾级而下的下降趋势。

这样，整个第二阶段经过 70 年代的快速下降、80 年代的波动和 90 年代的缓慢下降，中国人口的出生率和死亡率之间的缺口开始逐渐收拢，人口转变逐渐趋向完成。

中国的人口转变有一个非常有意思的现象，就是差不多每隔十年就是一个转折。大的转折点是在 60 年代末。人口转变从“开口”转向了“收口”；小的转折点则有 1961 年（死亡率）、1971 年、1981 年和 1991 年这几个重要年份。“十年一转变”是近 50 年来中国人口转变的一个显著特点。

如果进行平滑处理，我们就会发现：人口转变经过了两个大的阶段。一是扩口的阶段，死亡率比出生率率先对以制度变迁为先导的现现代化作出了反映，这也是符合规律的现象。这时，人口增长率趋向扩大，人口膨胀。二是逐步收口的阶段，死亡率已经降到一个较低、较稳定的阶段，出生率作出了较强烈的反映，出生率与死亡率的差越来越小，人口增长减缓并走向零增长。但显然，“增长之口”还没有收拢，还需要借以时日。这就是我们未来可预见的前景了。

二、我国人口自然增长率的变化趋势

人口自然增长率的变化趋势，大致也有四个阶段：

（1）1949年到1970年，自然增长率经历了一段“爬坡”的过程，从15‰上升到25‰以上，是人口转变的增长阶段。1958年至1963年的增长低谷是非正常的，并不能说明问题的实质；相反的，从当时的社会经济状况和人口状况来说，高速增长才是反映实质的特征。

（2）1970年到1980年，人口增长开始急剧下降。

（3）1980年到1990年，人口增长出现了比较明显的波动和回升现象。

（4）进入90年代，人口增长稳步下降和减慢。但此后是否一直稳步下降却是我们目前不能轻易肯定的。

总之，从出生率、死亡率和自然增长率变动的趋势来看，我国人口转变大致经历了四个阶段，而且非常巧妙地与每十年的时段相吻合。

从预测来看，今后中国的人口转变趋势是在出生率继续缓慢下降、死亡率略有回升的综合作用下，自然增长率逐步趋向“零、负”的这么一个前景。中国人口转变要趋向完成大概是在21世纪30年代以后。从预测结果看，自然增长率是单调递减的渐变过程。2030年前后或许是一个历史的转折点。此前的中国人口是一个增长型的人口，而此后的中国人口则演变为缩减型。这一转变意味深长，为中国实现适度人口目标迈进了一大步。根据林副德、刘金塘的预测，人口增长惯性将逐步减弱，育龄妇女占总人口的比重将持续下降，2000年降到26.7%，2020年为24.5%，2040年降到21.9%。这样，大概到2033年人口增长将达到峰值15.19亿。

根据这样的前景，中国目前的使命就是要努力实现一个彻底的和稳定的人口转变，而其中的关键就在于出生率持续的和稳定的下降。如果考虑了人口再生产类型和人口增长类型这双重转变的话，我们现在实现的充其量也只是人口再生产类型的转变，而且是不稳定的一种转变。经过努力，若干年后我国人口自然增长率变化趋势的第五个阶段，即零、负增长阶段也是有可能出现的。

三、从总和生育率的变动看人口转变的历程

生育是人口增长的原动力。我国出生率的变动在很大程度上是因为生育率的变动。1999 年世界人口日的主题是:“人类对生育的选择决定着人类对未来的选择”。那么建国以来我国的生育率水平又是如何变动的呢?从总和生育率的角度看人口转变的历程无疑是重要且独特的角度。至少,从计划生育工作的角度说,生育率的变动是最值得关注的一个指标。

中国的生育率经过了一个与整个人口再生产类型的转变相似的历程。根据数据所显示的信息,其结论是:

1. 1949 年至 1969 年为生育率转变的第一个阶段。不妨称之为“前转变阶段”。从全国的情形来看,除了“大跃进”和三年灾害期间非正常的生育减少和生育回升以外,其他年份生育率居高不下,这一点与出生率的变动几乎完全一致。生育率维持在平均 6 个孩子的水平上。

2. 1969 年到 1977 年为生育率转变的第二个阶段,为生育率快速下降的阶段,可简称为“快速转变的初始阶段”。生育率从接近 6 急速降到 3 以下。和出生率一样,几乎下降一半。

3. 1977 年到 1991 年为生育率转变的第三个阶段,可称之为“波动中转变的中期阶段”。在这个阶段生育水平在 2—3 之间波动。由于当时的社会经济文化都比较落后,计划生育本身的手段也十分有限,所以生育率下降到接近极限的时候外部的控制力和内部的反控制力就构成了持久的冲突,形成了“拉锯战”的局面。在本阶段,我们多年的努力已经使“生育率”接近更替水平。但由于超越了特定的生育率转变的文化边界,所以出现波动也在所难免。

4. 1991 年到 1999 年为生育率转变的第四个阶段,由于这段时期的生育率变动出现了相对稳定的下降趋势并稳定在更替水平以下,所以不妨称之为“持续的低生育率阶段”。与前一阶段比较,它的特点一是曲线下延比较平滑,二是持续地低于更替

水平。这一阶段的成绩可以说是既梦寐以求又来之不易。目前的总和生育率大致达到了而且多年来维持在1.8‰左右的低水平。

但未来的走势到底如何,似乎还没有权威的预测。事实上,1995年以后的数据也是有多家的估计，并没有一个确定的说法。不过,估计的差别很小,大致在1.8‰左右的水平上波动。

从今后的变化看,有些“波动”恐怕也是情理中的事情。但只要能持久地保持在更替水平以下,就不会影响我们实现2010年将人口控制在14亿以内，在21世纪的上半叶实现人口零增长的目标。

在最后的那个阶段,也就是对当前的中国来说,稳定住一个低于更替水平的生育率对于最后的和完成意义的人口转变是十分重要的。因为,在人口惯性增长时期,生育率的控制和转变决定着出生率的变动,最终影响着人口自然增长率的变化。

目前,我们来自人口数量方面的挑战既有存量方面的问题,也有增量方面的问题。解决或者说降低增量，就是要遏止和减缓人口存量的膨胀。但解决了人口增量问题，并没有真正解决人口的存量问题。而“稳定低生育水平”在短期内服从的是增量控制的要求,从长期来说则是服从于存量减少的要求。这样,从结合适度人口目标而设计的人口控制目标,决定了“稳定低生育水平”是唯一正确的战略抉择。中国走过了一条艰难曲折的道路,但在付出了代价之后,我们的确为相对减少人口的压力作出了划时代的贡献。

4.1.2 我国人口发展目标

在各级政府的领导下,经过全国人民的共同努力,我国人口控制,基本完成了“九五”计划确定的目标与任务。人口过快增长得到有效控制,人口再生产类型发生历史性变化。“九五”期间,计划生育政策进一步得到落实,计划生育率稳步提高,晚婚、晚育、少生优生的婚育观正在形成,妇女总和生育率已降至更替水平以下。“九五”期间净增加6000万人，年均人口自然增长率为9.69‰，2000年末全国大陆总人口可控制在12.7亿以内。1998年人口自然增长率首次降到10‰以下，人口再生产实现了低出生、低死亡、低增长类型的历史性转变。

但我国人口仍然面临着严峻挑战，预计“十五”期间将增加5600万人左右，到21世纪40年代，人口将达到总量为15亿以上的峰值。在今后相当长的时期内，庞大的人口规模与资源、环境不相适应的矛盾将日益尖锐。目前的低生育水平还很不稳定，各地发展不平衡，实行计划生育仍有相当的难度，造成人口增长过快的主要压力来自中西部地区。

未来50年中国人口发展战略。[1]人口发展战略目标。1998年，国家计生委根据党的十五大精神，提出了从20世纪末到21世纪中叶我国人口与计划生育工作的奋斗目标，并得到了中央的原则同意。这一战略目标是:2000年，总人口控制在13亿以内;2010年，总人口控制在14亿以内。到21世纪中叶，我国人口总量在达到峰值（约16亿）后缓慢下降。

根据预测，在现行生育政策基础上，允许双方为独生子女的夫妇生育二胎，到2010年，我国人口规模将可能达到13.8亿人，大约在2040年前后，我国人口将达到峰值规模15.5亿，此后，人口规模开始缓慢减少，到2050年减少到15.2亿。基于这一预测结果，上述人口发展战略目标是完全可以实现的。

国家计划生育委员会“中国未来人口发展与生育政策研究”课题组（对全国人口的预测分别由中国人口信息研究中心、中国人民大学人口研究所和南开大学人口与发展研究所独立进行。此外十个省市课题组各自做了本省市的人口预测）提供的对未来50年中国人口发展趋势的基本判断信息显示：

1. 国家计划生育委员会“中国未来人口发展与生育政策研究”课题组，原载《人口研究》2000年第3期。http://www.cpirc.org.cn/yjwx/yjwx_detail.asp?id=1924.

总人口规模。我国总人口在未来30多年内仍在增长,但增长速度渐趋缓慢。2000年末,总人口约为12.7亿。2010年,总人口约在13.6—13.8亿间。根据三个研究单位多方案的估计,人口数量高峰将出现在2035—2045年间;峰值人口约为15.5亿,不会低于14.5亿,也不大可能超过16亿。

劳动年龄人口。在未来40年内,我国劳动年龄人口将保持持续增长的势头。2000年劳动年龄人口约为8.6亿;2010年达到9.7亿;2015—2035年可能持续在10亿左右。丰富的劳动力资源将为经济发展提供良好的机遇,也将为社会就业带来沉重的压力,而且劳动年龄人口本身的老龄化问题也开始显现。

人口老龄化。2000年,65岁以上人口比例达到7%,表明我国人口已进入老年型。我国人口老龄化的速度很快,而且在未来的30年间将呈加速的态势。到2010年,65岁以上的老年人口比例将超过8%;2040年将超过20%。届时每5个人中就有一位是65岁以上的老人。老年人口本身的老龄化也日趋严重,80岁以上的高龄老人将从1990年的800万迅猛增加到2010年的2540万,2050年将达到1.6亿。可以断言,未来50年人口老龄化问题将是国家、社区、家庭和个人共同面临的重大挑战。值得注意的是,在中国人口老龄化过程中,农村人口老龄化程度将始终高于城镇人口老龄化程度,这将给本来就很脆弱的农村养老保障体系带来更大的压力。

4.2 中国的人口增长、经济增长与就业

4.2.1 人口增长、经济增长与就业情况

一、人口增长与经济发展速度比较

经济发展从人口经济学的角度来看,与人口增长密切相关。西蒙·库兹涅茨(Simon Kuznets)认为,近代经济发展的特征通常与人均产值的持续增长或者与人口的持续上升相结合。新中

国建国以来，从经济发展的长期趋势来看，除个别特殊时期外，国民生产总值、总人口以及人均产值基本上持续增长。从绝对增长关系来看，人口增长与经济发展速度提高存在着一定的正向关系。见表4–1。

表4–1 各个时期人口增长与经济发展速度的比较

单位：%

时期	人口年增长率	国民生产总值年增长率	人均国民生产总值年增长率	工业总产值年增长率	农业总产值年增长率
经济恢复时期（1949—1952年）	2.0	19.3	17.3	34.8	–
第一个五年计划时期（1953—1957年）	2.4	7.3	4.9	20.3	3.9
第二个五年计划时期（1958—1962年）	0.8	–0.6	–1.7	5.3	–5.2
经济调整时期（1963—1965年）	0.8	15.1	12.4	21.6	11.3
第三个五年计划时期（1966—1970年）	2.5	7.4	4.4	13.7	3.2
第四个五年计划时期（1971—1975年）	2.7	5.9	3.5	9.1	3.2
第五个五年计划时期（1976—1980年）	2.2	6.6	5.2	9.9	0.9
第六个五年计划时期（1981—1985年）	1.3	10.8	9.3	10.1	8.3
第七个五年计划时期（1986—1990年）	1.4	7.9	6.3	9.3	4.2
第八个五年计划时期（1991—1995年）	1.6	11.6	10.7	17.7	4.2
第九个五年计划时期（1996—2000年）	1.2	8.3	7.2	10.3	3.7

资料来源：根据国家统计局编《中国统计》2001年的有关资料计算。

二、经济增长与就业情况[1]

1952—2001年,我国经济增长与就业增长情况,详见表4-2、4-3。

表4-2 中国经济增长来源(1952—2001年)

单位:%

	1952—1978年	1978—1995年	1995—2001年
人口	2.0	1.4	0.9
GDP	4.7	9.8	8.2
人均GDP	2.7	8.4	4.3
就业人数	2.6	2.6	1.2
劳动生产率	2.1	7.2	7.0
资本存量	11.5	9.3	11.8
人力资本	4.1	2.2	2.8
资本生产率	–6.8	0.5	–3.6
劳动力人均资本存量	8.9	6.7	10.6

资料来源:《中国统计年鉴(2002)》。

表4-3 就业人数增长率(1952—2001年)

单位:%

	1952—1979年	1980—1989年	1990—1995年	1996—2001年
从业人数	2.6	3.0	1.3	1.2
第一产业	1.9	1.5	–1.5	0.5
第二产业	5.9	5.0	2.7	0.8
第三产业	3.8	7.0	7.3	3.1
职工人数	7.0	4.7	1.2	–5.2
国有单位职工人数	6.0	2.6	2.1	–6.3
城镇集体单位职工人数		3.9	–2.8	–14.0
私营和个体就业人数			19.6	5.0
城镇私营和个体就业人数		23.5	25.0	10.2

1. 参阅胡鞍钢:《宏观经济政策与促进就业 经济增长与就业增长(图)》,中国劳动力市场信息网监测中心。

http://www.lm.gov.cn/old/gb/content/2004-04/30/content_26920.htm.
资料来源:《中国统计年鉴(2002)》。

从以上两个表可以看出,改革以来,我国经济增长与就业增长的关系分为两个阶段:第一阶段为高经济增长与高就业增长共存,就业GDP增长弹性系数为0.315;第二阶段是高经济增长与低就业增长共存,就业GDP增长弹性系数降为0.112,表明进入20世纪90年,我国经济增长模式从高就业增长转向低就业增长。

改革以来,我国资本存量增长与就业增长的关系也可以分为两个阶段:第一阶段属于高资本增长与高就业增长模式,表现为高资本增长与高就业增长共存,1978年至1989年间,就业资本存量弹性系数是0.376;第二阶段属于高资本增长与低就业增长模式,表现为高资本增长与低就业增长共存,1990年至2001年间,就业资本存量弹性系数降为0.094,出现了劳均资本产出率下降的趋势。

为什么进入20世纪90年代以后,我国就业增长率会明显下降?主要是因为我国就业模式发生了很大转变,从正规就业为主转向非正规就业为主,目前我国仍处在这一过程之中。从一个较长的时期看,我国经济运行状况与就业状况可以分为几个比较明显的阶段:

第一阶段:转轨初期(1978—1992年)。这一时期的特点为以对计划经济体制的初步改革为主,经济转轨尚未全面展开。国有企业获得了进一步的发展,就业需求扩大;私营个体经济开始萌芽,快速上升,就业人数也快速增加。因此这一阶段的改革处于"普遍受益"的阶段,产出和就业人数不断上升,失业问题比较缓和。

第二阶段:转轨中期(1992年—现在)。这一时期全面开始了从计划经济向市场经济转轨的过程,需要对原有的经济体制进行比较彻底的改革。国有经济原来享有的政策优惠也逐步被取消,由于国有经济本身具有的缺乏竞争力的弊病,所以在这一时期,出现产出和就业的急剧下降。部分国有经济的所有权开始被转让，逐渐演变为股份制、国有控股、联营模式等新型的所有制模式，有的国有和集体企业直接出售给私人。所有制结构的转变带来的是对原来企业内部组织模式的调整，为了提高劳动生产率、削减计划经济时期“高就业模式”下产生的企业冗员，于是国有集体等传统正规部门就业需求出现滑坡。到了20世纪90年代中后期，我国出现了“通货紧缩”现象，部分行业供求关系从原来的“商品短缺”转变成为“生产能力过剩”，产出的增加受到严重影响。但是，新兴的行业在快速崛起，产生了新的就业需求。而且由于私营个体经济在转轨初期已经得到了一定的发展，市场经济逐步建立使它们的合法性地位进一步加强、市场准入限制降低、资金获取能力增强，所以私营个体经济产生了很强的就业需求。

在这种部分行业、部分经济类型出现衰退，另一部分行业和经济类型不断崛起的背景下，我国经济结构发生了剧烈的调整，所以这一时期的就业形势显著地表现出“创造性摧毁”的特点，同时也进入了高失业、低就业、高增长阶段。摧毁旧的工作岗位主要集中在国有单位和城镇集体单位的传统正规部门。一方面在新兴产业（指IT信息服务业、旅游业、金融保险业、文教卫等）、新兴正规部门和非正规部门会创造新的就业岗位，但另一方面在传统正规部门中旧的工作岗位会被进一步的大量摧毁。这是一个典型的“创造性摧毁过程”，但创造的速度远远低于摧毁的速度，造成严重的下岗失业问题。

第三阶段：转轨后期。这一时期，我国已经基本完成从计划经济向市场经济的转轨。国有和集体部门在我国经济中的比重下降到了较低水平，国有部门市场竞争力得到提高，产出和就业需求保持稳定。私营个体经济和外资经济得到了极大的发展，占据我国经济的较大比重，创造出大量的就业需求。在这一阶段，新的工作岗位开始超过或摧毁旧的工作岗位。越来越多新生劳动力直接进入新岗位，相当部分失业人员开始调整之后，逐渐进入新领域，失业率开始下降。我国步入新的发展时期。

目前,我国已开始进入第二、三阶段的过渡时期,就业增长低于经济增长还将持续一段时期。

三、近几年人口增长与就业增长情况

我国是世界上的人口大国,占世界人口总量的21.3%;我国也是世界上劳动力人口最多的国家,1999年15—64岁人口为8.44亿,相当于世界总量的22.4%,劳动力7.5亿,相当于世界总量的25.9%,相当于欧盟国家总劳动力人口(1.36亿)的5.5倍,相当于美国总劳动力人口(1.43亿)的5.3倍。我国要以世界上9.6%的自然资源(指电力生产量、商业能源使用量、农业种植面积和水资源)、9.4%的资本资源(指国内投资额、资本市场、净外国直接投资,按实际购买力平价计算)、1.85%知识技术资源(指个人电脑数、互联网主机数、本国居民申请专利数、科学论文发表数和研究与开发支出,按版权和专利收入、版权和专利支出计算)来为25.9%的劳动力人口创造就业机会,而美国则利用世界上16.02%的自然资源、31.1%的资本资源、34.93%的技术资源、24.24%的国际资源来为世界上不足5%的劳动力资源创造就业机会。相比之下,我国的劳动力就业压力之大可想而知。

1978—2002年,我国总人口净增32194万人,新增就业人口33588万人。[1]1980—1999年,全世界新增劳动力8.60亿人,而同期我国就业人口净增2.90亿人,我国新增就业劳动力相当于世界新增劳动力的33.7%。[2]我国在解决人口就业方面取得了令世人瞩目的成就。

4.2.2 经济增长的人口因素[3]

从建国后到20世纪末50年间,我国就业人口的数量除了

1. 参阅李微辉、薛和生:《劳动经济问题研究》第119页,上海人民出版社,2005年3月。
2. 参阅李微辉、薛和生:《劳动经济问题研究》第120页,上海人民出版社,2005年3月。
3. 参阅李仲生:《中国的人口与经济发展》第13—16页,北京大学出版社,2004年7月。

"大跃进"时期的特殊原因外，始终处于迅速增长的状态，劳动力数量的增长作为积极的因素促进了国民经济发展。之后，劳动者就业的增长依然呈强劲上升趋势，每年大约有1200万人进入新的劳动市场。这些丰富而廉价的劳动力作为重要的生产要素刺激了国民经济的发展。

用劳动弹性可以测量劳动力增加对经济增长的贡献度。劳动弹性是指劳动力的增长率和国内生产总值的增长率的比值。如表4–4所示，1953年至1957年的第一个五年计划时期，我国的劳动弹性是0.397；到了60年代后半叶，进一步扩大到0.541的水平；其后逐渐减退，到90年代后半叶，减低趋势进一步加快，降低到0.108的水平。由此可见，在技术装备陈旧、产业结构不均衡以及资本短缺的时代，就业劳动人数的迅速增长就成为促进经济增长的主要因素。而随着技术装备的进步、劳动力素质的改善、产业结构的合理化以及资本集约度的上升，劳动生产率的提高就会逐渐形成经济发展的主要因素。

表4–4　各个时期新雇佣劳动力的增长与劳动弹性的变化

时间	国民生产总值年均增长率（%）	新就业劳动力年均增长数（万人）	就业者年均增长率（%）	劳动弹性
1953—1957年	7.3	608.4	2.9	0.397
1958—1962年	–0.6	427.8	1.8	–3.000
1963—1965年	15.1	920.0	3.6	0.238
1966—1970年	7.4	1152.5	4.0	0.541
1971—1975年	5.9	747.2	2.2	0.373
1976—1980年	6.6	838.6	2.2	0.333
1981—1985年	10.8	1502.4	3.6	0.333
1986—1990年	7.9	1373.4	2.8	0.354
1991—1995年	11.6	1129.6	1.9	0.164
1996—2000年	8.3	640.6	0.9	0.108

资料来源:国家统计局编《中国统计年鉴》1996年以及2001年的有关资料。
注:劳动弹性指的是,就业者年均增长率与国民生产总值年均增长率的比。

要充分发挥劳动力的增长在经济增长当中的积极作用,劳动力素质的改善是不容忽视的。经济改革开放以前,由于教育费用和教育设施投资的不足,劳动力素质的提高极其缓慢,小学毕业程度以下的就业人数一直占有比较突出的比例。到20世纪80年代初以后,随着教育体制改革的实施,政府对就业劳动者增加了教育投资,有计划地对职工和工人进行各种文化教育和科学技术教育,并提出了提高广大职员和工人的政策水平、文化水平、技术水平和经营管理水平的方针。不久,国有企业内部就开始对工人进行各种各样的职业技术培训,劳动力素质的提高是显而易见的。此外,政府采用多种多样的形式强化成人教育,使接受中等教育和高等教育人口的比重逐渐增大。而随着劳动力素质的改善,劳动生产率逐步提高,从而促进了经济增长。

随着社会生产力水平的提高、产业结构的调整和产业间收入水平差距的扩大,农业部门的劳动力开始向非农部门流动。据统计,经济转轨以来,大约有1.2亿农业劳动力由农业部门向非农业部门流动。他们中的大多数被乡镇企业吸收,或转入农村个人营业的手工业、运输业、建筑业以及服务业。其他的一部分转向为都市的建筑业、运输业。特别是近些年来,有更大规模数量的农村剩余劳动力流向城市,为都市的建筑业、运输业和商业部门等服务业所雇佣。

另外,从我国各个时期经济增长中的几个主要因素的作用比较来看,劳动力增长的因素与资本劳动比率、技术进步增长的因素,它们在国民经济增长中的作用程度在不同的时期是有区别的。见表4–5。

从国民生产总值Y的增长率来看,在1953年至1977年的25年间,G(Y)为6.5%。就其贡献度来说,劳动力的增长率G(L)与技术进步 λ 等劳动生产率的提高大致相等,而资本与

表 4–5 各个时期经济增长的因素分析

单位:%

时期	国民生产总值年均增长率 G(Y)	就业者年均增长率 G(L)	劳动生产率年均增长率 G(Y–L)	资本与劳动比率 EG(K/L)	技术进步等残余的增长率 λ
1953—1957 年	7.3	2.9	4.4	2.2	2.2
1958—1962 年	–0.6	1.8	–2.2	–1.9	0.5
1963—1965 年	15.1	3.6	11.5	3.3	8.2
1966—1970 年	7.4	4.0	3.4	1.4	2.0
1971—1975 年	5.9	2.2	3.7	1.7	2.0
1976—1980 年	6.6	2.2	4.4	1.3	3.1
1981—1985 年	10.8	3.6	7.2	2.6	4.6
1986—1990 年	7.9	2.8	5.1	1.9	3.2
1991—1995 年	11.6	1.3	10.3	7.5	3.3
1996—2000 年	8.3	1.0	7.3	3.4	3.9
1953—1977 年	6.5	2.6	3.9	1.3	2.6
1978—2000 年	9.6	2.1	7.5	3.8	3.7

资料来源:根据国家统计局编《中国统计年鉴》1996 年以及 2001 年的有关资料计算。

注:Y:国民生产总值(1978 年价格),L:劳动力,K:全社会固定资产投资的增长率;E:资本的生产弹性 = 资本的分配率,λ = 技术进步等残余的增长率 = G(Y–L)–EG(K/L);E 使用世界银行的经验值(E = 0.4)假定为全年度。

G(Y)= G(L)+G(Y–L); G(Y–L)= λ + EG(K/L)

劳动比率 EG(K/L)则相对较低。

改革开放的 20 多年来,上述趋势已经改变,经济的年增长率 G(Y)增大到 9.6%,λ 为 3.7%,EG(K/L)和 G(L)则分别为 3.8%和 2.1%。就其贡献度来说,主要归结为技术进步与资本劳动比率的提升,而劳动力增长率的因素则相对减弱。

4.2.3 人口增长对经济发展的影响[1]

新中国建立以来,国内生产总值的增长速度较快,尤其是改革开放的 20 多年以来经济增长速度显著提高,年平均增长率为 9.7%,已成为世界上经济发展速度最快的国家。经济增长的积极因素主要是劳动力的数量增大及其素质的提高、劳动生产率的提升、技术的进步和资本集约度的上升等。其中,我们要特别关注的是,一方面要看到,经济的快速增长与人口因素的劳动力数量的适度增大和劳动力素质的提高密切相关;另一方面也要看到,我国人口的庞大,而改革开放以来人口增加的速度依然很

表 4–6 国内生产总值的增加和纯增长人口的消费变化

年 份	增加的国内生产总值(亿元)	国内生产总值增长率(%)	纯增长的人口(万人)	人口增长率(%)	纯增长人口的消费(亿元)	增加的消费总额(亿元)	人均消费额(元)
1955	51.0	6.8	1199	1.99	11.3	52.0	93.5
1960	18.0	–0.3	–1000	–1.49	–10.3	47.0	103.2
1965	262.1	17.0	2039	2.89	25.2	61.0	123.4
1970	314.8	19.4	2321	2.88	32.0	78.0	138.0
1975	207.4	8.7	1561	1.72	24.5	71.0	156.9
1978	422.2	11.7	1285	1.35	23.5	147.0	182.7
1980	479.6	7.8	1163	1.19	27.3	311.7	234.8
1985	1793.4	13.5	1494	1.43	64.8	914.5	433.5
1990	1638.7	3.8	1629	1.45	129.8	589.7	797.1
1995	11728.7	10.5	1271	1.09	282.7	6839.0	2224.6
2000	7610.2	8.3	674	0.53	228.5	3777.5	3390.0
2001	6118.3	7.3	884	0.70	318.1	3011.9	3598.2

1. 参阅李仲生:《中国的人口与经济发展》第 25—30 页,北京大学出版社,2004 年 7 月。

资料来源:国家统计局《中国统计年鉴》1992 年版和 2002 年版。
注:纯增长人口的消费、增加的消费总额以及人均消费额等根据《中国统计年鉴》的统计资料算出。

快，人口的迅速增长作为抑制国内生产总值快速增长的阻碍因素也在明显增大。见表 4–6。

从表 4–6 可以看出,从 1955 年以后到 1975 年国内生产总值的增加和消费总额的增加都是显著的。这个时期,除了 1960 年由于自然灾害等引起的人口减少外，人口上升的趋势也是明显的。人口的迅速增长不仅仅消耗了大部分的消费额，也抑制了储蓄额的增加,影响了国内生产总值的增长。改革开放以后，经济增长幅度和消费总额的增加都急速增大，而同期的人口增长趋势也是强劲的,因而影响了资本积累和经济发展速度。

人口急速地增长使得劳动力的就业矛盾日趋突出，这会给经济的健康发展带来严重影响。我国由于在 20 世纪 50 年代和 60 年代的两次人口增长高峰的影响，劳动力人口急速增长,由 1953 年的 3.3657 亿人增大到 1978 年的 5.7178 亿人，仅仅 25 年间就净增长了 2.3521 亿人。劳动人口的大幅度增长,加速了完全失业(totally unemployed),1978 年劳动就业达到了建国以来最低水平,城市的完全失业者上升到 530 万人,失业率达到了 5.3%。到改革开放全面转换的 1984 年,失业人数下降到 235 万人,失业率也降低到 1.9%。这个时期城市就业每年大约为 850 万人。但从 1988 年开始,针对社会需求和供给失调、产业发展不平衡等经济矛盾,政府不得不采用经济紧缩政策。由此造成了劳动就业状况恶化，城市完全失业人数急速增大,1995 年超过 500 万人。最近数年来,由于加快了产业结构的调整、国有企业改革(国企在许多领域的退出，企业减员增效和关、停、并、转等)的不断深化等,由此也产生了大量的失业者。

人口急速地增长导致劳动力的资本投资降低，进而使劳动力素质下降,对经济良好发展产生不利影响。现代经济发展说明，在一个国家的经济增长中，劳动力资源的文化、技术素质提高对经济增长的贡献比物质资本和劳动力资源的数量的增加要重要得多，这是因为高质量的劳动力资源对经济增长可以发挥倍数效益。据美国经济学家测算，1900—1957年，物质资本投资增加4.5倍，利润只增加3.5倍，而劳动力资本投资增加3.5倍，利润却增加17.5倍，利润增加是劳动力资本投资的5倍。美国和日本劳动力的质量很高，尽管它们的劳动力资源的总数量不高，约占世界的7.2%（见表4–7），但在其经济发展过程中，高素质劳动力资源的开发、利用和增长，对本国经济高效发展产生了巨大的倍数效益，使得两国的经济规模始终保持占世界经济40%强的高水平。而我国高素质劳动力资源还比较短缺，据1998年我国人口变动抽样调查，全国各种职业的从业人员中，大专以上教育程度的人口仅占3.5%，与1990年的全国人口调查的2.1%相比虽然有较明显的增加，但与美国的46.5%、日本的20.7%的水平相比，差距是显而易见的；中等教育程度和初等教育程度的比率分别是50.8%和34.2%，而文盲率则达到了11.5%。显然我国劳动力文化素质偏低。另外，由于劳动力的资本投资过低，导致具有现代科技水平的专业技术工人数量偏低。据调查，1998年在国有企事业单位中，专业技术人员为2091万人，只占职员和工人总数的23.7%。低素质的劳动力已经成为制约我国劳动生产率提高的主要原因。

人口增长对经济发展的过程来说，它具有促进和阻碍双重因素的影响。在近代经济发展的初期，欧美和日本等发达国家的适度人口增长扩大了市场，增大投资而扩大了经济规模，刺激了经济发展。而我国人口增长的经济效果，比发达国家来说是比较低水平的。人口的迅速增长不仅抑制了人均国民生产总值的增长，也抑制了国民储蓄额的增加，阻碍资本形成，必将对经济迅速发展产生负面影响，更严重的是我国人口的迅速增长导致了就业水平降低，结果是产生大量失业人口，造成劳动力的生产率减退，进而抑制了经济的良性成长。要实现人口与经济的

表 4-7 劳动力资源总量与经济总量的国际比较

国家	劳动力资源总量 总量(排名)(万人)1999		劳动力资源总量 占世界总计比率(%)1999	高等教育程度占25岁以上人口比率(%)1999	从事研究与开发的科学家与工程师(每百万人)1999—2000(排名)		国民生产总值 总值(排名)(10亿美元)2000		国民生产总值 占世界总计比率(%)2000
中国	750	1	25.9	3.6	459	49	1080.0	6	3.5
美国	139	3	4.8	46.5	4103	4	9837.4	1	31.8
日本	68	9	2.4	20.7	4960	2	4841.6	2	15.6
德国	41	12	1.4	17.3	2873	11	1873.0	3	6.0
英国	30	20	1.0	—	2678	14	1414.6	4	4.6
法国	27	21	0.9	11.0	2686	13	1294.2	5	4.2
意大利	26	28	0.9	—	1322	34	1074.0	7	3.5
印度	439	2	15.2	7.3	158	—	457.0	11	1.5

资料来源:世界银行《世界发展报告》2000、2001年版;联合国开发计划署《2002年人类发展报告》;国家统计局《中国统计年鉴》2002年版。

协调发展,除了制定和实行国民经济计划和长期规划外,还必须实行一系列行之有效的政策措施和艰辛努力。随着我国适度人口的形成和劳动力质量的改善逐渐成为提高劳动生产率的重要因素,我国也就可以缩小与欧美人口质量的差距,加速经济的健康发展。

4.2.4 中国经济高增长与高失业

一、我国经济高增长与高失业的状况

一般来说,一个国家或地区的经济增长决定于三方面的因素:资本投入的增长、劳动力投入的增长和技术进步。在正常情况下,GDP的增长与就业增长是同步的,尤其是当一个经济体劳动力资源利用不足、存在普通失业情况时,在投资的拉动下,

GDP的增长总能带来就业的增长。反过来说,要保证就业的一定增长,GDP必须保持一定速度的增长。国际比较研究也表明,一般情况下,经济增长都与就业增加密切相关,随着经济的持续高速增长,就业压力就会逐步缓解。一些国家在持续一个时期的经济高速增长之后,失业率都会明显下降,有的还不同程度地出现了劳动力供给短缺现象。然而我国近年来的宏观经济运行状况却表明,经济的高速增长与高失业率并存,见表4–8。而这种情况可能还将在相当一段时期内继续存在。

二、经济高增长与高失业并存的主要原因

1. 产业结构失衡是经济高增长与高失业并存的基本原因。1979—2003年,我国GDP年均增长9.4%,其中,第一产业年均增长4.5%,第二产业年均增长11.3%,第三产业增长10.0%。按照1990年不变价格计算,第一、二、三产业增加值占GDP的比重分别由1978年的40.0%、38.5%和21.5%演变到2003年的

表4–8 经济增长率与城镇失业率比较

单位:%

年　份	GDP增长率	城镇登记失业率	城镇调查失业率	城镇真实失业率
1995	10.5	2.9	5.4	4.2
1996	9,6	3.0	4.0	6.1
1997	8.8	3.1	4.6	6.8
1998	7.8	3.1	5.5	6.4
1999	7.1	3.1	5.3	6.4
2000	8.0	3.1	5.6	6.1
2001	7.3	3.6	5.3	5.7
2002	8.0	4.0		5.5

资料来源:中国国家统计局网站。

城镇调查失业率摘自杨宜勇:《大开放的就业》第136页。

城镇真实失业率摘自李微辉:《劳动经济问题研究——理论与实践》第162页。

12.8%、59.5%和27.7%。第一产业比重下降了27.2个百分点，第二产业上升了21个百分点，第三产业仅上升了6.2个百分点。按照现价计算2003年我国第一、二、三产业增加值占GDP的比重分别为14.6%、52.3%和33.1%，其中工业增加值占GDP的比重为45.3%。按照世界银行的数据，目前全球第一、二、三产业的平均构成约为4%：32%：64%，而工业增加值占GDP的比重为21%左右。其中，高收入国家和中等收入国家第一、二、三产业的平均构成约分别为2%：30%：64%和10%：36%：54%。我国第三产业的比重比世界平均水平低30.9个百分点，而第一产业比世界平均水平高约10.6个百分点，第二产业则比世界平均水平高出20.3个百分点。

1998年以来，我国实行积极的财政政策，以扩大固定资产投资为主要手段来拉动国内需求，固定资产投资成为拉动经济增长的基本动力，其对经济增长的贡献度越来越大，与此同时，消费对经济增长的贡献却逐年下降。结果导致本来就很高的第二产业比重持续上升，而第三产业的比重没有明显提高。有关国际统计数据表明，第三产业是发达国家和新兴工业化国家吸纳劳动力最多的部门。我国第三产业也是劳动力密集行业，它对劳动力的边际需求弹性比第二产业大很多，但是由于规模相对太小，导致其吸纳的劳动力比较少。这里，只比较第二产业与第三产业亿元产业对于劳动力的需求量。按照现价计算，2003年第二产业亿元产值需要的劳动力约2630人，而第三产业亿元产值所需要的劳动力高达5639人，第三产业是第二产业的2.14倍。第三产业边际产值对于劳动力的需求量更是大大高于第二产业。2003年第二产业的亿元边际产值对于劳动力的需求是391人，而第三产业则为2030人，第三产业是第二产业的5倍多。可以看出，在经济规模相同的条件下，如果降低第二产业的比重，提高第三产业的比重，就可以创造更多的就业岗位。我国经济增长主要靠第二产业拉动，而第二产业的劳动力需求弹性太低，新创造的就业岗位比较少。而目前我国第三产业对劳动力的需求弹性是第二产业的9倍。但在我国经济高速增长的同时,能够创造大量就业岗位的第三产业发展相对缓慢,占GDP的比重太低,使其新创造的就业岗位的增长慢于劳动力供给的增长,失业压力不断上升。[1]

2. 在经济增长方式的转变过程中出现经济高增长与高失业现象具有一定的不可避免性。一般来说,粗放型经济增长方式是有利于增加就业,而集约型经济增长方式则是不利于就业。因此,由粗放型经济增长方式向集约型经济增长方式的转变,会增加失业问题的严重性(但这只能说是短期内产生的状况,而从一个较长时期作考察,情况未必如此)。我国进入20世纪90年代以来,我国的经济增长方式发生了很大变化,资本、劳动等生产投入要素的使用已经在很大程度上向集约化发展,在这种情况下,经济增长对就业的拉动弹性系数逐渐下降。在过去粗放型的经济增长方式下,GDP每增长1个百分点,拉动就业可以达到200多万人。从目前来看,特别是20世纪90年代到现在,GDP每增长1个百分点只能拉动60—70万个就业岗位,经济增长对就业的拉动规模缩减了2/3。这也说明今后单纯地靠经济拉动很难解决我国的就业、失业问题。

3. 所有制结构的调整也是引发经济高增长与高失业并存的重要原因。进入90年代,随着计划经济体制向市场经济体制的推进,市场竞争日趋激烈,结构调整不断深化,公有制企业,特别是其中的国有企业要从许多领域退出,国有企业数量大大减少。调整后的国有企业按照现代企业制度深化改革,减员增效,形成规模,提高质量,增强市场竞争力,走集约化发展方式的道路。通过所有制结构的调整,国有企业精干了,发展快速了,效益提高了。多种所有制经济的竞争发展,有利地促进了我国经济的全面发展。所有制结构的调整,一方面有力地推动了国民经济

1.参阅梁优彩,中经网《经济高增长缘何未能缓解就业压力》2005年9月1日。来源:《经济参考报》。

的快速发展,另一方面,在调整过程中也带来了大批公有制企业职工的失业、下岗。

4. 技术进步对经济增长是明显的,对就业的影响是双重的。从短期来看,技术进步提高了产出效率,导致生产同量产品的要素(资本、劳动、土地)投入减少,从而技术进步有排挤就业的因素;但从长期来看,技术进步一方面提高产出和劳动者的工资收入,扩张社会总需求,另一方面又创造出新产品,引致新的需求,当两个因素共同作用时就会通过各种渠道加速产业结构的演进,尤其是具有劳动密集型特征的第三产业的发展。因此,技术进步又是有利于就业增长的。改革开放的20多年来,我国在从发达国家引进了大量的现代化先进技术的同时,我国自己也发明创造了许多现代化先进技术。从一个短期来看,现代化的先进技术一方面成为了我国经济高速增长的关键因素,另一方面,由于它具有排挤就业的因素,从而在一定程度上加重了高失业的严重性。

4.3 我国的自然失业率

4.3.1 自然失业率的概念

凯恩斯失业理论在二次大战后很快被大多数经济学家和政府接受。凯恩斯主义为西方世界走出大萧条,进入战后黄金时期发挥了有效作用。然而当一个经济周期过去之后,社会经济中总还存在一定比例的失业人口。在宏观经济学中,这种失业通常被分解为摩擦性失业和结构性失业形式,这两种形式的失业因其不可避免的性质而被称作自然失业。首先,当劳动者从一种生产活动转移到另一种生产活动时,通常会出现一个时间和空间的滞后,由此而产生摩擦性失业。这种失业形式并不意味着工作岗位的缺乏,只是需要时间和信息把劳动者和岗位连接起来。其次,当技术进步或产业结构变动造成一部分劳动者的技能无法适应新的岗位需要时，便产生结构性失业。这种失业并不意味着岗位总数少于劳动者总数，只是后者的技能不能适应新的就业岗位的要求。由于经济活动从而劳动者永远是处于动态中的，而且经济发展本来就包含了不断的技术进步和产业结构调整，一个正常的经济不可能消除摩擦性失业和结构性失业。货币主义代表人物弗里德曼把这一失业称为自然失业，自然失业与总劳动力的比例称为自然失业率，并以此为基础否认凯恩斯反周期宏观经济政策的长期有效性。

关于自然失业率可以从不同角度来理解，例如：(1)可以从离职率与就职率的关系来理解自然失业率。假设 L 代表劳动力，E 代表就业人数，U 代表失业人数。劳动力 $L = E + U$，相应的失业率为 U / L；假定劳动力总量是不变的，来考察劳动者在就业与失业之间的转换。图 4–1 是一个劳动市场中劳动者在就业与失业之间转换的模型。实际的劳动市场运转是为了找到劳动者与岗位之间的合适匹配，在这个寻找过程中，产生了川流的离职和就职的循环和始终存在的一定水平的失业人群，也就是自然失业人群。设 s 表示离职率，即就业者中离职者的比例。设 f 表示就职率，即失业者中就职者的比例。劳动市场稳定（即劳动力总量不变）的条件是：$sE = fU$（劳动力市场处于均衡状态）。由于 $E = L - U$，所以就有：$fU = s(L-U)$。两边都除以 L，就有：$U/L = s/s+f$，这就是自然失业率。$U/L = s/s+f$ 这个公式表明，自然失业率取决于离职率和就职率。离职率越高，自然失业率越高；就职率越高，自然失业率就越低。[1] (2)可以从通货膨胀率与失业率的关系来理解自然失业率。长期菲利普斯曲线的理论分析，为定义自然失业率提供了便利。从长期菲利普斯曲线中可以看到，当失业率低于某一水平时，它是通过加速通货膨胀来维持的，因此，可以说通货膨胀率不变时的失业率为自然失业率。换言之，预期的通货膨胀率与实际通货膨胀率一致时的失业率，即为自

1. 参阅《第三讲：宏观经济中的失业问题》第 3 要点：失业率和自然失业率。

然失业率。[1](3)可以从充分就业与失业率的关系理解自然失业率。充分就业不是人人都有工作,而是失业率等于自然失业率,因此,自然失业率也就是充分就业时的失业率。[2]

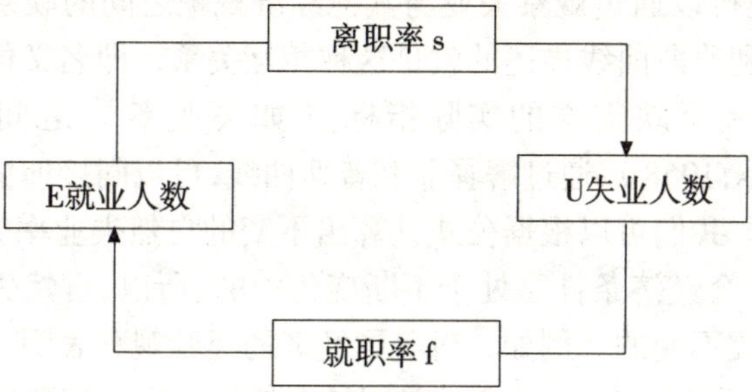

图 4-1 就业与失业的转换

4.3.2 中国自然失业率的估算

一、学者对我国自然失业率的估算

自然失业率理论是由美国经济学家弗里德曼提出来的,尽管有些经济学家对这一理论提出质疑,但这个概念很快被一些国家和地区官方所接受。目前,美国政府把自然失业率界定为6%,失业率在6%以下就算是充分就业了;我国台湾地区从20世纪70年代开始重视自然失业率,据台湾学者估计,现在的自然失业率应在1.27%—3.59%之间;香港金管局最近经过研究指出,其自然失业率在90年代初期为2%—3%,近几年已上升到3%—4%,最近已有经济学家认为有可能上升至5%的水平。

高书生认为,根据不完全文献检索,学界尚未估算出我国的自然失业率。但根据我国人口众多、劳动力参与率很高、结构调

1. 参阅王守志主编:《现代劳动经济学》第224页,北京经济学院出版社,1997年4月。

2. 参阅梁小民:《经济学是什么》第199页,北京大学出版社,2001年11月。

整全方位以及内需不足等特点，其主观地估计，我国自然失业率不会低于5%或6%。[1]

蔡昉等学者认为，自然失业率虽然无法直接在现实生活中观察，但可以通过观察失业与其他经济现象之间的联系进行估算。菲利普斯曲线描述的就是这种相互关系，即名义价格水平的变化和反映需求的实际指标（如失业率）之间的关系（Phillips，1958）。通过解释菲利普斯曲线，可以间接地估算自然失业率。我们可以根据公式计算出不变的自然失业率为1.0%。然而，社会经济条件是处于不断变化中的，所以，自然失业率也不是一成不变的。例如，对美国经济的经验观察表明，至少从1984年开始到20世纪末，美国的自然失业率处于稳定下降的阶段。由于劳动力年龄构成变化，劳动力市场和产品市场的竞争性增强，以及工资预期与实际生产率增长更加协调等因素，美国的自然失业率较之20世纪80年代初期的高峰值，下降了约1.5个百分点（Stiglitz，1997）。

就处于转轨过程中的我国经济来说，劳动力市场条件乃至整个经济体制都处于不断变化之中。特别是近年来产业结构变动速度加快，劳动力市场改革力度加大，都会导致自然失业率的提高。因此，我们应该按照变化的假设对自然失业率进行估计。用计算不变自然失业率类似的方法，我们可以计算出不同时段的自然失业率：1978—1984年为3.79%，1985—1988年为0.33%，1989—1995年为1.77%，1995年以后为4.43%。为了观察自然失业率与总体失业率的关系及其变化，我们将两者绘于图4–2。通过对总体失业率的分解和对自然失业率的量化，可以使我们更深入地分析我国失业率变动的构成及其性质的变化，因而对于治理失业具有重要的政策涵义。总体来说，我国经济具有较高的并且继续升高的自然失业率，表明单纯依靠宏观反

1.参阅高书生：《宏观中国》2002年第29期（8月9日），总第156期。ttp://www.unirule.org.cn/Forum/2002156.doc#_Toc16912892.

周期政策不能完全消除或缓解失业现象,扩大就业和治理失业,要求综合一系列政策手段。[1]

图 4-2 总体失业率和自然失业率

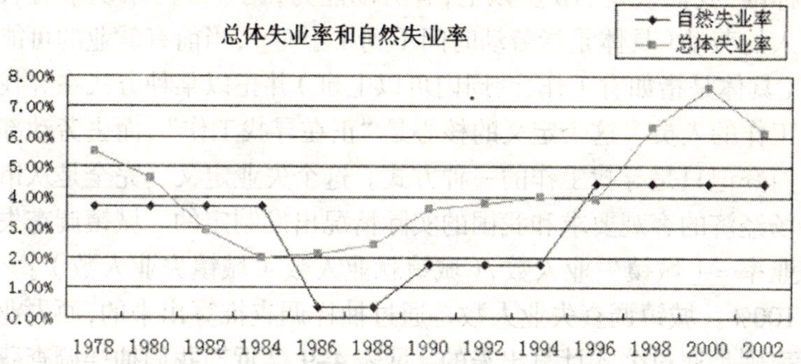

本图根据蔡昉、都阳、高文书的《就业弹性、自然失业和宏观经济政策—为什么经济增长没有带来显性就业?》一文中图2制作。本图中的总体失业率曲线可能与原图有误差。

胡鞍钢认为,从微观经济角度看,下岗分流、减人裁人可以提高企业效益,但从宏观经济角度看,是劳动力资源的闲置,造成经济损失。根据笔者计算,当我国城镇真实失业率超过自然失业率(为5%左右),其造成的经济损失占GDP比重约为6%—8%之间。因此扩大就业,有助于促进经济增长,减少失业,就等于增加GDP。[2]

杨宜勇认为,在1995年以前,我国的失业统计方法主要是政府劳动部门的失业登记统计。由于不少事实上的失业人员并没有去劳动部门登记,而登记的失业人员中又有不少已经通过各种形式就业,因此失业登记已不能全面反映我国城镇劳动力

1.参阅蔡昉、都阳、高文书:《就业弹性、自然失业和宏观经济政策——为什么经济增长没有带来显性就业?》,转载《新华文摘》2004年第23期。

2.参阅胡鞍钢:《我国应实施"就业为中心"增长模式》。http://www.chinatrade-news.com.cn/old/20030904/10.htm.

的真实失业状况。参照国际上通行的统计方法，国家统计局自1996年起建立了城镇劳动力抽样调查制度，按季度向政府和社会提供城镇劳动力就业和失业状况。按照国际劳工组织推荐的标准，我们规定：16岁以上，有劳动能力，调查周内未从事有收入的劳动（具体是指劳动时间不到1小时），当前有就业的可能（具体是指如有工作，两周内可以上班）并正以某种方式在寻找工作的人员。这个定义的核心是“正在寻找工作”，而去劳动部门登记只是寻找工作的一种方式。这个失业定义，完全是从市场经济的客观要求和我国的实际情况出发制定的。城镇调查失业率=[城镇失业人数/(城镇就业人数+城镇失业人数)]×100%。城镇调查失业人数是通过抽样调查推算出来的，而失业率则是通过公式计算出来的。见表4–9。[1] 近期我们抽样调查获得的中国城镇的调查失业率是5.3%左右，农村的失业率只是0.6%。如果城乡统算的话，失业率只是1.9%。目前，世界多数国家失业率均在大幅度上升，美国近6%（2002年4月）。我们公布一个不到6%的城镇调查失业率，根本不会引起大的社会震动。

表4–9　根据人口抽样调查资料估算的城镇调查失业率

年份	1995年	1996年	1997年	1998年	1999年	2000年	2001年
城镇调查失业率	5.4%	4.0%	4.6%	5.5%	5.3%	5.6%	5.3%

表4–10　1995—2001年登记失业者人数和城镇登记失业率

年份	1995年	1996年	1997年	1998年	1999年	2000年	2001年
城镇登记失业者（万人）	520	553	570	571	575	595	681
城镇登记失业率	2.9%	3.0%	3.1%	3.1%	3.1%	3.1%	3.6%

1. 参阅杨宜勇等：《大开放的就业——加入WTO后就业探索》第134—136页，中国水利水电出版社，2004年3月。

二、对上述学者观点的主要看法

根据学者们的估算，近年来，我国城镇自然失业率在5%左右。5%的城镇自然失业率比3%的城镇登记失业率高2个百分点，这使人们感觉到这个自然失业率比登记失业率向反映我国失业的实际情况靠近了，具有一定的真实性，使人们对自然失业率的可信性有了一定的认可。但是，不论是从人们实际感觉到的失业水平，还是有关媒介公布的失业率水平，却都要比自然失业率高出许多。例如，第五次人口普查数据显示，2000年中国城市失业率为9.4%，其中男性为8.7%、女性为10.4%。乡镇失业率为6.2%，其中男性为5.9%、女性为6.6%。城镇失业率为8.3%，其中男性为7.7%、女性为9.0%（此处在计算失业率时，失业人员和就业人员都是指处于15—64岁之间的劳动年龄人口）。另外，根据中国社会科学院人口与劳动经济研究所在福州、上海、沈阳、西安和武汉5个城市所作的调查，1996年9月以来，5个城市16—60岁之间的劳动年龄人口的失业率一直在8%以上，而且在持续升高。从2002年2月开始，失业率甚至超过了14%，远远高于自然失业率和政府公布的城镇登记失业率。[1]这就是说现在估算的自然失业率与实际调查的失业率还有较大差距，这样就可能降低它的可信度。这说明学者们估算的自然失业率与我国城镇失业的实际情况还存有一定误差。尽管自然失业率不等于实际失业率。

目前，学者们估算的5%左右的自然失业率比美国近6%的自然失业率要低，由此证明我国目前的失业率还不算高，根本不会引起大的社会震动。此观点值得商榷。我们认为，从我国的实际国情来看，我国的自然失业率比美国等西方国家高可能才是正常的。主要理由是：

第一，向城镇流动的大量农村剩余劳动力中的相当部分可

1. 参阅李微辉等：《劳动经济问题研究——理论与实践》第160页，上海人民出版社，2005年3月。

能要构成自然失业人口中的重要组成部分。见表 4-11 提供的我国农村剩余人口、农村向城镇流动人口和流动人口中的失业人口等情况数据。

表 4-11　1995—2003 年农村劳动力剩余、流动、失业状况[1]

单位:万人

年份	农村劳动力人口	农村剩余人口	农村向城镇流动人口	流动人口中的失业者
1995	49025	16653	4000	40
1996	49028	16010	4500	45
1997	49039	16479	5000	50
1998	49021	16974	5800	58
1999	48982	16768	6600	66
2000	48934	16604	7400	74
2001	49085	16489	8200	82
2002	48960	16162	9000	90
2003	48793	16090	9800	98

资料来源:《中国劳动统计年鉴》(1995—2003 年);《中华人民共和国劳动和社会保障事业发展年度统计公报》(1995—2003 年);《2004 年 中国统计摘要》。参照李微辉《劳动经济问题研究——理论与实践》书中表 6-3 有关内容制作。

讲到失业问题,人们往往首先想到的是国企职工的失业下岗,实际上大量涌入城镇的农民工也面临着失业问题。据调查,2000 年 33.5%的农民工遇到失业问题,是城市中失业率最高的阶层;2002 年这一比例达 45.5%。大量流动到城镇的农村剩余劳动力,他们中的相当数量人口要长期成为自然失业人口,从而使原有失业人口规模增大。

第二,国有企业在深化改革中大批下岗人员后转为失业者

1.参阅李微辉等:《劳动经济问题研究——理论与实践》第 159 页,上海人民出版社,2005 年 3 月。

也将成为我国自然失业人口大军的组成部分。见表 4–12 提供的 1998—2002 年，我国公有制企业下岗职工数量变动情况。

表 4–12 1995—2003 年企业下岗职工统计表

年份	各类企业下岗职工（万人）	国企下岗职工（万人）	国企下岗职工再就业（万人）	国企下岗职工再就业率（%）
1995	/	368	/	/
1996	815	542	/	/
1997	995	692	480	41
1998	892	610	609	50
1999	937	652	492	43
2000	911	657	361	35
2001	741	515	227	31
2002	618	410	120	23
2003	880	260	194	43

说明：2003 年底我国各类下岗职工数达到 1100 万人（《2004 年中国的就业状况和政策白皮书》），按以往经验估计其中约 20% 的人员将退出劳动力市场，其余 80% 仍留在劳动力市场等待就业，1100×80%=880 万人。

资料来源：《中华人民共和国劳动部和社会保障事业发展年度统计公报》（1995—2003 年）；国家统计局：《2004 中国统计摘要》，中国统计出版社 2004 年版。

根据国家政策，2003 年后下岗职工不再进入就业中心，新生的下岗职工将直接转为失业人口，据 2003 年至 2004 年中国就业报告统计，到 2003 年为止，北京、天津、辽宁、上海、浙江等 8 个省市已撤销了再就业服务中心，实现了下岗职工基本生活保障与失业保险并轨，没实现再就业和新产生的下岗职工将成为公开失业人口，在此种情况下，下岗职工的总数将有所下降，但这必将使城镇的自然失业人口增加。

第三，我国每年新增劳动力大于每年新增的就业机会，这也会使城镇的自然失业人口增加。我国每年新增的劳动年龄人口仍保持在 2000 万左右，其中城市是新增 800 万劳动年龄人口，加上1200多万失业和下岗无业人员，现在城市有2000万需要找工作的人，但每年新增的就业机会只有800万个。在相当长一个时期,劳动力供给仍保持持续增长,到2010年,我国劳动力人口将达到10.6亿人左右,与2000年相比,将增加1.2亿人,增长13%,尽管增速比20世纪90年代会有所放缓。

另外,我国的产业结构、企业结构调整的任务比发达国家要繁重得多，在调整过程中还将有相当数量的职工离开企业或岗位,成为失业者;我国的城市化、工业化和现代化水平还比较低,现正在进行中，而在这一过程中还将有大量的农村剩余劳动力流向城镇寻找工作，他们中的部分人成为失业人口是不可避免的;我国目前出现的劳动参与率下降趋势,是与劳动力市场状况相关的现象,即在城镇失业、下岗严重的情况下,那些年龄偏高、受教育程度较低的失业者因失业时间过长,对找工作失去信心,因此退出劳动力市场,成为所谓“沮丧的工人”。而一些本打算进入劳动力市场的新人,也会由于对就业机会的预期不好,而暂时或永久地放弃了寻找工作的打算。可见，这种原因导致的劳动参与率下降,实际上造成了一种隐蔽性失业。

4.3.3 影响我国自然失业率的主要因素

自然失业率在劳动力市场中不是一个常量，而是一个经常变动的量。影响自然失业率水平变动的主要因素有：

一、劳动力人口的供给

国际上通常用15—64岁的人口为劳动年龄人口统计（我国通常用男性16—59岁,女性16—54岁）。造成我国失业的一个主要原因,就是人口的过快增长造成劳动年龄人口大量增加,超过经济增长所能吸纳的劳动力数量而导致劳动力过剩。20世纪70年代以前,中国人口发展处于无计划状态,人口出生率一直处在超经济增长状态,尽管从70年代末中国人口发展进入了有计划发展阶段,但是受人口增长的贯性和累进特性的影响,人口的总量不断膨胀。总人口的不断膨胀使劳动力人口也随之不断膨胀。从劳动年龄人口增长趋势看，进入90年代以来，劳动年龄人口以平均每年净增1100多万人的速度递增，预计到2016年可望达到峰值8.7亿，即使到了2032年，劳动年龄人口也将保持在8亿以上。一方面，我国劳动力的供给持续大幅度上升，另一方面，随着经济技术结构的推进，经济增长对就业的吸纳能力即劳动力需求在不断下降。劳动力供求不平衡所造成的劳动力供给总量相对过剩，必然导致部分劳动年龄人口失业。

二、劳动力人口构成

资料表明，劳动力人口中年龄结构、性别结构的不同，其失业率也存在着差异。见表4-13。

表4-13 不同年龄、性别组失业率

年龄分组	失业率(%)		
	男	女	合计
15—19岁	13.24	10.51	11.88
20—24岁	6.83	7.13	6.97
25—29岁	3.19	4.10	3.61
30—34岁	2.48	2.95	2.70
35—39岁	2.85	3.24	3.03
40—44岁	3.03	3.38	3.19
45—49岁	2.30	1.96	2.15
50—54岁	1.60	0.37	1.09
55—59岁	0.85	0.15	0.58
60—64岁	0.16	0.18	0.17
合计	3.58	3.81	3.69

从表4-13可以看出，失业率的年龄特征表现在不同年龄段的失业率存在较大差异。15—19岁组失业率最高，达11.88%，20—24岁组次之，为6.97%，30—44岁各年龄组之间的失业率没有显著差异，在3%上下波动。这种分布规律符合实际情况，因为15—19岁组中包含许多初中毕业以及高中毕业以后

没有升学的学生，这些刚离开学校的学生大多还没有一技之长，因难以很快找到合适的工作而待业在家。20—24岁组中则包含高中以上学历的毕业生，这些也是离开学校时间不长，还没有找到合适工作的学生。而且这两个年龄组的人口由于年轻，比较频繁地变换工作。

从性别来看各年龄组的失业率特征，不难发现15—19岁组以及45岁以上各年龄组的女性失业率低于男性。原因在于：一是15—19岁组的女性容易进入餐饮、美容美发等服务行业就业，而男性相对困难一些；二是我国女性劳动年龄为16—54岁，退休年龄早于男性。

另外，中老年对技术进步的不适应性所形成技术性、结构性失业往往容易增加，等等。

当那些失业率较高的人口组别在劳动力人口中占较大份额时，自然失业率就会上升。

三、技术进步

技术进步是引发经济结构、产业结构调整变化的最重要因素。特别是发展中国家，在实现本国工业化现代化过程中，大量技术进步成果的使用，使原有的传统经济结构面临着深刻的调整变化。在这种由于技术进步原因引发的经济结构调整变化过程中，也必然导致那些对技术进步的不适应所形成的技术性、结构性失业的增加。进入20世纪90年代以后，由于技术进步等因素的推动和影响作用，我国一些产业生产能力严重过剩的状况开始出现，国民经济逐步从短缺经济进入买方市场，产业缩减和产业优化升级成为我国产业政策的新目标。新的产业结构调整必然使新的支柱产业不断涌现，老的产业不断被淘汰，职工就业转移时滞和部分职工技术技能相对落后，使结构性失业人数不断增加。从下岗工人的行业构成来看，多数集中在技术落后的传统产业部门。以天津市为例，1995年全部下岗职工中，轻工业占27.1%，其次为机械工业，占16.3%，化工业占14%。

四、经济制度

结构性失业一般是由于一个经济的制度原因而引起的失业。任何一种制度都有利有弊，它在给社会带来利益的同时也会引起各种代价。这其中就包括，有的经济制度在给社会带来某种利益的同时，也会引起失业的增加。例如，最低工资法是一项保护低收入者的政策，有使社会收入平等化的积极作用。但在这种制度之下，劳动供给增加，企业的劳动需求减少，劳动力市场供大于求，必然造成失业。这种制度使一部分非熟练工人得到了提高收入的好处，但却使另一部分本来可就业的非熟练工人失业。再如失业津贴政策，它可以保证失业者有一定的收入，有利于社会安定，是一项社会保障制度，但却可能会使一部分失业工人不着急找工作，而延长了失业。美国经济学家曾做过一个实验，把失业工人分为两组，对一组工人在三周内找到工作的给予500元奖励，另一组工人没有这种奖励。结果第一组工人在三周内都找到工作，而另一组工人在失业津贴结束前（26周时）找到了工作。这说明失业津贴降低了工人找工作的努力程度，引起失业时间延长，即失业加重。

五、工业化、城市化和现代化过程大量农村剩余劳动力的存在

在我国的工业化、城市化和现代化过程中，会有大量的农村剩余劳动力从农村土地上转移出来，到城镇寻找就业岗位。从20世纪80年代后期开始，乡镇企业发展速度不断降低，进入调整时期，就业容量不断下降。大量农村剩余劳动力异地转移和流动，加剧了城镇已经存在的失业问题的严重性。尽管从1997年开始，许多地方出台了一些对农村剩余劳动力进城带有歧视性的限制政策，如征收地方性就业基金、规定限制雇佣农民的行业等，但由于农村剩余劳动力在城镇就业中主要从事于苦、脏、累、险的重体力劳动和服务、小商品流通业等，与城镇劳动力就业岗位呈明显的岗位分流；同时，农村剩余劳动力还依靠其特有的能吃苦耐劳、不挑挑拣拣、没有城镇居民的优越感、好管理等竞争优势，占有了大量城镇就业岗位，反过来，又加大了城镇人口的失业数量。运用劳动力合理负担耕地法测算，我国农业部门仅需要劳动力 1.96 亿人，因此，现阶段我国农村剩余劳动力有 1.44 亿人。这是个绝对的静态的数据。考虑出生人口增长、农业劳动生产率提高、城市发展对耕地占用和沙漠化对耕地的吞食，我国农村剩余劳动力每年还将以 600 万人左右的速度递增。可见，我国农村剩余劳动力数量庞大，转移任务十分艰巨。这必将会增大我国城镇的自然失业率。

第五章

中国新型工业化过程的充分就业

5.1 工业化的历史回顾

5.1.1 工业化的理论和思想介绍

一、工业化的定义

关于工业化的概念可以有狭义和广义之分。从狭义角度来讲，工业化是指工业（特别是制造业）在国民经济中的比重不断上升的过程，如西方发展经济学教科书中关于工业化的流行的定义是："工业化是工业在国民收入和劳动人口中的份额连续上升的过程，这个过程的基本特征是：第一，来自制造业和第二产业的国民收入份额一般上升；第二，从事制造业和第二产业的劳动人口一般也表现为上升的趋势。"第三世界发展中国家的发展经济学家也接受了这一观点。如印度著名经济学家 S.Y. Thaker 把工业化定义为：脱离农业的结构转变，即农业在国民收入和就业中的份额下降，制造业和服务业份额上升。[1]

1.参阅张彩丽：《中国工业化与"三农"问题研究》第 11 页，人民出版社，2005 年 5 月。

从广义角度来讲，工业化是指一个国家或地区从农业社会向工业社会的转化，以及工业社会的自身发展过程，这一转变不仅包括了技术层面、工具层面，还包括了人们的分工、工作方式、管理体制，直到思想观念的全面变革。张培刚教授将工业化定义为：国民经济中一系列基要生产函数（或生产要素组织方式）连续发生由低级到高级的突破性变化的过程。[1]张培刚教授强调的工业化定义反映了产业革命以来经济社会的主要产业的变化，这一变化的突出特点是包括工业本身机械化、现代化和农业机械化、现代化两个方面内容在内的工业化，这与一般只强调工业自身机械化、现代化的工业化定义有明显不同。

根据张培刚教授的总结，工业化的特征可概括为四点：一是生产技术的突出变化，具体表现为以机器生产代替手工劳动；二是各个层次经济结构的变化，包括农业产值和就业比重的相对下降或工业产值和就业比重的上升；三是生产组织的变化；四是经济制度和文化的相应变化。[2]张培刚教授关于工业化的定义和特征概括是我们所认同的。本章也正是以工业化包括在经济结构层面上的就业比重问题为线索，展开对我国新型工业化过程中的充分就业问题进行探索性分析。

二、国外的工业化理论[3]

国外的经济增长理论、发展经济学、产业经济学、经济史等都将工业化作为重要的研究课题。发展经济学对工业化理论的贡献很多，被视为发展经济学奠基之作的三本著作——罗森斯坦·罗丹的《东南欧工业化问题》、斯塔利的《世界经济发展》和曼德尔鲍姆德的《落后地区的工业化》都与工业化有关。在对工业化的研究中产生了许多著名的理论，如罗森斯坦·罗丹等的

1.参阅张培刚：《发展经济学通论（第一卷）——农业国工业化问题》第139—200页，湖南出版社，1991年。

2.参阅赵国鸿：《论中国新型工业化道路》第6页，人民出版社，2005年5月。

3. 同上，第6—10页，人民出版社，2005年5月。

“大推进”理论、罗斯托的“起飞”理论、刘易斯的“二元经济”理论、纳克斯的打破“贫困恶性循环”理论、赫希曼的“非均衡增长”理论和缪尔达尔的“结构主义发展理论”等。

德国经济学家霍夫曼1931年在其《工业化的阶段和类型》中分析了工业结构演进的一般模式，把工业化过程分为四个阶段。霍夫曼是从产业结构演进的角度来研究工业化的，消费品工业与资本品工业的净产值之比被称为霍夫曼系数。霍夫曼认为，这一比值越大，工业化水平越低；比值越小，工业化水平越高。所谓的霍夫曼定理是指在工业化进程中霍夫曼系数呈不断下降的趋势。霍夫曼的理论后来被广泛地用于分析轻、重工业结构变化及工业化程度。

美国经济学家刘易斯1954年在《劳动无限供给条件下的经济发展》一文中建立了二元经济模型。二元经济结构理论是关于发展中国家工业化非均衡分析和发展战略研究方面的代表理论。刘易斯认为，经济发展过程就是工业化带动城市化的过程，资本积累或提高资本形成率是实现工业化和城市化的关键。刘易斯的二元经济模型有以下三个特征：⑴它包括“现代的”与“传统的” 两个部门。现代部门通过从传统部门吸收劳动力而得以发展；⑵在提供同等质量和同等数量的劳动条件下，非熟练劳动者在现代部门比在传统部门得到更多工资；⑶在现行工资水平下，对现代部门的劳动力供给超过这个部门的劳动力的需求。就这个意义来说，非熟练劳动力在发展之初是充裕的。对于二元经济国家，农业部门的劳动生产率低于工业部门的劳动生产率，将一部分劳动生产率很低的农业劳动力转移到劳动生产率较高的工业部门中去，既能为资本积累创造条件，又能满足工业部门扩张的需要，从而推动工业化和城市化的进程。

柯林·克拉克提出了被称为“配第—克拉克定理”的理论。这一理论揭示了经济发展过程中就业结构随着产业结构变动的趋势和基本动因，认为，第三产业收益高于工业（第二产业），工业高于农业（第一产业），随着人均国民收入的提高，劳动力首先从第一产业转向第二产业，然后更多地转向第三产业。克拉克通过对于处在不同发展水平的国家的横断面比较，证明了其结论：人均国民收入水平越高，农业劳动力在全部劳动力中所占的比重越小，二、三产业劳动力比重越大。库兹涅茨在《各国的经济增长：总产值和生产结构》和《现代经济增长》中继承了克拉克的理论成果，搜集整理了20多个国家的数据，从国民收入和劳动力在三次产业间的分布两个方面考察了产业结构的变化和经济增长。库兹涅茨将工业增长描绘成"现代经济增长"这个全面结构转变中的一个组成部分，认为工业化不仅是对需求条件和供给条件变化的反映，而且是获得先进技术的一个基本手段，而先进技术则是现代经济增长的基础和源泉。

1986年，钱纳里、塞尔奎因又和鲁滨逊在《工业化和经济增长的比较研究》中重点研究了第二次世界大战后兴起的9个准工业化国家和地区的经济结构变动及发展经验，确定了外向型、中间型、内向型三种工业化型式，其中外向型又分为初级产品生产导向和工业生产导向。钱纳里等的研究结论可以概括为以下四点：①经济增长是经济结构（其核心是产业结构）转变的结果；②结构转变与人均收入水平有着规律性的联系；③在这一增长过场中，经济增长具有加速趋势；④当经济发展在完成工业化任务而进入到成熟经济（或发达经济）以后，增长速度会出现明显回落。钱纳里等人按照人均GDP水平将工业化分为初级、中级和高级三个阶段，见表5-1。

据《1987年世界发展报告》称，工业化的进程已经历了五个重要阶段。19世纪头10年中期到1820年为工业化的兴起阶段；第二阶段是指1820—1870年运输革命、工业化普及、全球市场的出现；第三阶段是指1870—1913年的第二次工业革命与自由主义的衰落；第四阶段是指1913—1950年自由主义和全球市场的崩溃；第五阶段是指第二次世界大战后全球工业化。现在，世界已处于"第三次工业革命"的前夕。战后时期全球工业化出现了三种不同的格局：第一，在东欧和其他地区出现了一种走向工业化的非市场的方式；第二，亚洲、非洲和加勒比地区的非殖民主义化；第三，跨国公司在世界制造品的生产和贸易中上升到重要地位。[1]

工业化对产业结构进而对就业结构带来的影响是十分深刻

表 5-1　根据 H·钱纳里的标准划分的经济、工业化发展阶段 [2]

发展阶段	人均GDP（1964年美元）	人均GDP（1970年美元）	人均GDP（1980年美元）	人均GDP（1982年美元）	1994年标准（赛氏因子1.5测算美元）	1998年标准（按照1994年标准的1.1因子测算美元）
初级产品生产阶段	100—200	140—280	300—600	322—728	480—1090	530—1200
工业化初级阶段	200—400	280—560	600—1200	728—1456	1090—2180	1200—2400
工业化中级阶段	400—800	560—1120	1200—2400	1456—2912	2180—4370	2400—4800
工业化高级阶段	800—1500	1120—2100	2400—4500	2912—5460	4370—8190	4800—9000
发达经济初级阶段	1500—2400	2100—3300	4500—7200	5460—10080	8190—15120	9000—16600
发达经济高级阶段	2400—3600	3300—5040	7200—10800	10080—15120	15120—22680	16600—25000

资料来源：陈淮：《工业化仍在挑战中国》，载《经济研究参考》，2001 年第 87 期。

胡长顺：《中国工业化阶段与新工业化战略》，载国研网，2000 年 7 月 13 日。

1. 参阅高佩义：《中外城市化比较研究》（增订版）第 162—163 页，南开大学出版社，2004 年 4 月。

2. 参阅蒋选：《我国中长期失业问题研究——以产业结构变动为主线》第 50、34—35、41—42 页，中国人民大学出版社，2004 年 4 月。

的。对此，国外经济学家有许多重要思想和理论。工业化进程中以至后工业化经济中，产业或行业的剧烈变化所引起的劳动力需求结构的变化，往往令劳动力供给结构在短期内不适应，因此很容易形成失业与岗位空缺并存的局面，而且会持续下去。这里实际暗含的意思是：即使在一个总量均衡的劳动力市场中，也存在着不同劳动力市场的结构性非均衡。换言之，结构性失业的出现意味着劳动力市场的分割。对结构性失业进行理论分析和说明的首先来自贝弗里奇（Beveridge，1909）。他通过一个模型来说明存在失业的劳动力市场与存在岗位空缺的劳动力市场之间的联系，以及与劳动力市场总量的关系。该模型认为，在存在失业的劳动力市场中，失业者由于受教育程度、技能、性别等原因很难转移到有岗位空缺的劳动力市场就业。所以，两类市场并存的状况将会持续下去。但是，两者之间又存在着某种联系：当失业率很高时，很少有人主动辞职去寻找更为满意的工作，这时岗位空缺就可能下降；同样，如果存在大量的岗位空缺，失业者寻找工作毕竟有更多的机会，再就业的可能性会增加，失业率会有所下降。因此，两者之间存在着此消彼长的关系。[1]

产业结构变动对就业结构的影响特别突出地反映在工业化进程中的劳动力转移方面。对于二元经济结构明显的发展中国家来说，实现工业化过程中的农业劳动力转移是一个重大的发展问题。而对这一问题建立起系统理论框架的是以刘易斯、费景汉、拉尼斯、托达罗等为代表的发展经济学家。发展经济学关于二元经济结构的农村剩余劳动力转移和城镇失业的分析，实质上也是对结构性失业的一种更大范围、更长期（工业化过程）的考察。[2]

19 世纪中期，由于工业化改进了英国工人阶级的生活状

1、2. 参阅蒋选：《我国中长期失业问题研究——以产业结构变动为主线》第 50、34—35、41—42 页，中国人民大学出版社，2004 年 4 月。

况，面对这一事实，经济学家就技术进步对就业的影响的问题争论结束。但是20世纪二三十年代失业问题的加剧，使经济学家再次就技术进步与就业的关系问题展开了争论。这次争论是在“技术性失业”这个题目之下进行的。随着第二次世界大战对劳动力产生了特殊的需求，经济学家对这个问题的争论又暂时终止了。直到20世纪60年代，问题又一次被重新提起，这次争论是使用了“结构性失业”的概念。20世纪80年代由于计算机技术和其他技术的迅速发展和广泛应用，技术进步与就业的关系问题不可避免地又成为经济学界讨论的热点之一。[1]

在工业化进程中，由于科技进步对劳动工具的革新，提高劳动生产率而减少对劳动力需求的现象比较普遍，所以将科技进步与劳动就业对立起来也成为经济理论中常见的观点。但是更全面地看，科技进步的一个直接后果就是改变或保持了特定生产过程中的生产要素组合，即资本和劳动的组合，从而增加、减少或保持了劳动力使用的数量和比例，形成不同的技术创新类型。英国经济学家希克斯（Hicks）1932年在《工资理论》中将此称之为“创新的要素偏向”，并根据技术创新对生产要素组合的影响分为中性创新、节省资本型创新和节省劳动型创新。[2]

三、我国的工业化理论和思想

我国的工业化思想最早可以追溯到19世纪60年代开始的“洋务运动”。从19世纪末到1949年新中国成立以前，国内一些学者将西方工业化思想和理论引入中国，结合中国的实际探讨有关中国的工业化问题，产生了一批著述，如翁文灏等编辑的《中国工业化丛书》、张培刚的《农业与工业化：农业国工业问题初探》等。梁漱溟、马寅初、周宪文、胡兰亭等都研究过工业化相关问题。但由于中国工业化发生历史短、发展水平十分落后

1、2. 参阅蒋选：《我国中长期失业问题研究——以产业结构变动为主线》第67—68、73页，中国人民大学出版社，2004年4月。

与滞后等原因，我国没有能产生像西方那样系统的有影响的工业化思想和理论。

新中国成立后，我国的工业化思想受到了国外的影响。20世纪的50年代—70年代末，当时主要是接受了前苏联工业化理论和实践的影响;70年代末至今，主要是受到西方国家工业化等经济理论的影响。在中国的经济建设过程中，我国的学者们和以毛泽东为代表的党和国家的主要领导人，从中国产业发展的实际情况出发,对中国的工业化实践和理论问题进行了有益的探索和深入研究。不仅取得了具有中国特色的工业化实践的伟大成果,而且也获得了具有中国特色的工业化思想、理论的重要成果。

学者武力、高伯文将中国共产党对马克思主义工业化理论思想的丰富与发展概括为六个方面:[1]

1. 在经济市场化中发展社会主义工业化

改革伊始，中国实际上已经开始从计划经济向社会主义市场经济转变。这个转变过程的核心问题是如何认识和处理计划与市场的关系问题,其实质是如何认识和处理社会主义、市场化与工业化的关系问题。一是关于社会主义与经济市场化的关系。这里不再赘述。二是关于工业化与市场化的关系。十一届三中全会开始把现代化建设与改革开放紧密联系在一起。改革开放实践的发展,使我们党逐步认识到资本主义的“卡夫丁峡谷”可以超越,但是市场经济却不能超越。1985年,邓小平在总结历史经验时说:多年的实践证明,“只搞计划经济会束缚生产力的发展。把计划经济和市场经济结合起来,就更能解放生产力,加速经济发展”[2]。1997年党的十五大更明确把工业化和市场化融为一体，纳入中国社会主义工业化目标和动力体系同时推进。指出:我国必须“在社会主义条件下经历一个相当长的初级阶段,

1. 参阅武力、高伯文:《马克思主义研究》2003年第7期。
2.《邓小平文选》第3卷,第148—149页,人民出版社1993年版。

去实现工业化和经济社会化、市场化、现代化。这是不可逾越的历史阶段”[1]。中国共产党的这一伟大创新,不仅在于社会主义基本制度与市场经济的结合,而且在于社会主义工业化与市场经济的结合,从而在世界社会经济发展史和科学社会主义发展史上成功地找寻到了在经济市场化中推进社会主义工业化的新途径。

2. 公有制为主体多种所有制经济的共同发展来推动工业化建设

在社会主义工业化与市场经济的结合过程中,遇到的关键性难题是中国的工业化应当选择什么样的所有制结构。邓小平从社会主义初级阶段生产力多样性、多层次性的特点出发,逐步形成了以公有制为主体,允许和鼓励个体、私营、外资经济等多种所有制经济共同发展的思想。党的十五大系统阐述和发展了社会主义初级阶段所有制理论,并把公有制为主体,多种所有制经济共同发展确立为“我国社会主义初级阶段的一项基本制度”。公有制为主体多种所有制经济共同发展,不仅是对马克思主义关于社会主义所有制理论的重大突破,而且是对社会主义工业化理论的新发展。集中地表现在:第一,突破了仅靠公有制发展社会主义工业化的传统观点,提出非公有制经济也是发展社会主义社会生产力,推动工业化的重要力量。第二,突破了公有制仅限于“国营”、“集体”两种形式的传统所有制理论,提出“公有制实现形式可以而且应当多样化。一切反映社会化生产规律的经营方式和组织形式都可以大胆利用”[2]。

3. 充分利用国际国内两种资源、两个市场,加快中国工业化与世界工业化的接轨

1. 中共中央文献研究室:《十五大以来重要文献选编》(上),第15页,人民出版社2000年版。
2. 中共中央文献研究室:《十五大以来重要文献选编》(上),第21页,人民出版社2000年版。

与国内市场化方向改革相适应，邓小平提出了全方位的对外开放理论。其着眼点就是认为“现在的世界是开放的世界”、“中国的发展离不开世界”，只有确立对外开放的基本国策，才能充分利用国际国内两种资源、两个市场，加快我国工业化和现代化的发展；才能积极参与国际经济竞争与合作，发展开放型经济，实现国内经济与国际经济的互接互补，不断提高我国工业化的国际水平和竞争能力。邓小平提出的、经过第三代领导集体丰富的利用外资思想，不仅仅是为了解决我国现阶段机器设备、资金等方面的困难，而且更重要的是把利用外资作为参与国际经济合作和竞争的有效途径。在吸引外资的同时，第三代领导集体还根据中国的国情和经济全球化的趋势，提出了“走出去”的战略，积极发展对外投资。党的十五大报告中提出：“鼓励能够发挥我国比较优势的对外投资。更好地利用国内国外两个市场、两种资源。”[1] 2002年11月，十六大报告将上述思想概括为：“坚持‘引进来’和‘走出去’相结合，全面提高对外开放水平。”[2]

4. 以信息化带动工业化，实现社会生产力的跨越式发展

从世界工业化发展的历史来看，工业化本质上就是在科技革命的激荡下由农业社会向工业社会转型的过程，成功的工业化都是吸收和应用当时最先进技术的结果。20世纪70年代末兴起的以信息技术为特征的第三次技术革命，开始主导着新时期工业化的方向。邓小平敏锐地把握住世界新科技革命的时代脉搏，提出“科学技术是第一生产力”的思想。党的十六大则将其进一步概括为：“坚持以信息化带动工业化，以工业化促进信息化，走出一条科技含量高、经济效益好、资源消耗低、环境污染少、人力资源优势得到充分发挥的新型工业化路子。”

1. 中共中央文献研究室：《十五大以来重要文献选编》（上），第29页，人民出版社2000年版。

2.《全面建设小康社会，开创中国特色社会主义事业新局面》，2002年11月8日。《人民日报》，2002年11月15日。

5. 积极发展乡镇企业和推动小城镇建设,不断推进乡村工业化

十一届三中全会以后，中国共产党对工业化和城市化关系的认识逐步深化,一是指出社会主义初级阶段的基本特征之一就是“由农业人口占很大比重、主要依靠手工劳动的农业国,逐步转变为非农业人口占多数、包含现代农业和现代服务业的工业化国家的历史阶段”[1];二是从这一基本国情出发,走出一条乡镇企业和小城镇互动结合，不断推进乡村工业化的道路。乡镇企业是我国农村经济结构转换中创造出来的一种新形式。而乡镇企业的发展，又推动了我国大规模的小城镇建设。小城镇建设和发展是城市化的一个重要组成部分。1998 年 10 月,党的十五届三中全会提出“发展小城镇,是带动农村经济和社会发展的一个大战略,有利于乡镇企业相对集中,更大规模地转移农业富余劳动力，避免向大中城市盲目流动，有利于提高农民素质，改善生活质量，也有利于扩大内需，推动国民经济更快增长”[2]。随后 1998、1999 年中央经济工作会议制定了落实小城镇大战略的具体方针。十六大报告则将其概括为:“农村富余劳动力向非农产业和城镇转移，是工业化和现代化的必然趋势。要逐步提高城镇化水平,坚持大中小城市和小城镇协调发展,走中国特色的城镇化道路。”

6. 坚持区域经济协调发展,最终实现全国的工业化和现代化

东西部关系是我国生产力布局中的基本关系。1956 年毛泽东在《论十大关系》中便提出了要“好好地利用和发展沿海的工业老底子，可以使我们更有力量来发展和支持内地工业”的

1. 中共中央文献研究室:《十五大以来重要文献选编》(上),第 15 页,人民出版社 2000 年版。

2. 中共中央文献研究室:《十五大以来重要文献选编》(上),第 569—570 页,人民出版社 2000 年版。

思路,但后来并没能很好地探索实践下去。1978年后邓小平逐步形成了“两个大局”的战略思想,即“沿海地区要加快对外开放,使这个拥有两亿人口的广大地带较快地先发展起来,从而带动内地更好地发展,这是一个事关大局的问题。内地要顾全这个大局。反过来,发展到一定的时候,又要求沿海拿出更多力量来帮助内地发展,这也是个大局。那时沿海也要服从这个大局”[1]。就这一战略设想与工业化的关系来说,其实质是让东部沿海地区先加快发展工业化,有条件的地方率先基本实现工业化,然后带动和支持中西部地区的发展,最终实现全国的工业化。这是符合我国经济发展不平衡和一个生产力尚不发达的大国工业化发展客观规律的。这一战略思想突破了传统社会主义生产力平衡布局的观点,开创了我国社会主义工业化和现代化的新局面。依据邓小平“两个大局”思想和我国的工业化形势,1995年9月党的十四届五中全会,把“东部地区和中西部的关系”作为社会主义现代化建设中应正确处理的十二大重大关系之一提了出来,并进一步发展为我国社会主义工业化、现代化进程中“坚持区域经济协调发展”的战略思想。随着20世纪末全国总体上已达到小康水平,中共中央不失时机地提出西部大开发战略,以促进区域协调发展。十六大对此也做了专门论述。

国内学者赵国鸿把我国工业化的思想、理论成果概括为六个方面:[2]

一是工业化具有强烈的国家主义倾向和政治色彩(这一点是沿袭自前苏联的)。把实现工业化作为一种代表全民族利益的国家意志、行为和战略,工业化由国家发动并主导。例如,毛泽东在《论人民民主专政》中写道:“没有一个独立、自主、民主和统一的中国,不可能发展工业。”“只有中国的工业发展了,

1. 《邓小平文选》第3卷,第277—278页,人民出版社1993年版。
2. 参阅赵国鸿:《论中国新型工业化道路》第12—13页,人民出版社,2005年5月。

中国在经济上不依赖外国了,才能全部的真正的独立。”同时,我国工业化理论很重视研究所有制问题,在适合中国工业化的所有制问题上理论认识逐步深化。

二是认为中国的工业化必须建立在农业发展的基础上,必须时时刻刻、切切实实抓农业。中国是一个落后的农业大国,农村人口占大多数,因此中国的工业化必须面对这一现实,并从这一现实出发,不能用牺牲农民、打击农业与轻工业的办法发展工业化,也不能走资本原始积累式的发展工业的道路,而是要联系农业来发展工业,实现国家的工业化。与此相联系,中国工业化理论的另一特色是乡镇企业的实践和创新。乡镇企业在中国工业化进程中占有重要地位,把农村剩余劳动力转移到乡镇企业,既加快了农业的现代化进程,又减少了给城市和工业的发展带来的麻烦和困难,同时还补充了中国工业化过程中的许多不足之处,乡镇企业在当时的历史条件下对我国工业化进程的推进是有着重要、积极作用的。

三是对待工业化外部环境的认识方面。改革开放前,工业化在封闭环境中靠独立自主、自力更生推动;改革开放后,中国经济日益融入世界经济之中,认识到积极发展对外开放是加快中国工业化的必要条件。

四是对工业化发展道路的选择方面。新中国成立后,我国在对农、轻、重,一、二、三产业之间关系的认识方面不断深化与完善。

五是为了赶超资本主义国家和体现社会主义的优越性,过于强调追求工业化的高速度。表现为忽视客观经济规律和国民经济发展的综合平衡,把主观意志和主观努力的作用强调到了不适当的地位与高度,靠高投入、高消耗来保持较高的增长速度,忽视了效益和产业间的协调。

六是改革开放前后对城市化和工业化的关系认知上大相径庭。改革开放前实行了严格的城乡分割制度,将城市化与工业化完全分开,造成了城市化的滞后。改革开放后逐渐调整了城乡政策,城市化与工业化的互动作用不断增强。

5.1.2 工业化的实践

一、国外的工业化道路

工业化是一个历史性的过程，不同的国家具有各自独特的实现方式,实现的时间也有先后。英国是第一代工业化国家。英国在18世纪60年代发生产业革命,从此开始了工业化进程。此后,欧洲和北美一些国家先后实现了工业化,见表5–2。

表5–2 主要工业化国家、地区的工业化历程

国别	工业化起步期	工业化基本完成时间
英国	18世纪70年代	19世纪30年代
法国	18世纪末	19世纪末20世纪初
德国	18世纪末19世纪初	19世纪末20世纪初
美国	19世纪初	19世纪末20世纪初
俄国	19世纪60年代	20世纪60年代
日本	19世纪70年代	20世纪60—70年代
韩国、新加坡、中国的台湾地区	20世纪50年代末	20世纪80年代

传统工业化发展过程的主要特点是:⑴尽管不同历史时期的生产力水平不同,但工业化都有某种关键技术的带动。如:蒸汽技术(英国)、电力技术(德国和美国等),这些关键技术广泛应用于各产业活动，又催生出相应的新产业。⑵那些后进国家的工业化总是利用先进国家的资金、技术和经验来推动本国的工业化发展。这是后进国家能以较快的速度实行工业化、用较短的时间完成工业化的重要原因。⑶历史上几乎所有国家的工业化都是先发展轻纺工业,然后重点发展重化工业,再发展多种制造业。⑷各国实现工业化的基本标准大体是：工业产值超过农业产值，工业从业人数超过农业人数。农村人口占总人口的比重下降到50%以下。以制造业为代表的工业有较快的发展，

劳动力迅速从农业转移到工业和服务业，特别是服务业的从业人数大量增加、产值迅速增长。到了20世纪80年代中期，以信息技术为中心的高新技术蓬勃发展，信息技术革命掀起高潮。到90年代中期，高新技术取代了传统产业，在国民经济占据主导地位，工业经济从此变为了知识经济，成为发达国家经济发展的又一重大转折点。[1]

二、我国工业化的历程

1949年新中国成立前，全国工业化进程十分缓慢，1949年的工业在国民经济中仅占10%，且大都集中于轻工业，重工业几乎为空白，工业基础十分薄弱。因此，中国真正意义上的工业化实际是从1949年开始的。

全国政协通过的《共同纲领》中明确规定："中华人民共和国要发展新民主主义的人民经济，稳步地变农业国为工业国。"1953年，我国大规模的工业化开始。"一五"期间按照党在过渡时期的总路线和总任务，展开大规模经济建设。这期间我国集中力量建设以苏联援助的156个大型工程为中心的694个项目，其中大多数是重工业项目。到1957年底，不仅钢铁、煤炭、电力等基础工业部门的生产能力实现了巨大的发展，而且开始有了飞机和汽车制造业、新式机床制造业、发电设备制造业、冶金和矿山设备制造业、有色金属冶炼等一批新的工业部门。以重工业发展为标志的工业化在中国取得了实质性进展。但这一阶段我国工业化是沿用了当时的苏联模式。这种模式在帮助我国初步建立起工业化基础的同时，也导致了我国经济增长模式中的非均衡战略的形成。1956年4月，毛泽东同志在中央政治局扩大会议上作了《论十大关系》的报告，提出必须正确处理好农业、轻工业和重工业的比例关系问题。1957年"一五"计划顺利完成，我国的国力有了较大的提高。这时国家希望在尽可能

1. 张彩丽：《中国工业化与"三农"问题研究》第23—24页，人民出版社，2005年5月。

短的时间内缩短与发达国家的差距，赶上或超过先进国家的水平，于是1958年不适当地提出了“赶美超英”的“大跃进”，提出“以钢为纲”，掀起“全民大炼钢铁”运动。经济发展被简单化为工业发展；工业发展被简单化为重工业发展；重工业发展被简单化为只发展钢铁工业。经济发展出现脱离国情，否定客观经济规律的错误，结果是：产业结构严重失调，经济效益低下，工农业产品产量大幅下降，中国工业化进程遭遇挫折。

1961年，我国开始对国民经济实施“调整、巩固、充实、提高”，经过三年治理和1964年和1965年两年的恢复，国民经济状况明显好转，工农业比例关系得到改善，工业内部结构有所协调，现代工业体系基本形成。

1966年后投资重点更倾斜于重工业，“三五”计划中重工业占总投资的545%，“四五”计划期间占521%，比“一五”计划高出十多个百分点，产业结构更加失衡，严重制约了工业化的进程。1977年后，中央对不适应生产力发展的经济体制又进行了改革和调整。

1979年中央确立了“调整、改革、整顿、提高”的方针，我国工业化进程又有了新的推动。随着改革开放的深入开展，工业化进程不断加快。1993年11月，党的十四届三中全会通过了《中共中央关于建立社会主义市场经济体制若干问题的决定》，明确了用市场经济体制来发展经济，推动工业化，这就大大加快了我国的工业化进程。

目前我国的工业化处于一个什么阶段？这还是一个有争议的问题。判断一国或地区所处工业化阶段的标准有多种，不同标准得到的结果不太一样。联合国工业发展组织和世界银行以制造业增加值占整个产品增加值比重划分工业国家与非工业国家。按照他们的标准，目前我国属于半工业化国家；人们常用的是美国经济学家钱纳里等人的划分标准，郭克莎对钱纳里的标准做了调整，见表5-3。赵国鸿认为，按照这一标准，我国已进入工业化中期；按照王梦奎的研究结果，我国目前处于工业化的中期。综合以上来看,我国的工业化已进入中期阶段。[1]

表 5-3 人均收入水平变动所反映的工业化阶段

工业化阶段	人均 GDP(美元)			
	1964年	1970年	1982年	1996年
1	200—400	280—560	728—1456	1240—2480
2	400—800	560—1120	1456—2912	2480—4960
3	800—1500	1120—2100	2912—5460	4960—9300
4	1500—2400	2100—3360	5460—8736	9300—14880

资料来源:郭克莎:《中国工业化的进程、问题和出路》,载《中国社会科学》2000 年第 3 期。

5.2 工业化过程的劳动力就业与失业

5.2.1 工业化时期的就业与失业

英国的工业化从 18 世纪 60—70 年代开始,到 19 世纪 30 年代末基本完成。工业化的完成,标志着英国第一个从工场手工业占统治地位的国家变成了机器大工业占统治地位的国家。英国工业化初期,工业部门需要大量的劳动力。棉纺业的大机器化是英国工业化的重要标志。到 1835 年,纺织工厂拥有纱锭 900 万锭,织机 11 万台,工人达 23.7 万人。工业化也推动了农业中资本主义的进一步发展,出现了许多大农场主。到 1851 年,英国的农业雇佣工人已达 144 万人。工业化的建立和发展,加剧了社会的基本矛盾,使周期性经济危机不可避免。1825 年英国爆发了第一次周期性经济危机。危机中,大批银行和工厂倒闭,大量工人失业。

1. 参阅赵国鸿:《论中国新型工业化道路》第 22—24 页,人民出版社,2005 年 5 月。

1890年后，英国政府创造就业机会，使失业者能够通过劳动谋生的努力有了发展。英国政府决定建立劳动移居地来转移失业人口。英国建立的劳动移居地分为两种：一类是由社会团体为解决失业问题而建立的移居地；另一类是由政府济贫部门为缓解失业者的贫困状况而建立的劳动移居地。前一类靠各类自愿性捐款建立，后一类主要由地方政府拨款建立。

英国政府逐步认识到，解决失业问题，仅靠济贫院和建立劳动移居地等等是不够的，必须加强政府的调控努力，制定相应计划，实行再就业制度和劳动保障制度。1886 年 3 月，英国地方政府事务部大臣约瑟夫·张伯伦向所有地方济贫官员提出了一项"市政公共工程计划"，要求在对贫困者和失业者进行救济时，应该通过市政工程计划的扩大，给失业者再就业提供机会。这一指令，开始了英国国家从宏观上解决农村剩余劳动力转移的努力。

按照张伯伦的指示，各地方政府开始把失业者组织起来修建公共工程。于是以公共工程计划为形式的劳动救济措施，成为济贫法之外解决失业问题的又一官方措施。但是张伯伦的这一计划很快就失败了。因为参加公共工程计划的失业者，大多数是非熟练工人，他们没有什么技术。而大多数熟练工人在失业后，并不愿意参加公共工程计划。加上公共工程的实施，需要巨大的资金，给地方政府带来了巨大的压力，而失业者创造的价值，远远赶不上开办公共工程所需的资金。因此用公共工程计划来解决失业问题的尝试失败了。

在创建公共工程解决失业问题的努力失败后，英国解决农村剩余劳动力转移的办法开始向福利国家方向发展。英国国家福利政策的核心，是就业政策。英国福利国家的设计师威廉·贝弗里奇在 1905 年出版的《失业：一种工业问题》一书中指出："失业基本上是一种工业和国家的问题，而不是个人品行以及地方在供需调节方面的问题。"他强调了失业不是个人品行造成的，而是工业社会发展过程中对劳动力供需进行调节的某种经济力量未能发挥真正效力的结果，这种经济力量要想发挥效力，仅靠地方调节是不够的，还必须由国家进行调节，建立福利制度，以利于就业问题的妥善解决。他的观点，为解决失业问题提供了理论基础。

1905年，英国工党成立后，立即在议会中提出了上述社会经济要求，迫使英国通过了《失业工人法》，规定了对失业工人的救助措施和解决失业工人再就业的办法，使国家的济贫制度开始向福利国家制度发展。第二次世界大战后，英国为彻底解决失业和贫困问题，开始建立福利国家，试图从根本上解决剩余农村劳动力的转移问题。[1]

英国当时的工业化正进入即将最终完成的关键时期，社会矛盾日益激化，尤其是工人阶级出现了“不稳定状态”。在英国，保守党人、自由党人以及新兴的工党都日益清楚地认识到，该是告别仅向穷人提供最低限度的“济贫”之类施舍的时代了，政府必须在某种程度上全面承担起整个社会福利的责任。这可从英国社会立法的进程中看出来：1813—1814 年，废除了劳动法，政府由此放弃了由它决定工资的传统做法；1833 年，工厂法规定建立检查员制度，制定了有关通风、温度和工作时间等规则；1847 年，立法规定了每日工作时间不得超过 10 小时，对妇女儿童实行了保护性限制；1867 年，熟练技工开始拥有公民权，并利用此权力通过了《雇主和雇工法》，使二者在公民活动中拥有同样的地位；1884 年，2/3 成年男子拥有了选举权；1905 年，《失业工人法》授权地方当局采取创造就业机会的措施；1909 年，《劳工流动法》开始寻找改善劳动市场的方法；1911 年，《国家保险法》为失业工人提供救济金；1912 年，对煤矿工人实行最低工资制度等等，这些立法对英国后来的社会发展与稳定也起着重要作用。

美国地多人少，在工业化初期并未集聚大量农村剩余劳动力，相反，城镇化和工业化却面临劳动力不足的问题。美国是一

1. 李世安摘自：《世界历史》2005 年第 2 期。

个劳动力短缺的国家，在工业化初期的1840年，其农业劳动力占社会总劳动力的比重为63%。但美国在19世纪末就实现了工业化，1870—1900年，农业增长了1.4倍，而工业增长了3倍。一方面，工业的快速增长提高了农业的机械化水平，提高了农业劳动生产率，解决了地多人少的矛盾；另一方面，由于机械化而分离出来的部分农村剩余劳动力也被快速的工业化所消化。因而，以劳动力短缺为前提，以大规模的工业化为后盾，美国的农村剩余劳动力的转移遵循着边产生边转移的自发的过程，走出了一条工业化、城市化和非农化基本同步的道路（来源:《中国农村经济》2004年8月19日中国农村劳动力转移培训网 www.nmpx.gov.cn）。工业化扩大了就业，1800年美国工业（包括加工工业、采掘工业和建筑工业）中职工人数还不足50万人，1860年只是加工工业中的工人人数就增加到130万人。这期间由于劳动力的缺乏，工厂主大量雇用女工和童工。1832年，在新英格兰加工工业中，童工约占工人总数的2/3。自1873年至1897年，美国处于间歇发作的长期萧条阶段，而1889年是其中相对不错的4年中的一年。这一年，失业人数超过90万，约占劳动力的4%，但是，有600万人受雇于制造业、建筑业和采矿业。1897—1914年间，工人失业率每年平均为10%，半失业的人数大得惊人，几乎有一半工人得不到全日工作。内战（1861—1865年）后到第一次世界大战（1914—1918年）前，美国发生了6次经济危机。每次危机都要发生大量工厂倒闭，大批工人失业。1873年是垄断前最严重的一次危机，使47000家企业倒闭，300多万工人失业。

5.2.2 当代美、欧工业国家的失业情况

一、美国失业情况[1]

战后至20世纪70年代，美国共发生了7次经济危机，每次

1. 参阅樊亢等：《主要资本主义国家经济简史》第236、240、243页。

危机都发生了较高的失业率，特别是1973年和1979年的经济危机，出现了战后以来最高的失业率。见表5-4。

表5-4 战后美国历次经济危机中的失业率情况

危机次序	起止时间	危机期间最高失业率%
1	1948.8—1949.10	7.9
2	1953.8—1954.4	6.1
3	1957.4—1958.4	7.5
4	1960.2—1961.2	7.1
5	1969.11—1970.11	6.0
6	1973.12—1975.5	9.2
7	1979.4—1982.11	10.8

资料来源：[美]《商业现状》1985年有关各期；《世界经济》1985年有关各期。

战后至20世纪70年代的美国失业问题，除了在经济危机期间发生高失业率外，各年代里也都保持着较高的失业率。特别是20世纪70年代出现的“停滞膨胀”现象，失业率是战后各年代中最高的。见表5-5。从1973年起美国失业率明显上升，1973年为4.9%，1975年为8.5%，1982年达10.8%，失业人数达到1200万。

表5-5 战后美国各年代失业率情况

年代	失业率%
1951—1960	4.4
1961—1970	4.6
1971—1980	6.3

资料来源：《美国统计摘要》1976年、1984年；经合组织《主要经济资料来源》1985年相应年份资料。

1981年1月里根代替卡特就任美国总统。在里根当政期间，美国经济走出了危机和“滞胀”，出现了较长时间的经济回升。这期间，失业率虽然仍然较高，但也是趋于下降，到1988年降到5.3%。见表5-6。

表5-6 80年代美国失业率情况

	1980	1981	1982	1983	1984	1985	1986	1987	1988
失业率(%)	7.1	7.6	9.7	9.6	7.5	7.2	7.0	6.2	5.3

资料来源:[美]《经济指标》1985—1990年和《商情摘要》1985—1990年有关各期。

二、西欧国家失业情况 [1]

20世纪90年代以来西欧失业率不断攀升，欧共体的失业率从1989年的8.9%上升到1996年欧盟的失业率为11.3%。西欧失业问题的现实表现：(1)失业问题的长期性。严重的失业问题困扰欧洲，至今已有20多年的时间。自20世纪五六十年代西欧经济发展的黄金时代过后，伴随着70年代中期，西方国家普遍开始的经济滞胀，西欧开始坠入高失业的深潭而久久不能自拔。(2)失业问题的普遍性。如今在欧洲失业已不是哪几个国家、哪种类型国家所特有的现象，而是一个欧洲问题，是欧洲各国几乎都面临着的共同难题，见表5-7。

与欧洲自身的历史相比，此番的高失业是其有史以来不曾见到的。作为资本主义生产方式的发源地，从18世纪60年代的工业革命开始，在随后的一个多世纪时间里，欧洲始终主宰着世界经济的发展。蓬勃上升的经济总是能相对较快地吸收因危机而导致的大量失业人口，即使是在美国与欧洲的经济地位发生历史性变化之后，失业也从未成为其经济发展的主要障碍。例如战前的20年代，西欧的平均失业率仅为3.3%，包括大危机在内的30年代，这一指标也只是上升到了7.5%。特别是在战后的经济恢复到五六十年代的快速而稳定增长时期，欧洲的平均失业率竟创下了未超过3%的低记录，基本与日本保持在同一水平上。因此，今日的高失业问题越发严重，持续性高失业现象

1. 参阅李毅：《当前西欧失业问题探析》。
http//iweporgcn/chinese/gerenzhuye/liyi/wenzhang/dang_qian_xi_ou-liyipdf.

表 5-7　80 年代后半期以来欧洲国家的失业人数和失业率

（单位%万人）

	1984—1994	1995	1996	1997	1998
比利时	11.2 (50)	13.1 (60)	12.9 (50)	12.7 (50)	12.3 (50)
法国	10.2 (250)	11.5 (290)	12.4 (320)	12.6 (320)	12.2 (310)
德国	7.7 (250)	9.4 (360)	10.3 (400)	11.1 (430)	10.9 (420)
爱尔兰	15.7 (20)	12.1 (20)	11.3 (20)	10.8 (20)	10.5 (20)
卢森堡	1.7 (--)	3.0 (--)	3.3 (--)	3.3 (--)	3.2 (--)
意大利	9.6 (220)	12.0 (270)	12.1 (280)	12.1 (280)	11.9 (270)
英国	9.0 (250)	8.1 (230)	7.4 (210)	6.1 (170)	5.6 (160)
西班牙	19.8 (290)	23.2 (360)	22.7 (360)	22.1 (350)	21.2 (340)
葡萄牙	6.3 (30)	7.2 (30)	7.3 (30)	7.1 (30)	7.0 (30)
荷兰	7.4 (40)	7.1 (50)	6.7 (40)	6.2 (40)	5.6 (40)
希腊	8.0 (30)	10.0 (40)	10.4 (40)	10.4 (50)	10.5 (50)
挪威	4.2 (10)	5.4 (10)	4.9 (10)	4.5 (10)	4.2 (10)
瑞士	1.6 (10)	4.2 (20)	4.7 (20)	5.4 (20)	5.0 (20)
丹麦	9.9 (30)	10.3 (30)	8.8 (20)	8.1 (20)	7.4 (20)
芬兰	8.1 (20)	17.2 (40)	16.3 (40)	14.7 (40)	13.7 (30)
瑞典	3.6 (20)	7.7 (30)	8.0 (30)	8.1 (30)	7.5 (30)
奥地利	4.9 (20)	5.9 (20)	6.2 (20)	6.4 (20)	6.2 (20)
欧盟平均	9.7 (1530)	11.2 (1840)	11.3 (1870)	11.2 (1850)	10.8 (1800)

资料来源：根据经济合作与发展组织月报就业问题专刊 1997 年 7 月号资料整理。

表 5-8　战后时期美国日本和西欧失业状况对比

	失业率（%）				
	1960—1967 年平均	1968—1973 年平均	1974—1979 年平均	1980—1986 年平均	1996年
欧共体	2.2	2.7	4.8	9.6	11.3
美国	5.0	4.6	6.7	7.8	5.4
日本	1.3	1.2	1.9	2.5	3.3

资料来源：经济合作与发展组织：《历史统计（1960—1986）》；国际货币基金组织：《世界经济展望》1996 年 5 月号。

格外引人注目。与美、日的同期状况相比，高失业是今日欧洲的特有病态，见表 5–8。

5.3 中东欧[1]转型中的就业与失业问题[2]

5.3.1 就业的下降

中东欧（CEECA）的中央计划经济国家开始转型时，其劳动力市场状况的特征是充分就业，没有公开失业（前南斯拉夫除外），并且劳动力供大于求。但充分就业是以低工资为代价而实现的，许多部门普遍存在的人员过剩（劳动力储备）以及劳动力行业配置的严重扭曲导致了低水平的劳动生产率。通过引入迅速实现价格自由化的经济措施以及严格的宏观经济稳定政策，国民经济几乎在一夜之间就对国际市场开放了。结果导致了这些国家经济的迅速下降，劳动力的需求迅速崩溃，就业也开始下降。见表 5–9。

1990—1994 年，这一时期伴随着宏观经济紧缩措施和来自外部压力所实行的主要经济和社会改革导致了最初的剧烈变化；1995—2000 年，这一时期经济相对稳定。对生产和就业的对比分析表明，一些国家以劳动生产率的进一步下降为代价来保证就业损失小于生产损失，例如捷克共和国、罗马尼亚、斯洛伐

1. 中东欧（CEECA）转型国家包括：阿尔巴尼亚、亚美尼亚、阿塞拜疆、白俄罗斯、波黑、保加利亚、克罗地亚、捷克共和国、爱沙尼亚、格鲁吉亚、匈牙利、哈萨克斯坦、吉尔吉斯斯坦、拉脱维亚、立陶宛、波兰、摩尔多瓦共和国、罗马尼亚、俄罗斯联邦、斯洛伐克、斯洛文尼亚、塔吉克斯坦、前南斯拉夫马其顿共和国、土库曼斯坦、乌克兰、乌兹别克斯坦、南斯拉夫。

2. 参阅《转型中的劳动力市场：平衡灵活性与安全性——中东欧的经验》一书中第二章有关内容。《劳动和社会保障部劳动科学研究所》译，中国劳动社会保障出版社，2005 年 8 月。

表 5–9　转型国家的国内生产总值（GDP）和就业

相应年份的平均增长率%

国家	GDP		就业	
	1990—1994	1994—2000	1990—1994	1994—2000
阿尔巴尼亚	–5.6	6.2	–5.0	–1.4
亚美尼亚	–16.2	5.4	–2.2	–2.5
阿塞拜疆	–17.0	3.7	–0.5	0.3
白俄罗斯	–7.8	3.3	–2.3	–0.9
保加利亚	–3.9	–0.6	–5.7	–1.6
克罗地亚	–9.3	4.2	–6.3	0.5
捷克共和国	–2.6	1.8	–2.3	–1.0
爱沙尼亚	–8.8	5.0	–4.3	–2.1
格鲁吉亚	–27.5	5.2	–10.8	6.9
匈牙利	–3.3	3.6	–7.2	0.4
哈萨克斯坦	–9.6	0.6	–4.2	–1.0
吉尔吉斯斯坦	–14.4	3.6	–1.5	1.2
拉脱维亚	–15.9	3.7	–6.3	0.7
立陶宛	13.4	3.3	–2.5	–0.9
马其顿	–5.5	2.2	–6.0	–3.9
摩尔多瓦共和国	–20.5	–2.3	–5.1	–1.7
波兰	1.0	5.5	–2.9	0.9
罗马尼亚	–4.3	–0.2	–2.0	–3.4
俄罗斯联邦	–10.3	0.2	–2.3	–1.0
斯洛伐克	–5.2	4.5	–3.8	0
斯洛文尼亚	–1.7	4.3	–4.7	0.4
塔吉克斯坦	–20.1	–2.1	–1.1	–1.0
土库曼斯坦	–9.2	3.9	3.5	2.4
乌克兰	–14.1	–3.8	–2.4	–1.3
乌兹别克斯坦	–4.9	3.1	1.3	1.2
南斯拉夫	–18.0	1.4	–2.8	–1.3

克和斯洛文尼亚。其他国家,例如保加利亚、匈牙利和波兰,则通过就业的迅速削减实现了劳动生产率的提高。然而,在一些最初实现了经济增长相对较高的国家中,就业状况并没有显著改善。例如,在捷克共和国、匈牙利和波兰,就业实际上是先经历了几年的下降后才逐渐趋于稳定,几乎看不出复苏的迹象。

5.3.2 失业的长期趋势

在 CSEE[1] 国家中,除了捷克共和国和部分时间的罗马尼亚,在引入经济改革的前两三年中,登记失业率都在加速上升,到 1994 年,大部分国家都达到了两位数(见表 5-7)。经济的恢复先是使失业率趋于稳定,后来才出现了轻微的下降。登记失业率下降的部分原因是国家失业保险计划限制条件的增加。一些国家(保加利亚、捷克共和国和罗马尼亚)为实现宏观经济均衡和推动企业部门的结构改革而制定了宏观经济稳定计划,结果导致了经济的衰退,这引起了 1997 年(或 1998 年)之后失业率的第二次上升。1998 年之后,其他 CSEE 国家开始的结构改革也导致了失业率的类似上升。在那些直接受到战争或冲突影响的国家,失业水平上升的幅度则更加显著。

CSEE 国家中一些国家的另一个特征是登记失业数字超过了劳动力调查(LFS)中得到的失业数字(比较表 5-10 和表 5-11)。

独联体国家的一个特征是,LFS 得到的失业数据是缓慢但持续的增长,而登记失业率非常低(见表 5-7 和表 5-8)。LFS 的失业率目前已经超过了 10%,在冲突国家里还要更高一些。

相对于 LFS 得到的总体失业水平来说,独联体国家中的登记失业率是比较低的。

---

1. CSEE 包括阿尔巴尼亚、波黑、保加利亚、克罗地亚、捷克共和国、爱沙尼亚、匈牙利、拉脱维亚、立陶宛、波兰、罗马尼亚、斯洛伐克、斯洛文尼亚、前南斯拉夫马其顿共和国、南斯拉夫。

转型国家的长期失业在不断上升，根据 LFS 数据，1999 年大部分国家长期失业（超过一年）在总失业中比重都超过了 40%，在亚美尼亚高达 68%。近来，在捷克共和国、爱沙尼亚和俄罗斯联邦的长期失业出现了显著上升，分别从 1995 年的 31%、

表 5-10　1994 年、1998 年和 2000 年转型国家的登记失业率

（占每年年底劳动力人数的比重）

国家	1994	1998	2000
阿尔巴尼亚	18.0	17.6	16.9
亚美尼亚	6.0	8.9	10.9
阿塞拜疆	0.9	1.4	1.2
白俄罗斯	2.1	2.3	2.1
保加利亚	12.8	12.2	17.9
克罗地亚	17.3	18.6	22.6
捷克共和国	3.2	7.5	8.8
爱沙尼亚	5.0	4.5	6.6
格鲁吉亚	3.8	4.2	5.6
匈牙利	10.9	9.1	8.9
哈萨克斯坦	1.0	3.7	3.7
吉尔吉斯斯坦	0.8	3.1	3.1
拉脱维亚	6.5	9.2	7.8
立陶宛	4.5	6.9	12.6
马其顿	30.0	41.4	44.9
摩尔多瓦共和国	1.0	1.9	1.8
波兰	16.4	10.4	15.1
罗马尼亚	10.9	10.3	10.5
俄罗斯联邦	2.1	2.7	1.4
斯洛伐克	14.8	15.6	17.9
斯洛文尼亚	14.2	14.6	12.0
塔吉克斯坦	1.8	2.9	3.0
乌克兰	0.3	4.3	4.2
南斯拉夫	14.2	14.6	12.0

表 5-11 一些转型国家 1994 年、1998 年和 2000 年的总体失业率%

国家	1994	1998	2000
亚美尼亚	/	36.4	/
保加利亚	20.2	14.4	18.7
克罗地亚	10.0	11.4	13.5
捷克共和国	4.3	7.3	8.8
爱沙尼亚	7.6	9.9	13.5
格鲁吉亚	/	14.5	13.8
匈牙利	10.7	7.8	6.6
哈萨克斯坦	7.5	13.7	/
拉脱维亚	18.9	13.8	14.4
立陶宛	16.4	13.3	15.9
波兰	14.0	10.5	16.6
罗马尼亚	8.2	6.3	7.7
俄罗斯联邦	8.1	13.3	13.4
斯洛伐克	13.7	12.5	19.1
斯洛文尼亚	9.0	7.7	7.1
乌克兰	5.6	11.3	11.9

33%和 30%上升到 2000 年的 49%、47%和 41%，这说明一些特定失业群体再就业的机会非常低。

5.4 中国新型工业化的充分就业

5.4.1 中国新型工业化的阶段

党的十六大报告明确指出，全面建设小康社会的重要目标是基本实现工业化,并郑重提出“走新型工业化道路”。这是党中央在加快推进社会主义现代化的新的发展阶段作出的重大战略决策。

走新型工业化道路,是相对传统工业化而言的。从学习国外工业化经验来讲,就是不能重复发达国家已经走过的传统工业化道路,而是走具有中国特色的社会主义工业化道路;从中国国情出发来讲,就是认真总结和汲取以往工业化进程中的经验教训,彻底摒弃计划经济体制下的传统工业化道路,走与市场经济体制相适应的工业化道路。所以,在新世纪新时期,国际环境和我国基本国情决定了传统的工业化道路已经走不通。以信息技术为代表的新科技革命的迅猛发展,又要求我国对工业化道路作出新的选择,并提供了新的机遇。因此,必须坚决走一条有时代发展特点、符合客观规律和我国国情的新型工业化道路。可见,十六大提出走新型工业化道路,是党中央全面总结国内外工业化经验教训,准确把握基本国情,顺应世界科技发展大趋势作出的新的重大决策。这一决策体现了工业化理论和实践的重大创新。

走新型工业化道路这一新的命题,内涵极其丰富,特征十分鲜明。主要包含:一是以信息化带动的工业化。发达国家都是在工业化之后推行信息化的。进入信息化时代,不仅工业化的内容与传统工业化有所不同。迅猛发展的信息技术,不仅使传统产业迅速地提高劳动生产率和服务效率,而且有效地改进微观经济管理和宏观经济管理,催生新的生产经营方式和新的业态。信息化是带动工业化的强大动力,完全可以发挥后发优势,实现生产力的跨越式发展。

二是依靠科技进步,提高经济效益和竞争力的工业化。任何国家工业化的成功都是吸收和应用当时最先进科学技术的成果。工业革命以来,工业化成为世界各国发展的大趋势,大大提高劳动生产率,促进社会生产力加快发展。但是,我国实现工业化,与发达国家实现工业化的历史条件、国际环境有很大不同。当代经济全球化已成趋势,全球制造业生产能力和产品大量过剩,国际竞争日趋激烈。因此,必须以科技进步和创新为动力,不断提高工业产品的科技含量。通过以技术含量高、质量好、价格低的产品竞争力,在国内和国际市场上打开销路,争取更大的市场份额。

三是能够增强可持续发展能力的工业化。传统的工业化道路是以大量消耗资源和牺牲生态环境为代价的。发达国家实现工业化特别是在加速发展的时期,大多数是“先污染、后治理”,造成资源的大量消耗和生态环境的严重破坏已经无法挽回。我国是世界上人口最多的发展中国家,人口规模和经济规模越来越大,必须改变主要依靠增加资源投入的粗放型经济增长方式。不然,实现经济持续快速增长,全面建设小康社会,提高人民生活水平和质量的目标就成为一句空话。因此,必须把资源消耗低和环境污染少,实现可持续发展,作为走新型工业化道路的基本要求。

四是充分发挥我国人力资源优势。发达国家在实现工业化的过程中依赖机械化和自动化,与此同时出现了严重的失业问题。我国以往的工业化是以资金密集型的重工业为主导,并严格限制农村劳动力向城市流动,吸纳农村富余劳动力的作用十分有限。发展经济的根本目的在于充分解决就业,提高人民群众的生活水平。我国是个人口大国,在劳动人口就业压力较大的同时,极为丰富的人力资源又是我国的宝贵财富,劳动成本低已成为外商投资和提高我国制造业产品在国际市场竞争力的巨大优势。强调走新型工业化道路,既充分利用工业化来提高劳动生产率,又着眼于扩大就业,有利于农业劳动力持续转移和城镇化程度的提高,有利于我国人力资源的优势充分发挥。

党的十六大报告强调指出:“实现工业化仍然是我国现代化进程中艰巨的历史性任务。”走新型工业化道路,是完成这一艰巨历史性任务的必然选择。

5.4.2 我国新型工业化过程面临的就业与失业状况

一、就业情况

1. 劳动力就业在国民经济发展和增长中增加迅速

从1978年到2003年，城乡劳动力就业人数由4.0亿人增加到7.44亿人，新增了3.44亿个新的就业岗位。2003年底，全国就业人数74432万人，其中城镇就业人数25639万人。在1978—2002年间，城镇年均就业增长率为4.1%，平均每年增加636万人。

2. 劳动力在三大产业中的就业比重随经济增长和社会经济结构的调整而变化

在就业结构中，第一产业就业人员比重从1978年的70.5%下降到2003年的49.1%，第二产业就业人员比重由17.3%上升到21.6%，第三产业就业人员比重由12.2%提高到29.3%。

3. 劳动力在不同所有制单位中的就业比重随改革的深化和市场经济的发展而发生显著变化

改革初期，在国有单位就业数量占全部社会就业数量的比重近80%，加上集体单位就业，公有制单位几乎吸纳了全社会的劳动就业。1978—2001年期间，在公有制部门就业人员的比重从占城市全部就业的78.3%下降到37.3%，为8931万人；城市集体单位的就业比重从21.5%下降到5.4%；在非公有制部门就业人员的比重上升到62.7%，为15009万人。据2003年的统计，在国有制单位就业的人员数量为6876万人，仅占全部就业数量的26.8%。

二、就业形势面临着严峻压力[1]

1. 失业率升高

近些年来，随着改革的全面、深化和市场经济的不断发展，城镇劳动力失业人数不断增加，失业率也不断升高，见表5–12。

2. 就业的产业结构不合理

从2001年的情况看，我国第一产业劳动力就业比重较高，比低收入国家的比重还要高，且下降缓慢；第二产业的劳动力就

1. 此问题有关失业的表格统计内容与第二章《中国式充分就业形成过程的演变特点》中有关失业的表格统计内容重复，这主要是照顾到本问题阐述的逻辑性。

表 5-12　1995—2003 年城镇失业情况

年份	城镇登记失业率%	城镇真实失业率%
1995	2.9	/
1996	3.0	6.15
1997	3.1	6.85
1998	3.1	6.45
1999	3.1	6.44
2000	3.1	6.11
2001	3.6	5.73
2002	4.0	5.46
2003	4.3	6.52

此表参考李微辉、薛和生的《劳动经济问题研究——理论与实践》书中表 6-1、表 6-6 绘制。

表 5-13　中国与不同收入类型国家三次产业就业结构变动比较

		中国	低收入国家	中下等收入国家	中上等收入国家	高收入国家
第一产业	1980	69	72	56	30	6
	2001	50	45	38	22	4
	2001年比1980 年增长	–19	–27	–18	–8	–2
第二产业	1980	18	13	16	28	44
	2001	22	4	15	22	37
	2001年比1980 年增长	4	–9	–1	–6	–11
第三产业	1980	13	15	28	42	56
	2001	28	30	47	56	69
	2001年比1980 年增长	15	15	19	14	13

此表参考李微辉、薛和生的《劳动经济问题研究——理论与实践》书中表 6-8 绘制。

业比重与中上等收入国家持平；第三产业的就业比重过低，甚至比低收入国家的水平还要低，见表5-13。

3. 我国新型工业化进程中将面临巨大的就业压力

首先，每年新增就业人口多。我国是一个人口大国，人口基数大，未来10年每年新增经济活动人口在500万人到800万人，直到2015年后情况才会有所缓解，那时中国的经济活动人口将达到峰值8.05亿人。[1]

第二，现有大量的失业下岗人员需要再就业，还有数量较大的冗员有待释放。我国进入20世纪90年代后，随着劳动制度改革的深入，失业和下岗人员不断增加。自1995年以来，我国城镇登记失业人口规模不断增大，城镇登记失业率持续上升，同时，各类企业下岗人员也不断增加，见表5-14和表5-15。

表5-14　1995—2004年上半年城镇登记失业人员情况

年份	城镇登记失业人员（万人）	城镇登记失业率（%）
1995	520	2.9
1996	550	3.0
1997	570	3.1
1998	571	3.1
1999	575	3.1
2000	595	3.1
2001	681	3.6
2002	770	4.0
2003	800	4.3
2004上半年	837	4.3

第三，农村有大量剩余劳动力需要转移。1991年农村剩余

1. 参阅国务院发展研究中心"新型工业化道路研究"课题组：《解决就业问题的主线是推进"以人为本"的新型工业化》，2003年10月。

表 5-15 1995—2003 年企业下岗职工情况

年份	各类企业下岗职工（万人）	国企下岗职工（万人）	国企下岗职工再就业（万人）
1995	/	368	/
1996	815	542	/
1997	995	692	480
1998	892	610	609
1999	937	652	492
2000	911	657	361
2001	741	515	227
2002	618	410	120
2003	880	260	194

表 5-11 和表 5-12 参照李微辉、薛和生的《劳动经济问题研究——理论与实践》书中表 6-1 和表 6-2 绘制。

劳动力约有 1.66 亿,2000 年约有 1.42 亿。第五次人口普查资料显示,2000 年全国大约有 7300 多万农村劳动力转移到城市打工。[1] 国家统计局农调队抽样调查结果表明,2003 年我国有 1.139 亿农村剩余劳动力外出务工，占农村劳动力的 23.2%。2001 年,我国农村剩余劳动力约有 4.9 亿,其中约有 1.5 亿农村剩余劳动力。[2] 仅新增劳动力,每年也需要在非农产业新增 1000 万个岗位。[3]

第四,在多方就业人口聚成巨大就业供给的同时,而由于技术进步、资本深化和产业结构升级等却在产生着对劳动力就业的抑制因素,使严峻的就业压力雪上加霜。近年来我国的技术进步、资本深化进程加快,在这一过程中技术和资本都对劳

1. 参阅蔡昉主编:《2002 年中国人口与劳动力问题报告——城乡就业问题与对策》,社科文献出版社 2002 年版,第 63 页。
2. 参阅国务院发展研究中心“新型工业化道路研究”课题组:《解决就业问题的主线是推进“以人为本”的新型工业化》,2003 年 10 月。
3. 参阅谢伏瞻:《当前的就业压力与增加就业的途径》,国研报告 2003 年 5 月。

动力产生“挤出效应”，导致在经济快速增长的背景下，技术进步和资本深化迅速的产业的就业不升反降。制造业从业人数从1995年开始逐年下降，由9803万人下降到2001年的8083万人。在产业结构调整和产业升级过程中造成大量的“结构性失业”，使就业增长率大幅下降。1979—1989年年均就业增长率为2.96%，每年约新增就业人口1380万人；而1991—2001年年均就业增长率仅为1.1%，每年仅增加就业人口752万人。从GDP就业弹性来看，自1978年以来基本上呈下降趋势，1978—1991年间GDP就业弹性平均值为0.343，1992—1999年仅为0.11。过去第一产业是吸纳新增就业的主渠道，但从20世纪90年代开始，农业从业人员占就业人口比重迅速下降，出现大量农业剩余劳动力流向城镇；第二产业，特别是制造业，吸纳新增劳动力的能力在下降。1979—1985年期间，工业增长的就业弹性系数为0.82，1986—1990年期间为0.44，1991—1997年期间为0.15，1998—2000年期间为0.11。这种趋势将使我国的工业化进程特别是对农业剩余劳动力的吸纳受到很大的制约。

5.4.3 中国新型工业化过程的充分就业选择

一、国家干预，市场调节就业

在计划经济体制下，国家包办就业，结果是高就业、低效率。在市场经济体制条件下，实现充分就业是宏观经济的重大问题，它需要运用一系列宏观政策，必然要求政府对经济进行直接或间接干预，政府在实现充分就业中承担着不可推卸的重要责任。这种责任是政府要在公平与效率、经济增长与就业中做出就业优先的战略选择，并做出努力实现充分就业目标的承诺。这种责任包括，在发展经济的过程中千方百计地创造更多的就业岗位，把失业率控制在最低范围之内；积极开展好有效的政府就业扶助；构筑统一、高效的劳动力市场，为社会求职者平等地提供各种有效服务。

在社会主义市场经济体制条件下，实行“国家政策指导下的市场就业”。就业市场，即劳动市场成为择业人员自主进入工作岗位的媒介，人们遵循公平、等价和合法的市场规则，根据自己的能力、意愿择业，通过择业者间的竞争和用人单位的选择，从而减少劳动资源的错配，对劳动者提高自身素质和主动就业产生引导作用，实现充分就业。

二、就业优先

就业优先就是把解决人的就业问题放在优先地位。从国家经济发展模式来看，几乎所有的计划经济国家都采用经济增长优先的发展模式，而几乎所有的市场经济国家都采用就业优先的发展模式。我国是一个发展中的大国，同时又是一个由计划经济向市场经济转型的国家，我国的劳动力资源占世界的26%，而资本仅占世界的4%，要解决中国就业问题，以及由就业问题所引起的大量经济问题和社会问题，坚持“就业优先”的经济发展战略是我们的现实选择。实行就业优先的经济发展战略，可以为实现充分就业提供一个重大指导性的政策基础以及由此形成的有助于实现充分就业的经济与社会环境。

就业优先，就是要求劳动力市场的发展要优先于其他要素市场。目前，我国劳动力市场的发展还很不完善，与劳动力资源大国地位极不相称，甚至逊色于其他要素市场，与实现充分就业的要求还很不适应。因此，要把培育一个完善的劳动力市场放在优先考虑的地位上，加快培育，更好地为促进充分就业的实现服务。就业优先，就是要求对地方官员的考核要使就业目标的实现优于其他相关目标。我国政府在对宏观经济良性发展标准的四项指标是：经济增长、充分就业、低通货膨胀率、国际收支平衡。但在实际中，许多地方领导人都是以“经济增长优先”作为施政的主要目标，考察官员的政绩也往往是以GDP的增长为主要目标。而要更好地解决就业问题，实现充分就业，首先要在战略思想上变“增长优先”模式为“充分就业”模式。考察地方官员时把就业放在最重要的位置。就业优先，就是要求把降低失业率的调控政策要优先于其他相关的经济政策，就是要求把就业岗位增加要优先于社会收入水平的提高。

三、就业最大化

简单地说就是最大可能的就业，就是根据社会生产和社会生活发展的要求对劳动力需求量的最大可能而实现的一种就业水平或目标。如果说，优先就业是实现充分就业的一种政策倾斜与政策支持的话,那么,就业最大化就是实现充分就业的一种实际运作。社会就业需求客观上存在着一个最大需求量的可能性。这个劳动就业最大需求量因素的存在，是提出或实现就业最大化计划目标的客观依据。因此，就业最大化不是人们主观设计的目标。就业最大化是一个动态目标，它随着社会生产和社会生活不断发展的要求而变化调整。就业最大化与合理失业率不是对立的，它是在承认存在合理失业率基础上的就业最大化。就业最大化的现实过程，也是一个通过努力可以争取最大就业空间的模糊就业目标。落实就业最大化，要求各级政府要制订切实可行的具有指导性的实现最大就业数量的计划目标及其落实目标的措施。

四、控制正常或可承受失业率

失业率是反映一个国家或地区的社会经济发展状况的综合性指标。在市场经济条件下,尽管失业是不可避免的,并且作为劳动力“蓄水池”,对调节劳动力供求关系,实现劳动力资源合理配置具有一定作用,但是任何一个国家或地区对于失业问题都是有一定的承受限度的。尽管如此，在正常的市场经济体制状态下,客观上应当存在一个社会可承受在一个合理区间的相对安全的正常失业率。我国专家学者参照市场经济国家确定失业警戒线的成功做法，也在试图提出一条适合我国情况的失业警戒线来。例如，学者杨宜勇等人提出全国以城镇登记失业率为标准的失业警戒线是:安全线为5%,轻警线为6.5%,中警线为8%,重警线为9.5%;提出全国以城镇调查失业率为标准的失业警戒线是:安全线为6%,轻警线为7.5%,中警线为9%,重警线为10.5%。[1]

确定失业警戒线就是在寻找正常失业率。社会的失业率能够保持在正常失业率内，或者说在失业警戒线的安全线内，可以说就实现了充分就业。正常失业率或失业警戒线确定多高，这是需要从实践经验方面和规范的数学模型方法方面来进一步研究的问题。因此，要实现充分就业，就要控制好正常失业率。

1. 参阅杨宜勇等:《大开放的就业》第147页。中国水利水电出版社，2004年3月。

第六章

中国的经济结构与充分就业

6.1 产业结构的变动对充分就业的影响

6.1.1 产业结构的调整带来就业结构的变化

一、我国产业结构调整与就业结构变动的情况

建国初期,我国的国民经济十分落后,产业结构很不合理。农业比重很高,但基础差;现代工业基础薄弱,工业结构残缺不全,属于典型的农业国。1953 年以后,随着前苏联的经济援助和农业、手工业、资本主义工商业的社会主义改造以及重工业优先的工业化的进展,我国经济早在 20 世纪 50 年代发展较为迅速,产业结构也发生了变化,特别是第一产业的国内生产总值比重的下降和第二产业的国内生产总值比重的上升倾向是显著的。这一时期,从就业结构变动趋势来看,与产业结构的变动相比稍显弱势,但第一产业的减退和第二、三产业的上升较为明显。特别是 1958 年开始的"大跃进"时期,由于城市的重工业发展,大约有 3000 万农村劳动力流入城市,致使就业结构急速转变。

20 世纪 60 年代前期,政府推行了一系列产业调整政策。这样在 60 年代,第一产业的国内生产总值比重呈现上升趋势,70

年代初期以后，随着工业化的推进，其比重逐渐降低；第二产业的国内生产总值比重60年代初期逐渐上升，70年代初期超过农业以后，一直处于国民经济的主体地位；第三产业在60年代初期呈现下降趋势，1963年以后，起伏变化并不明显。就业结构的总体趋势在60年代趋向平稳，70年代中期以后，第一产业下降和第三产业上升趋势比较明显，第二产业基本上处于静止状态。

改革初期至20世纪80年代中期，我国产业结构发生了较大变化。进入80年代中后期以后，我国调整了轻工业和重工业之间的比重，通过产业结构的重组、合理化，促进了高新技术产业和第三产业的发展。与此相应，就业结构也发生了相应变化。

1992年以后，第一产业增长速度比较平稳，第二、三产业增长幅度有所下降，但总体结构并没有改变。从就业结构变化趋势看，第一产业劳动力比重持续降低，劳动力的规模开始减退，第二产业劳动力比重相对稳定，第三产业劳动力比重大幅度上升，1994年以后超过第二产业，出现较快上升的势头。就业结构变动的基本趋势表明，从农业中退出的劳动力大部分转入第三产业，这是工业化过程中的一个特征。但是第一产业劳动力绝对规模仍然很大，到2001年仍占劳动力总量的50%。以上情况参见表6–1。

从我国与发达国家的三次产业划分的就业结构的比较来看，随着我国经济的不断发展和人均GDP水平的提高，就业结构的变化还有相当大的余地，见表6–2。

另外，我国按行业划分从业人口的产业结构变化较为明显。特别是经济改革开放以后，随着商品经济的发展、科学技术的进步、新兴产业部门的不断出现，按行业划分就业产业结构有所变化。具体变化见表6–3。而我国按行业划分的就业产业结构同发达国家比较，其变化还有相当大的余地，见表6–4。

从以上的我国产业结构与就业结构的变动关系及其与发达国家的比较情况来看，对我国今后在三次产业内和不同行业内实现充分就业可以得出以下两点启示：

表 6-1　中国三次产业划分的就业结构变化情况

年份	总数	就业人员（万人）			构成（%）		
		第一产业	第二产业	第三产业	第一产业	第二产业	第三产业
1952	20279	17317	1531	1881	83.5	7.4	9.1
1957	23771	19309	2142	2320	81.2	9.0	9.8
1965	28670	23396	2408	2866	81.6	8.4	10.0
1970	34432	27811	3518	3103	80.8	10.2	9.0
1975	38168	29456	5152	3560	77.2	13.5	9.3
1978	40152	28318	6945	4890	70.5	17.3	12.2
1980	42361	29122	7707	5532	68.7	18.2	13.1
1985	49873	31130	10384	8359	62.4	20.8	16.8
1990	64749	38914	13856	11979	60.1	21.4	18.5
1995	68065	35530	15655	16880	52.2	23.0	24.8
2000	72085	36043	16219	19823	50.0	22.5	27.5
2001	73025	36513	16284	20228	50.0	22.3	27.7

资料来源：国家统计局编《中国统计年鉴》2002 年版，中国统计出版社。

参阅李仲生：《中国的人口与经济发展》表 4-1 绘制。

表 6-2　中国与发达国家三次产业划分的就业结构比较

国家	人均 GDP（1999 年）	劳动力构成比重（1999 年）		
		第一产业	第二产业	第三产业
中国	780	50.1	23.0	26.9
英国	22640	1.5	25.9	72.6
法国	23480	4.7	26.5	68.8
德国	25350	2.8	33.3	63.9
美国	30600	2.6	23.2	74.2
日本	32230	5.2	31.7	63.1

此表根据李仲生《中国的人口与经济发展》中表 4-2 有关资料绘制。

表 6-3　中国按行业划分从业人口产业结构

产业	从业人员（万人）				构成（%）			
	1978	1985	1995	2000	1978	1985	1995	2000
农、林、牧、渔业	28318	31130	33018	33355	70.5	62.4	52.9	53.0
采掘业	652	795	932	579	1.6	1.6	1.5	0.9
制造业	5332	7412	9803	8043	13.3	14.8	15.7	12.8
电力、煤气及水的生产和供应业	107	142	258	284	0.3	0.3	0.4	0.5
建筑业	854	2035	3322	3552	2.1	4.1	5.3	5.6
地质勘探业和水利管理业	178	197	135	110	0.4	0.4	0.2	0.2
交通运输仓储和邮电通信业	750	1279	1942	2029	1.9	2.6	3.1	3.2
批发零售贸易和餐饮业	1140	2306	4292	4686	2.8	4.6	6.9	7.4
金融、保险业	76	138	276	327	0.2	0.3	0.5	0.5
房地产业	31	36	80	100	0.1	0.1	0.1	0.1
社会服务业	179	401	703	921	0.5	0.8	1.1	1.4
卫生体育和社会福利业	363	467	404	488	0.9	0.9	0.7	0.8
教育、文化艺术和广播电视业	1093	1273	1476	1565	2.7	2.6	2.4	2.5
科学研究和综合技术服务业	92	144	182	174	0.2	0.3	0.3	0.3
国家机关、党政机关和社会团体	467	799	1042	1104	1.2	1.6	1.7	1.8
其他	521	1319	4484	5643	1.3	2.6	7.2	9.0

资料来源：国家统计局《中国统计年鉴》2001 年版，中国统计出版社。

参阅李仲生：《中国的人口与经济发展》表 4–3 绘制。

表 6-4　中国按行业划分人口产业结构同发达国家比较（1999 年）%

产业	中国	美国	日本	德国	法国	英国	意大利	加拿大
农林水利业、狩猎	53.0	2.6	5.2	2.8	4.7	1.5	5.4	3.6
采掘业	0.9	0.4	0.1	0.4	0.3	0.4	0.3	1.1
制造业	12.8	15.0	20.8	23.4	18.8	17.8	23.6	15.3
电力、煤气、自来水业	0.5	1.1	0.6	0.9	0.9	0.7	0.8	0.8
建筑业	5.6	6.7	10.2	8.6	6.5	7.0	7.5	5.3
商业	7.4	20.7	22.9	17.6	16.8	19.8	19.4	23.7
运输、仓储、通信业	3.2	6.1	6.3	5.4	6.3	6.6	5.4	7.6
金融、保险、房地产业	0.6	12.0	9.3	11.1	10.6	15.2	9.6	15.6
公务、服务业	6.8	35.4	24.0	29.8	35.0	30.7	27.8	27.1
其他	9.2	0	0.6	0	0	0.3	0	0

资料来源：根据李仲生《中国的人口与经济发展》中表 4-4 资料绘制。

1. 从我国按三次产业划分的就业结构变化的历史过程来看，随着国民经济的不断发展、科技进步和产业结构的调整，我国第二产业、第三产业的就业空间还要继续放大，就业人数必将会不断增加，而与此同时，第一产业的就业空间在相对缩小，就业人数在减少。就是说，我国今后实现充分就业的产业空间主要在第二、三产业。而从我国与发达国家的比较来看，也更清楚地预见到，第二、第三产业作为实现充分就业的产业空间，而特别是第三产业比第二产业实现充分就业的空间更大是必然的。

2. 从我国按行业划分的就业结构发展变化历史情况来看，批发零售贸易和餐饮业、交通运输仓储和邮电通信业、社会服务业、建筑业等行业的就业有明显增长，在今后实现充分就业具有行业优势。当然，从目前来看，我国的农、林、牧、渔业和制造业还

表 6-5 1996—2001 年工业分行业职工人数变化情况

单位:万人

序号	行业	1996年	1997年	1998年	1999年	2000年	2001年	增减	增减率%
1	煤炭采选业	505	493	405	372	343	330	−175	−34.7
2	石油和天然气开采业	125	116	109	100	80	73	−52	−41.6
3	黑色金属矿采选业	21	20	16	16	15	14	−7	−33.3
4	有色金属矿采选业	60	54	40	37	35	32	−28	−46.7
5	非金属矿采选业	58	54	43	38	33	29	−29	−50
6	其他矿采选业	2	1	2	1	1	1	−1	−50
7	木材及竹材采运业	114	111	88	85	73	65	−49	−43.0
8	食品加工业	198	190	141	128	113	98	−100	−50.5
9	食品制造业	119	114	77	72	67	62	−57	−47.9
10	饮料制造业	121	123	94	89	84	75	−46	−38.0
11	烟草加工业	33	33	30	29	27	25	−8	−24.2
12	纺织业	634	596	393	353	327	301	−333	−52.5
13	服装及其他纤维制品制造业	168	162	127	122	120	121	−47	−28.0
14	皮革毛皮羽绒及其制品业	91	85	62	57	58	55	−36	−39.6
15	木材加工及竹藤棕草制品业	72	67	39	35	31	28	−44	−61.1
16	家具制造业	31	30	19	18	16	15	−16	−51.6
17	造纸及纸制品业	128	124	84	75	66	61	−67	−52.3
18	印刷业记录媒介的复制	96	90	69	64	58	51	−45	−46.9
19	文教体育用品制造业	37	35	30	29	28	26	−11	−29.7

20	石油加工及炼焦业	76	74	67	63	61	56	-20	-26.3
21	化学原料及化学制品制造业	407	392	304	282	254	230	-177	-43.5
22	医药制造业	102	101	86	83	83	82	-20	-19.6
23	化学纤维制造业	49	50	40	34	33	30	-19	-38.8
24	橡胶制造业	75	69	52	48	43	40	-35	-46.7
25	塑料制造业	105	101	73	67	61	56	-49	-46.7
26	非金属矿物制品业	407	387	284	263	240	219	-188	-46.2
27	黑色金属冶炼及压延加工业	337	321	256	242	222	204	-133	-39.5
28	有色金属冶炼及压延加工业	101	98	84	83	80	79	-22	-21.8
29	金属制品业	181	174	119	106	96	89	-92	-50.8
30	普通机械制造业	422	403	275	249	222	203	-219	-51.9
31	专用设备制造业	280	274	197	179	163	145	-135	-48.2
32	交通运输设备制造业	354	346	279	269	244	232	-122	-34.5
33	电气机械及器材制造业	236	227	170	158	145	137	-99	-41.9
34	电子及通信设备制造业	163	165	134	133	138	143	-20	-12.3
35	仪器仪表及文化办公用机械	82	79	53	48	46	44	-38	-46.3
36	其他制造业	129	115	86	77	76	67	-62	-48.1
全国总计		6450	6215	4753	4753	4428	4102	-2612	-40.5

资料来源：蒋选：《我国中长期失业问题研究——以产业结构变动为主线》表4-1。

仍然是吸纳劳动力的主要行业。从我国与发达国家的比较来看，可以预示着，商业、运输仓储、通信业、金融保险、房地产业、公务、服务业等是我国今后增加、扩大就业的主要产业。而我国作为一个制造大国，今后的制造业也将是吸纳劳动力的主要产业。以上这些产业，今后都将可能成为我国实现充分就业的主要产业。

二、产业衰退过程中的就业变化

产业的兴衰是产业结构不断演化、升级和经济发展的必然结果。从这个意义上说，产业衰退是不可避免的，也是有积极意义的。一般来说，产业衰退过程的一个明显特点，就是会导致该产业的劳动力失业，就业减少，而失业增加或就业的减少要依该产业衰退程度而确定。下面，我们从1996—2001年间，我国工业部门36个行业的衰退过程中的职工人数变化情况来观察产业衰退过程对劳动力就业的影响，见表6–5。

从表6–5反映的我国工业部门（1996—2001年）36个行业在衰退中劳动力数量的变化情况，可以发现以下特点：

1. 无论是整个工业部门还是各个行业，劳动力数量几乎都是逐年减少，总体减少幅度为40.5%，行业中减少幅度最大的是木材加工及竹藤棕草制品业，为61.1%；减少幅度最小的电子及通信设备制造业，也有12.3%。这表明我国工业部门劳动力的绝对数量存在趋势性下降的现象。如若这种现象持续存在，与此同时新的产业结构或大量吸纳劳动力的新的产业部门还没有马上建立起来时，要实现社会的充分就业就会遇到极大的困难，毕竟工业部门是我国吸纳城市劳动力就业的主要部门。但产业的兴衰是产业结构不断演化、升级和经济发展的必然结果，因此传统产业的衰退是不可避免的，而产业衰退过程中造成失业也是不可避免的，必须要面对这一客观事实。

2. 如果以工业部门职工人数总体减少幅度40.5%为参照的话，衰退产业就业人数减少比较突出的行业就有22个，这就更加加重了在这些行业内实现充分就业的难度。这22个行业是：石油和天然气开采业（–41.6%）、有色金属矿采选业

(-46.7%)、非金属矿采选业(-50%)、其他矿采选业(-50%)、木材及竹材采运业(-43.0%)、食品加工业(-50.5%)、食品制造业(-47.9%)、纺织业(-52.5%)、木材加工及竹藤棕草制品业（-61.1%)、家具制造业（-51.6%)、造纸及纸制品业(-52.3%)、印刷业记录媒介的复制(-46.9%)、化学原料及化学制品制造业(-43.5%)、塑料制造业(-46.7%)、橡胶制造业(-46.7%)、非金属矿物制品业(-46.2%)、金属制品业(-50.8%)、普通机械制造业（-51.9%)、专用设备制造业(-48.2%)、电气机械及器材制造业(-41.9%)、仪器仪表及文化办公用机械(-46.3%)、其他制造业(-48.1%)。

3. 36个行业在其衰退过程中,劳动力的绝对数量都在减少(而电子及通信设备制造业近几年的劳动力就业数量却在增加),但从近几年劳动力就业数量的变化来看,就业数量趋向稳定,且每年减少的数量也在明显减少,这同时意味着这些行业在对社会实现充分就业造成的压力也在趋向减缓。

三、产业结构升级对劳动力就业的影响

由于各产业的比较劳动生产率差别，我国产业结构的变动必然对城镇劳动力就业变动产生影响。学者罗润东以城镇就业数Lc的对数为被解释变量,以结构变异度Sd的对数为解释变量进行回归分析。其分析结果表明,1978—1991年,城镇就业的变动与产业结构的变动无关。这主要是因为城镇就业由国家计划决定,产业结构的调整不可能对其产生实质影响。1992—2002年,产业结构变动开始对城镇就业变动产生影响,二者表现为负相关关系,即城镇就业对产业结构变异度的弹性为-0.09。说明这一时期产业结构的升级导致了对城镇劳动力的节约。[1]

从各次产业对城镇就业的影响来看，我们仍以城镇就业的对数为被解释变量,分别以第二产业、第三产业和非农产业(即

1. 参阅罗润东:《当代就业问题透视》第200—201页,经济科学出版社,2005年9月。

第二产业和第三产业之和）占 GDP 比重的对数为解释变量进行回归分析。回归结果表明，1978—1991 年，上述变量之间不存在相关关系；1992—2002 年，城镇就业变动对第二产业比重变动的弹性为 1.49，对非农产业比重变动的弹性为 3.22，而和第三产业比重变动无关。说明这一时期城镇就业人数的增长主要动力来自于非农产业的发展，而其中又主要受第二产业增长的推动。我们以城镇就业增长速度为解释变量，分别以第二产业和第三产业的产值增速为解释变量进行回归，回归结果表明，城镇就业增长速度与第二产业产值增速存在负相关关系，相关系数为 -0.14，而与第三产业产值增速无关，这从另一角度说明了这一时期城镇就业变动的动力来源及产业结构升级导致劳动力节约的特点。[1]

这一分析的结果与上面所谈到的我国产业在其衰退过程中所出现的劳动力就业数量减少的现象是吻合的，因为产业衰退与产业升级几乎是同一产业活动现象的不同角度的说法而已。因此，在我国产业结构调整背景下的传统产业改造、升级过程中，节约或减少一定数量的劳动力就业是难以避免的。

四、我国产业结构变动趋势对城镇劳动力就业的影响

2003—2020 年我国各次产业的 GDP 预测为（见表 6-6）：[2]

由此计算各次产业占 GDP 的比重及结构变异度，见表 6-7。

由表 6-7 可以看出，按照我国三次产业结构的变动趋势，第一产业占 GDP 的比重稳步下降，第二产业占 GDP 的比重会继续稳步增长，第三产业占 GDP 的比重将略有下降。第二产业仍将是城镇就业的主要渠道，按照第二产业增速与城镇就业增

1. 参阅罗润东：《当代就业问题透视》第 200—201 页，经济科学出版社，2005 年 9月。

2. 参阅罗润东：《当代就业问题透视》第 203—204 页，经济科学出版社，2005 年 9 月。

表 6-6 2003—2020 年各产业的 GDP 预测值

单位:亿元

年份	第一产业	第二产业	第三产业	年份	第一产业	第二产业	第三产业
2003	17245.51	59430.18	38824.09	2012	31705.17	152024.6	91217.21
2004	18452.7	65967.5	42847.82	2013	33924.53	168747.3	99956.32
2005	19744.39	73223.92	47233.69	2014	36299.25	187309.5	109481.9
2006	21126.49	81278.55	52014.28	2015	38840.19	207913.5	119864.9
2007	22605.35	90219.19	57225.12	2016	41559.01	230784	131182.3
2008	24187.72	100143.3	62904.94	2017	44468.14	256170.3	143518.2
2009	25880.86	111159.1	69095.95	2018	47580.91	284349	156964.4
2010	27692.52	123386.6	75844.14	2019	50911.57	315627.4	171620.8
2011	29631	136959.1	83199.68	2020	54475.38	350346.4	187596.2

表 6-7 2003—2020 年第二产业占 GDP 的比重及结构变异度

年份	第一产业	第二产业	第三产业	结构变异度	年份	第一产业	第二产业	第三产业	结构变异度
2003	14.9	51.5	33.6	1.0	2012	11.5	55.3	33.2	1.0
2004	14.5	51.8	33.7	0.8	2013	11.2	55.8	33.0	1.0
2005	14.1	52.2	33.7	0.8	2014	10.9	56.2	32.9	0.8
2006	13.7	52.6	33.7	0.8	2015	10.6	56.7	32.7	1.0
2007	13.3	53.1	33.7	0.9	2016	10.3	57.2	32.5	0.8
2008	12.9	53.5	33.6	0.9	2017	10.0	57.7	32.3	1.0
2009	12.6	53.9	33.5	0.8	2018	9.7	58.2	32.1	1.0
2010	12.2	54.4	33.4	1.0	2019	9.5	58.6	31.9	0.8
2011	11.9	54.8	33.3	0.8	2020	9.2	59.1	31.7	1.0

速的关系,这一时期在我国第二产业以 11%的平均速度增长的情况下,城镇就业将按照 3.1%的平均速度增长,预计到 2010 年我国的城镇就业人数将达到 3.16 亿人, 到 2020 年城镇就业人数将达到 4.29 亿人。 根据上述预测,从我国今后产业结构变动趋势来看,在一段时期内,第二产业将是我国实现充分就业的主

要产业渠道，而第一产业实现充分就业的产业空间却在逐渐缩小。但根据发达国家的经验和规律，第三产业不论其实现充分就业的数量，还是实现充分就业的增长速度，都是实现社会充分就业的主要产业，因此，现在的预测与未来实际变化情况的出入之间的矛盾是完全可能存在的。

6.2 中国实现充分就业的产业选择

6.2.1 中国就业弹性的变化

经济增长与就业增长的关系十分密切，经济增长的就业弹性系数是衡量这种关系最常用的指标。所谓“就业弹性系数”是指，就业增长速度与经济增长速度的比值。经济增长指标一般用国内生产总值指标，就业增长指标用就业率或失业率指标。美国经济学家奥肯经过实证研究发现，在3%的GDP增长基础上，GDP增长速度每提高2个百分点，失业率便下降1个百分点；反之，GDP每下降1个百分点，失业率便上升1个百分点。“奥肯定律”反映的是一种趋势性的普遍规律，但在现实经济运行中，由于受到经济结构、经济增长方式等诸多因素的影响，经济增长与就业增长关系之间会表现出不同的互动模式，就业弹性的强度和方向也会有所不同。下面通过回顾“六五”以来，我国历年三次产业就业弹性系数的变化情况，从中发现其中的某些特点，见表6-8。

主要特点：

1. 就业弹性系数呈现下降趋势（1990年异常值除外）。进入20世纪的90年代，就业弹性系数下降到0.1%左右。如果说，20世纪80年代经济的高速增长是由就业增长的支持和相伴，表现为劳动密集型经济的特点的话，那么进入20世纪90年代就业弹性系数的下降，反映的是劳动力投入在经济增长中的贡

表 6-8 “六五”以来我国历年三次产业就业弹性系数

年份	总计	一产	二产	三产
1981	0.619	0.321	2.021	0.718
1982	0.395	0.316	0.765	0.188
1983	0.231	0.114	0.384	0.557
1984	0.249	–0.070	0.724	0.884
1985	0.258	0.472	0.445	0.438
“六五”平均	0.31	0.163	0.615	0.565
1986	0.321	0.121	0.786	0.448
1987	0.252	0.278	0.332	0.459
1988	0.260	0.740	0.251	0.435
1989	0.447	0.976	–0.381	0.364
1990	4.081	2.145	4.379	7.294
1986—1989 平均	0.295	0.484	0.346	0.438
“七五”平均	0.646	1.03	0.627	0.767
1991	0.151	0.279	0.112	0.404
1992	0.082	–0.185	0.122	0.482
1993	0.093	–0.508	0.227	0.786
1994	0.099	–0.631	0.141	1.025
1995	0.106	–0.560	0.176	1.074
“八五”平均	0.103	–0.383	0.157	0.737
1996	0.138	–0.386	0.292	0.789
1997	0.124	–0.032	0.185	0.291
1998	0.066	0.089	–0.037	0.199
1999	0.127	0.539	–0.154	0.214
2000	0.100	0.249	–0.145	0.391
“九五”平均	0.112	0.017	0.049	0.371

献率趋于下降，而资本、技术等投入要素（以及非经济要素）的贡献率提高。这说明了 20 世纪 90 年代以来，我国经济增长方式发生了根本性转变的极大可能性。而经济增长方式根本转变与就业弹性系数降低的互动结果，对传统的充分就业模式和劳动

力就业增长速度可能要发生一定程度的反作用影响，充分就业的实现面临着经济增长方式根本转变过程中产业就业弹性系数降低的压力。

2. 第三产业的就业弹性系数明显高于第一、第二产业。按照表6-8反映的以往20多年来三次产业就业弹性系数的变化趋势来看，我国第三产业的就业弹性系数明显高于第一、第二产业，特别是第三产业中的各类服务业，其劳动密集程度更高。现在和今后一段时期内，我国第一、第二产业仍将是吸纳劳动力，实现充分就业数量的主要产业，但其就业弹性系数则大大低于第三产业的就业弹性系数。这表明，在国民经济快速发展过程中，第三产业的就业增长速度要大大高于第一、第二产业，特别是高于第一产业的增长速度，其就业总量到某一时期也完全有可能超过第一产业的就业总量。

6.2.2 劳动密集型产业的充分就业优势

一、劳动密集型产业的含义、特点

所谓劳动密集型产业是指，在生产过程中，劳动要素投入的价值量在全部生产要素投入的价值量中占有较大比重的产业。它更多地体现在因使用的劳动力人数较多，而使劳动要素成本占总成本比重较大的产业。劳动密集型产业的主要特点是：

1. 劳动力成本的突出性。在产品总成本中劳动力成本相对于其他生产要素成本所占的比重要大得多，因此，劳动力价格的高低对产品总价格的高低具有主要决定作用。这里说的劳动力成本通常指的是雇佣一般劳动力所支付的成本，可以用不同产业（行业）单位资本量可容纳的劳动力人数、劳动报酬占其总成本或增加值的比重等指标的对比，相对地反映劳动密集型产业属性。

2. 劳动力配置的密集性。劳动密集型产业，顾名思义是配置劳动力比较密集的产业，因此，这一产业是实现充分就业的理想产业。

3. 产业存在的长期性。产业劳动密集型产业伴随着经济发展的全过程,逐步由占主导地位阶段向占非主导地位阶段过渡。据专家研究，美国以劳动密集型产业为主导的工业化阶段持续了110年,日本持续了80年,我国台湾省持续了40年。我国的工业化进程还处于中期阶段，劳动密集型产业对经济增长的贡献和潜能尚未完全释放出来,因此,劳动密集型产业在我国工业化阶段还要持续较长的时期。

4. 产业涉及的广泛性。劳动密集型产业涉及一、二、三产业和多种所有制，覆盖城乡两大地域。因此劳动密集型产业的存在具有广泛性。

5. 产业吸纳劳动力的普遍性。劳动密集型产业涉及相当多的行业,其中许多行业对劳动者素质的要求并不太高,目前外出农民中初中以上文化程度占82.3%，基本可以适应这些行业的需要。

二、发展劳动密集型产业的客观要求

在世界经济迎来知识经济时代时，为什么又要提出发展劳动密集型产业呢？显然这是由我国面临的就业压力的严峻现实和工业化实际阶段决定的。

1. 解决严峻的社会就业压力的要求。目前阶段,我国面临着严峻的社会就业压力（有关这方面的情况在前面几章都有所介绍分析）。面对这一不能回避、不能绕开的社会压力,政府、社会、企业都在积极寻找有效解决的对策。而在许多对策、办法中,坚持发展劳动密集型产业恐怕不失为最好的办法之一了。其实理由很简单,解决严重的失业问题,实现充分就业靠的是产业发展，而那些劳动密集型产业是最具有吸纳大量劳动力就业的产业优势。据测算,每一单位固定资本所吸纳的劳动力数量,劳动密集型的轻纺部门是资本密集型的重工业部门的2.5倍，劳动密集型小企业是资本技术密集型大企业的10倍以上。因此,要解决大量失业人员的充分就业问题，理所应当地首先想到是发展劳动密集型产业。

2. 现阶段的工业化发展水平决定。发达国家和后起工业化国家的劳动密集型产业都是在工业化初期或中期有较大的发展。像日本、韩国、新加坡、泰国等国家和我国的台湾、香港地区在工业化发展初期都是依靠劳动密集型产业起步和崛起的。我国的工业化发展现只处在中期阶段。根据发达国家、后起发达国家和地区的工业化进程，工业结构从以劳动密集型产业为主转向以资本密集型产业为主,其共同特征包括:⑴农业劳动力比重下降至 30%以下且绝对量已开始减少 10 年以上，农产品商品率上升到 70%以上,农户开始了企业化经营;⑵农业人口比重下降到 35%以下,人口城市化比重上升到 55%左右;⑶农业增加值比重下降到 15%左右,对国民经济的积累作用已大为降低。相比之下,我国的农业人口比重、农业劳动力比重,都大大高于产业转换时其他国家和地区的水平,只有农业劳动力绝对量从 1996 年开始减少(见表 6-9)。除上述条件限制外,我国的农村人口、农业劳动力和农业产值的比重都还相当高,农业发展基础还不牢固。我国在这样一个发展阶段和发展条件下，要马上实现以资本密集型产业、技术密集型产业和知识密集型产业为主的产业结构，显然是不现实的。而发展劳动密集型产业则还有相当大的发展空间。[1]

3. 市场经济发展中不断满足巨大的市场需求的要求。我国是一个拥有 13 亿需求人口的消费大国。如此众多的消费人口开始进入工业化中期,进入重要的工业品和服务的生产、消费的快速增长时期,必然形成一个潜在的、巨大的消费市场。目前我国城乡人口收入差距较大，而城市人口有 4 亿多。如果只计算城市人口消费量的话,一种产品、服务的普及率若达到一个不算很高的比例，其绝对量可能就是名列世界之最了。人们的生活离不开对衣、食、住、行、用、休闲等生活消费资料和服务的需要,

1. 参阅蒋选:《我国中长期失业问题研究——以产业结构变动为主线》第 134—135 页、131—134 页，中国人民大学出版社,2004 年 4 月。

表 6-9 我国与美国、日本、(中国)台湾产业转换时相关指标比较

国家和地区	产业转换时间(1)	农业人口比重(%)(2)	农业劳动力比重(%)(3)	城市人口比重(%)(4)	农业劳动力绝对量开始减少年份(5)	农户数目开始减少年份(6)
美国	1926年	26.5	24(1920年) 22(1930年)	53.9	1911年	1936年
日本	20世纪50年代末	40.7 (1955年) 36.8 (1960年)	37.9 (1955年) 30.1 (1960年)	56.3 (1955年) 63.5 (1960年)	1956年	1960年
中国台湾省	1976年	33.7	26.7	64	1965年	1980年
中国内地	/	60.9 (2002年)	50.0 (2001年)	39.1 (2002年)	1996年	/

资料来源:蒋选《我国中长期失业问题研究——以产业结构变动为主线》第135页,中国人民大学出版社,2004年4月。

而这些生活消费资料和服务的生产和提供,又都离不开纺织、服装、食品、家具、工程建筑、服务等产业的存在。而这类产业又都基本上属于劳动密集型产业。因此可以说,现阶段发展劳动密集型产业也是市场经济发展中不断满足巨大的市场需求的要求。

三、发展劳动密集型产业的可行性条件

1. 劳动力资源优势。[1] 劳动力资源的禀赋是我国发展劳动力密集型产业最有利的条件。与国外相比较,我国具有较明显的劳动力比较优势:①劳动力资源数量的比较优势。根据第五次人口普查的有关资料测算,我国劳动力人口将呈进一步增长的趋势。

1. 参阅蒋选:《我国中长期失业问题研究——以产业结构变动为主线》第134—135页、131—134页,中国人民大学出版社,2004年4月。

到2010年，我国劳动力人口将达到10.6亿人左右。从2035年起，我国的劳动力人口将有可能开始缓慢减少。在世界人口大国中，我国劳动力所在的比重也是最高的（见表6-10）。但同时

表6-10 五大国劳动力人口（15—64岁）占世界劳动年龄人口的比重（%）

国家	1975年	1980年	1985年	1990年	1995年	1999年
中国	22.20	22.60	23.30	23.60	23.20	22.40
印度	14.90	15.20	15.40	15.70	15.90	16.20
日本	3.27	3.03	2.83	3.67	2.48	2.30
俄罗斯	3.93	3.65	3.35	3.00	2.81	2.69
美国	5.99	5.80	5.44	5.10	4.88	4.76
五国总计	50.29	50.28	50.42	50.26	49.27	48.35

资料来源:World Bank,World Development Indication Database,The World Bank,2001.

要清醒地看到，与我国其他资源的“禀赋”相比较，如：主要资源占世界总量的比重、人均资本密度的国际比较等的水平都是很低的，可以说我国一个资源匮乏的人口大国。②劳动力价格的比较优势。无论是与发达国家和地区相比，还是与发展中国家和地区相比，我国的劳动力价格都具有明显的比较优势（见表6-11、表6-12）。根据澳大利亚国立大学的一项研究，以我国特定工业产品出口的比重与全世界同种产品出口之比，作为度量我国产品在国际市场上的竞争力指标，称之为显示性比较优势指标（revealed comparative advantage index）。其结果是劳动密集型产品的该指标达到4，大大超过1，从而表明我国劳动密集型产品具有很强的国际竞争力。

表 6–11 要素相对价格的国际比较

项目		美国	加拿大	欧盟	澳大利亚	日本
要素相对价格	资本回报率 / 工资	0.47	0.79	0.34	0.58	0.25
	土地回报率 / 工资	0.47	0.22	0.91	0.28	12.13
项目		韩国	中国台湾省	中国内地	印度尼西亚	南亚各国
要素相对价格	资本回报率 / 工资	1.65	1.08	46.69	24.9	39.66
	土地回报率 / 工资	109.9	19.2	102.88	58.71	64.99

资料来源:余永定、郑秉文主编:《中国“入世”研究报告:进入 WTO 的中国产业》第 48 页,中国社会科学文献出版社,2000 年版。

表 6–12 1998 年部分亚洲国家和地区制造业的周平均工资

国家和地区	中国内地	印度尼西亚	菲律宾	泰国	马来西亚	韩国	中国台湾	中国香港
周工资（美元）	30	31.7	47.4	56.3	77.9	243	328.9	436.6
比值	1	1.07	1.58	1.94	2.6	8.12	10.96	14.6

资料来源:国际货币基金组织:《国际金融统计年鉴》,IMF,1999。

2. 劳动密集型产业的国际转移。劳动力导向战略是当前发达国家普遍采取的一种投资战略。由于发达国家劳动力成本的提高,因此,将劳动密集型产业,特别是已经标准化的、传统劳动密集型产业转移到劳动力成本较低的国家;同时,劳动力导向型战略还包括将高新技术产业中的劳动密集型生产环节转移到发展中国家。我国具有价格低廉且丰富的劳动力资源,对那些将劳动密集型产业转移到发展中国家来的要利用低廉劳动力取得成本竞争优势的跨国公司来说具有较大的吸引力。这些为我国大力发展劳动密集型产业带来了难得的机会。

例如美国跨国公司对外直接投资基本遵循着弗农（Raymond Vernon）国际产品生命周期理论，在产品进入成熟期和衰退期后，依照比较利益原则将其生产技术转移到发展中国家，选择有比较成本优势的国家投资生产。由于我国市场巨大，有丰富而廉价的劳动力资源，这些比较优势，使我国日益成为了美国对外直接投资和产业转移的重要国家。

截至2001年底，我国有外资介入的食品加工业企业1244个、食品制造业企业922个、饮料制造业企业441个、纺织业企业2301个、服装业企业3348个、皮革皮毛羽绒及其制品业企业1406个。这些行业都是劳动密集型产业，可以预见，未来外商对我国劳动密集型产业的投资将不断增加。

3. 我国劳动密集型产业发展的历史成就和成功经验具有极大的推动性。①解决了大量人口的就业问题。我国人口与劳动力占到世界的22%和26.5%，但是土地只有世界的6.5%，其他许多重要资源的人均占有量都是世界低水平的，因此，我国的比较优势在于劳动密集型产业。近20年来，我国的劳动密集型产业有了很大的发展，使相当一部分农村剩余劳动力和城市失业人员成功地转移和再就业到了劳动密集型产业中，为劳动力资源的充分利用提供了经验。②劳动密集型产业在国际市场上取得了优势，扩大了出口。我国的服装、皮革制品、电子消费品等劳动密集型产业的产品有30%以上，纺织品和轻工业消费品的20%走向了国际市场。1996—2001年间，乡镇企业劳动密集型产品出口额占同期乡镇企业出口总额的60%左右，这些都为大力发展劳动密集型产业创造了成功的经验。③促进了乡镇企业的发展和小城镇的建设。乡镇企业多为劳动密集型企业，乡镇企业的发展，既在一定程度上解决了当地劳动力的就业，又凭借低劳动力成本优势促进了企业加快发展，促进了劳动力“产业转移”与“空间转移”在一定程度上同步完成，推动了小城镇的建设，而反过来小城镇又成为劳动密集型产业发展的依托，使得劳动密集型产业与小城镇相互依存，同步发展。

6.3 支柱产业链具有广阔的充分就业发展空间

6.3.1 支柱产业的特点

在国民经济发展的特定阶段，总会有某些产业在产业结构体系总产出中的份额迅速增大，以至占有较大比重，在产业结构中占据举足轻重的地位，这类产业就是支柱产业。

一、支柱产业的经济特征：

1. 支柱产业在产业结构体系中占据举足轻重的地位。支柱产业是在国民经济产业结构体系的总产出中占据较大比重的产业。由于支柱产业的这种在总产出中占有较大比重的特性，支柱产业往往是一国财政收入的主要来源，对国民生产总值的增长和整个国民经济的发展都具有重要的作用。如果一个国家或地区的支柱产业受到突然的冲击，就会对该国家或地区的整个经济命脉造成严重的打击，从而造成经济的严重衰退。

2. 与其他产业相比，支柱产业有较高的生产率，也是大规模发展的产业。社会经济资源流向哪一个经济部门是有选择的，为了实现社会利益最大化，在一定时期内，作为支柱产业，如果要比别的产业有更快的增长速度，或者在产出结构中占据较大的比例，必须吸收更多的经济资源，这就要求支柱产业有较高的生产率。支柱产业往往也是产品需求量巨大，因而是可以大规模发展的产业。例如，有些国家或地区在经济起飞时期，由于对某些基础产业产品的需求大幅度增加，而使得基础产业成为当时当地的支柱产业。美国和日本在20世纪五六十年代借助对汽车的广泛需求大力推动发展，使汽车工业成为当时的支柱产业。

3. 支柱产业是一个具体概念，在不同的国家或地区，或者同一国家或地区的不同发展阶段，作为支柱产业的行业往往是不同的。支柱产业不是抽象的而是具体的概念，它与时间、地点、国情等因素密切相连。同一国家在不同的发展阶段上，作为支柱产业的行业会有不同。同样，在相同的发展阶段上，不同国家的支柱产业会有明显的差异。我国改革开放以来，逐步把机械电子工业、石油化工工业、汽车工业和建筑业确立为发展国民经济的支柱产业。

二、产业链的特点

产业链是指一个产业从原材料供应到产品生产再通过各种销售方式使产品满足消费者需要以及相关支持性服务的全过程。产业链从一种或几种资源通过若干产业层次不断向下游产业转移直至到达消费者的路径，它包含四层含义：一、产业链是产业层次的表达。二、产业链是产业关联程度的表达。产业关联性越强，链条越紧密，资源的配置效率也越高。三、产业链是资源加工深度的表达。产业链越长，表明加工可以达到的深度越深。四、产业链是满足需求程度的表达。产业链始于自然资源、止于消费服务市场，但起点和终点并非固定不变。这一过程中的供应、生产、销售、服务等环节就像一个环环相接、关联密切的链条一样维系着产业系统的运行。而每一环节的载体是众多的规模不等的企业和相关经济组织。而在企业、相关经济组织里吸纳着数量不等的劳动力。产业链越长，环节点越多（企业、经济组织），吸纳的劳动力也就越多。产业链具有如下主要特点：

1. 专业化分工特点。产业链的生产经营具有很强的专业化特征，这也是其能够不断成长的重要原因。专业化分工形成的社会化分工网络，把人员培训、销售、服务网络的建立、运输成本的降低、原材料的供应全部纳入到专业化的分工之中。由于高度的专业化分工，大量的劳动力得以就业，不仅缓解了就业压力，还能使生产效率成倍提高。

2. 社会化协作特点。随着产业链的发展，生产、服务社会化程度不断提高，推动服务性公众逐步从企业内部转移到企业外部，一批专业服务的企业就会出现，专业提供产前、产中、产后服务。

3. 产业链的地域化积聚与非积聚同时并存的特点。产业链的显著特征之一，是相当数量的中小企业在一定的区域内集中布局,有龙头企业带动,配套企业跟进,构成自发性企业群落,通过衍生、扩张,拓展为更大范围、更大影响的区域布局,从而集聚生产要素和释放规模效应。企业集聚,一方面带来了产品集聚,形成生产规模效应；另一方面还带来了信息的集聚、人才的集聚,甚至竞争的集聚,大大加快了企业技术创新的步伐。同时产业链发展所集聚的人流、物流、资金流以及信息流,还会带动运输、仓储、电信、餐饮、旅馆、娱乐、教育、卫生、中介服务、金融保险、房地产等行业的发展。随着产业链生产经营的社会化程度和地区经济开放程度的提高,产业链的地域化积聚空间出现跨越地域延长,就是说,一个产业链形成的地域积聚点可以延长到本市外、本省外,甚至本国外。如波音飞机的零部件制造已分布到 70 多个国家和地区,IT 业包括 IC、PC、软件、通讯设备等产业链早已横跨几大洲，现代汽车的配套半径也往往会延伸到多个城市甚至更远。

另外,产业链还存在非积聚的特点。根据产业链上不同链环节(如销售、服务等)需要分散化、个性化活动的特点,因此某些链环节存在非积聚化。这些分散的、非积聚的链环节是整个产业链不可缺失的构成部分。

4. 广泛吸纳劳动力的特点。产业链不是一个孤立的产业,也不是单独一个企业,它是由若干个产业、许多个企业相关连接而形成的产业链条。这个链条越长,表明连接的产业、企业也就越多。只有当产业的发展形成链条，就业才能够一环接一环地增长。换句话说,产业链条连接的产业、企业越多,吸纳的劳动力也就越多。一个兴旺的产业,如正在快速发展中的支柱产业,它的产业链会越做越长,因此,吸纳的劳动力也就越多。

6.3.2 支柱产业链具有广阔的充分就业空间

现阶段,我国国民经济的支柱产业主要有:机械电子工业、石油化工工业、汽车工业、建筑业。作为支柱产业,它们在国民经济中,不论是创造的GDP、缴纳的税款,还是吸纳的劳动力等都占据举足轻重的作用,其产业链延伸所形成的就业空间更加广阔。

1. 机械、电子工业

我国机械工业是全国最大的工业产业,包括金属制造业、普通机械制造业、交通运输机械制造业、电器机械及器材制造业、仪器仪表制造业、专用设备制造业6大行业,分为汽车、机床工具、电工、工程机械、重型矿山机械、石化通用机械、农业机械、内燃机、仪器仪表、文化办公机械、通用机械基础件、环保机械、食品加工与包装机械等14个分行业,共271个小行业。2002年,机械工业共有规模以上企业(国有及年产品销售收入在500万元以上非国有工业企业)41087个,从业人员1095.8万人。

机械工业是一个范围最广、门类最多、产品复杂、技术性很强的机电产品制造部门,其发展与国民经济其他产业以及人们的生活有着紧密联系,因此有较长的产业链。这也就决定了机械工业产业链具有广泛的吸纳劳动力空间。我们仅从一个单个企业来看就可见一般了。例如,格兰仕作为一家制造企业,本身就解决了1万多名员工的就业问题,如果加上其带动的配套产业链的发展,仅格兰仕一家规模大小的企业,就可以直接或间接地为社会创造近百万人的就业机会。

电子工业是在电子技术发展的基础上,制造电子元器件、电子设备和专用原材料的新兴工业部门。电子产品更新快、应用范围广,电子工业的发展与工业、农业、国防、科技、人民生活等各方面发生着密不可分的关系,其产业链延伸较长,因此产业容纳劳动力空间广大。

例如,仅从3G产业链发展来看:根据有关部门按3G(所谓3G,全称为The 3rd Generation,中文含义就是指第三代数字通信)产业链各环节分解增加就业人口来估算,头三年内估计带动增加直接就业:3G服务运营销售44万人+3G系统设备生产和设施建设112.6万人+移动终端制造销售42.6万人+增值服务40万人=239.2万人,平均每年新增就业约80万人。

2. 石油化工

石油、化学工业是国民经济的重要支柱产业,为国民经济各部门提供能源和基础原材料及配套产品,在经济建设、国防事业和人民生活中发挥着极其重要的作用。目前,全行业规模以上企业15000多家,可生产产品4万多种,该产业最显著的特点之一是几乎和所有的产业部门都有着极强的技术、经济联系,其产业链比较长,吸纳劳动力空间很大,在国民经济和人们生活中拥有举足轻重的地位。我们从中海壳牌南海石化项目产业链发展来看,有关专家称,中海壳牌南海石化项目不仅能加快惠州的工业发展,推动惠州成为我国乃至世界新兴重要石化工业基地,可以为地方直接和间接地创造上百万个就业机会,而且将带动广东塑料加工、轻纺工业、精细化工等相关行业的发展,对推动我国石化产业的发展和促进地区充分就业将起到巨大的推动作用。

3. 汽车工业

汽车产业是波及范围最广和波及效果最大的产业。从产品的生产过程来看,汽车工业对钢铁、有色金属、橡胶、塑料、玻璃、涂料等原材料工业,铸、锻、热、焊、冲压、机加工、油漆、电镀、试验、检测等设备制造业,机械、电子、电器、化工、建材、轻工、纺织等配套产品和零部件等会产生巨大需求。从汽车的使用过程看,汽车对公路建设、能源工业、交通运输业和服务业产生巨大需求,从而推动这些产业的发展,从而也不断地延长了自己的产业链。我国汽车产业创造了2000多万个就业机会。

汽车维修服务于千家万户,面对的是机、电、液一体的高科技集成物,且种类繁多,技术更新快,对从业人员的要求越来越高。国内汽车维修行业的240万从业人员,70%只具备初中文化,技工多为农民工。在我国的汽车维修从业人员中,真正具备诊断汽车故障能力的技术工人还不足20%,这样就造成了高级技工和技师的培养"真空"。而日本汽车维修行业中,这一比例达到了40%;美国汽车维修行业中这一比例高达80%。并且国外的汽车维修企业都有严格的人员认证体系。现在，国内高级维修师青黄不接，据教育部提供的数据显示，我国汽车维修人才,全国需求量在100万人左右。除了销售维修和汽车金融,在其他环节,汽车行业也有需求。例如汽车底盘设计师、车身电子系统工程师、车身设计工程师、汽车试验工程师、发动机工程师、车身结构设计工程师、匹配工程师、维修工程师等,另外,还有市场策划人才、内训师、索赔员、售后服务人员、客户服务人员、IT人员、财务人员、法务人员等。

有资料显示，汽车及零配件行业职位招聘数达到了7558个,其中以销售类和工程技术类职位为主要需求对象,城市中以上海的需求量为最大。搜索该行业的职位招聘可以看到，产品设计、机械工程、Q&A总监、销售经理、高级维修技工以及汽车电子类职位成为招聘的热门。汽车产业链包括汽车零部件业、汽车贸易业、汽车制造业。随着国内汽车拥有量增加,售后服务、维修保养、零配件更换等岗位需求越来越大。目前全球知名的汽车整车企业、零部件企业几乎都已经进入中国,国内的创维、TCL、海尔等家电企业也纷纷进入汽车电子领域。汽车行业外延的逐步扩大,带来了人员上的需求。

4. 建筑业

建筑业是我国重要的支柱产业,近年来,其增加值占GDP

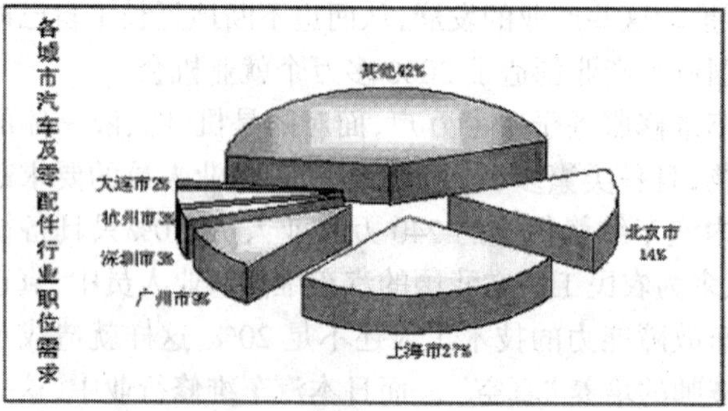

图6-1 汽车产业链带动人才需求

的比重达7%。目前,我国建筑业企业为47820个(不包括劳务分包建筑业企业),从业人员2245.2万人,企业平均规模为470人,其中大中型企业3200多个,从业人员820多万人,平均每个企业高达2500多人。建筑业与钢铁、水泥、玻璃、机械、木材、设计、装饰材料、家居用品、物业等产业有十分紧密的联系。建筑业产业链延伸很长,加之它又是一个劳动密集型产业,有很大的就业空间。特别对吸纳农村剩余劳动力就业潜力十分巨大。我国建筑业与发达国家比较还比较落后,从事建筑业的人口比例还低于发达国家,但差距同时表明,我国建筑业还有较大的发展空间(见表6–13)。

表6–13　中国建筑业从业人口同发达国家比较(1999年)

单位:%

	中国	美国	日本	德国	法国	英国	意大利
建筑业	5.6	6.7	10.2	8.6	6.5	7.0	7.5

资料来源:根据李仲生《中国的人口与经济发展》表4–4计算。

除以上的支柱产业外,食品工业产业链的发展对吸纳众多劳动力就业,特别是对吸纳众多农村劳动力就业的作用是十分突出的。食品工业是推进农业产业化的主体产业。由于食品工业与农业关联度最大,不仅大量转化了农产品,同时起到了大范围带动农产品的作用,并对服务业、运输业、包装、机械制造等相关行业产生1∶1.51∶2的带动作用。有专家估计,这条食品产业链有可能在10年内吸收1亿人就业,可使农业在城市和乡村务工务商的从业人员增加6000万个就业机会。这个预测可能受各种因素影响,但食品产业链延伸扩展提高经济总量的大趋势,是不可逆转的,食品产业链上各环节吸纳农民就业必然是今后的一条重要途径。[1]河南双汇集团产业链促进就业就是一个典型例子。双汇的奇迹除了自身的规模之外,更引人关注的是它

1. http://www.cifst.org.cn/blue/blue1.htm.

强劲的经济辐射能力。在漯河市区,每12个人里就有1人在双汇就业。双汇还带动了周边养殖、饲料等行业的发展,间接为100多万农民提供了就业机会。

6.4 企业结构、地区差异与充分就业

6.4.1 中、小企业吸纳劳动力的优势

一、中小企业具有充分就业优势的主要根据

1. 中小企业的资本有机构成低,同等数量的投资能够创造更多的就业岗位。一般而言,等量的资本投入,劳动密集型小企业创造的就业机会是资本技术密集型大企业的10倍以上。根据1995年全国工业普查资料分析,在我国,大型企业创造一个就业岗位需投资22万元,中型企业创造一个就业岗位需投资12万元,小型企业创造一个就业岗位只需8万元。同等数量的投资,中小企业提供的就业人数是大型企业的2—3倍。[1]有资料说,在固定资产投资,中小企业吸收的就业容量为大型国有企业的14倍。[2]

2. 以同样产值计算,中小型工业企业吸纳的就业容量为大型工业企业的1.43倍。[3]

3. 在发达国家,中小企业吸纳着绝大部分劳动力的就业。据相关资料,美国1993年以来新增就业机会中的2/3来自中小企业;1988—1995年,欧盟每年平均新增25.9万个就业岗位,其中绝大部分是由职工在100人以下的中小企业创造的;日本1986年中小企业的就业人数占总就业人数的76.5%。[4]对此,我

1、3. 赵国鸿:《论中国新型工业化道路》,第204页,人民出版社,2005年5月。

2. 资料来源:国务院发展研究中心信息网,http://www.drcnet.com.cn/ 12/24/2003.

4. 资料来源:《日本研究》2002年3月。

们应值得重视和借鉴。

4. 一些发达国家每千人中小企业的数量平均为50个，而我国每千人中小企业数量不到6个，如果我国中小企业数量达到发达国家70%的水平，即从目前的700万左右发展到4000万个，每个企业增加10个人的工作岗位，将增加4亿多人就业，这将从根本上解决我国就业难题，还可以将人力资源比较优势转化为巨大的竞争优势，创造大量的财富和提供大量的服务。

二、我国中小企业促进就业的成效

2003年，我国小型企业以25.87%的资产占有量创造了43.91%的就业岗位，中型企业以34.87%的资产占有量提供了33.36%的就业岗位，而大型企业以39.26%的资产占有量吸纳了22.73%的就业人口。很明显，中小企业一直是我国新增就业的主体。

2003年，我国有中小企业194238家，占工业总数中的98.99%；中小企业从业人员人数为4441.9万人，占整个工业企业从业人员人数的77.27%，这一方面反映出我国中小企业强劲的增长势头；另一方面，也反映了中小企业在解决劳动力就业和稳定社会发展方面是功不可没的。同时，国际经验也证明，发展中小企业对增加就业也是最为有效的。

6.4.2 非公有制经济是实现充分就业的重要渠道

一、非公有制经济成为实现充分就业重要渠道的主要根据

1. 目前国有企业增加就业遇到的困难。现阶段，国有企业在产业结构调整和企业深化改革减员增效的形势下，大量富余劳动力要从企业分离出来，成为下岗、失业者，国有企业对新增劳动力的需求也是有限的，因此，今后大量劳动力就业去向主要是在非公有制经济方面。

2. 个体、私营等非公有制经济已经成为推动我国生产力发展和总量增长的重要力量。随着国家财政逐渐向公共财政的转型，除了涉及国家经济安全的以外，国有企业要逐渐从竞争型行业中退出,非公有制经济必将有较快的成长,因此非公有制经济将成为吸纳劳动力就业的重要渠道。

二、非公有制经济正在成为我国扩大就业的重要渠道

改革开放以来,非公有制经济的快速发展,不仅为我国经济社会发展注入了强大动力和蓬勃生机,而且吸纳了大量人员就业。近年来,非公有制经济所创造的就业岗位一直占新增就业岗位的90%以上。2001年底,城镇个体私营和外资经济吸纳的就业人员达到9500多万人,占城镇全部就业人员的40%。实践证明,哪个城市、地区非公有制经济发展得快,城镇就业压力就小。

外商投资企业在带来资金、技术和先进管理经验的同时,也为国内提供了数额庞大的就业岗位。统计表明,截至2002年,我国累计批准设立外商投资企业424196个,合同外资金额8280亿美元,实际使用外资金额4479.66亿美元,外商投资企业直接从业人员超过2300万人,平均每年增加110万个就业岗位。因此,积极吸引外资既关系到我国经济的持续快速发展,也关系到扩大就业和社会的稳定。

6.4.3 经济发达地区、城镇具有的充分就业优势

一、经济发达地区的充分就业优势

不同区域的经济发展水平差异是客观存在的,而由经济发展水平差异所决定的就业机会也必然是有差异的。在经济发展水平较高的地区,物质基础较为雄厚,资本相对比较充裕,经济繁荣,经济扩张迅速,因而创造的就业机会就多。另外,经济发达地区的劳动收入也比较高,而推动劳动力流动的内在动因就是利益最大化,收入则是利益选择的最主要因素。因此经济发达地区可以吸纳更多的新增劳动力。反之,就业机会很有限,劳动收入较低,吸纳劳动力数量就少。就业机会多和劳动收入较高是经济发达地区吸引劳动力流入的根本原因。

改革开放以来,随着沿海开放战略的实施,我国生产要素持

续大量向东部地区集聚,尤其在资金方面,特点更加明显。中、西部地区的政府或企业纷纷到沿海地区投资设店、办工厂和经营房地产。在中、西部地区建设资金严重不足的同时,大量的资金由中、西部流向东部沿海,甚至中央用于扶助西部地区的援助贷款也部分地流向了东部地区。据统计1993—1994年,国家为扶持中、西部贫困地区的乡镇企业而向这一地区增拨的150亿元贷款,约有40%通过资本市场流到了东部地区。内地单位、企业通过金融机构将内地银行的存款拆借到沿海地区投资经商,内地企业、居民购买沿海地区企业发行的股票。东部地区利用其得天独厚的文化和地理区位条件,加上政策的倾斜,吸收的外资远远多于中、西部地区。东部地区固定资产投资所占比重大大高于西部和中部地区。资本向东部地区的大量流入,在为地区经济发展注入强大动力的同时,也创造了大量就业机会,从而吸引中、西部地区大量劳动力流动到东部地区。东、中、西部经济增长率的差别导致了人均GDP和人均可支配收入(农村居民按人均纯收入计)差距的明显扩大。1980年,中、西部人均GDP按各省份加权平均计算相当于东部的65%和35%;到2002年,它们占东部的比例分别降到49%和39%。在20世纪90年代,由于转移支付的作用,人均可支配收入的地区差别相对小些,但相对差距扩大的趋势也很明显。1980年,中、西部人均收入各自相当于东部的78%和70%;到2000年,它们占东部的比例分别降到了62%和54%。从城镇居民收入的差距来看,1980年,西部相当于东部的85%,2001年下降到71%,下降了14个百分点;而从农村居民收入差距来看,在同一时期西部与东部之比由70%下降到46%,下降了24个百分点。[1]

1990年全国人口普查的资料显示,从1985—1990年间,人口净迁入的省份主要是北京、上海、天津、广东、辽宁、江苏、福

1. 李继樊、罗仕聪:《人力经济学》第233—234页,中国经济出版社,2005年9月。

建、山东、海南等沿海省份；中部地区仅有山西、湖北为净迁入；西部地区也只有青海、宁夏、新疆三省为净迁入。进入20世纪90年代以后，人口继续向沿海地区流动，据1995年1%人口抽样调查的资料显示，1990—1995年间，沿海地区原有的9个人口净迁入省份继续是人口净迁入地外，还增加了河北省，共有10个。中部地区的湖北则变为净迁入省份；西部地区仅有新疆保持人口迁入的趋势。在1990—1995年间，东部地区吸收了全部迁移人口的56.86%，其中，由中部流向东部的人口是由东部流向中部人口的4.9倍，由西部流向东部的人口是其反向流动的4.4倍。[1]表6-14反映的是农村剩余劳动力跨地区的流动趋

表6-14 跨地区流动就业农村劳动力的流出地与流入地构成[2]

单位:%

流出地(分省)		流出地(分区)	
四川	13.6	东部	10.3
重庆	7.5	中部	55.7
江西	9.7	西部	34.0
湖南	11.6	合计	100.0
安徽	12.7	流入地(分省)	
湖北	6.2	广东	37.9
河南	9.1	福建	4.3
广西	7.2	上海	8.0
贵州	5.8	浙江	7.5
江苏	4.2	江苏	5.6
浙江	4.0	北京	6.8
其他	8.4	其他	29.9
合计	100.0	合计	100.0

1. 李微辉、薛和生:《劳动经济学问题研究——理论与实践》第209页，上海人民出版社，2005年3月。

2. 杨宜勇等:《大开放的就业——加入WTO后的就业探索》表10-7，中国水利水电出版社，2004年3月。

向，流入地主要还是集中在东部经济发达地区。[1]

以上情况表明，由于我国东部地区经济比较发达，就业机会比较多，就业数量比较大，是最吸引劳动力流入地区。可见，我

表 6-15 1978—1998 年中国从业人员与城市化变动情况

年份	全部从业人员（万）	城镇从业人员（万）	乡村从业人员（万）	城市化水平
1978	40152	9514	30638	0.179
1979	41024	9999	31025	0.190
1980	42361	10525	31836	0.194
1981	43725	11053	32672	0.202
1982	45295	11428	33867	0.211
1983	46436	11746	34690	0.216
1984	48197	12229	35968	0.23
1985	49873	12808	37065	0.237
1986	51282	13929	37990	0.245
1987	52783	13783	39000	0.253
1988	54334	14267	40067	0.258
1989	55329	14390	40939	0.262
1990	63909	16660	47293	0.264
1991	64799	16977	47822	0.264
1992	65554	17241	48313	0.276
1993	66373	17589	48784	0.281
1994	67199	18413	48786	0.286
1995	67947	19093	48854	0.29
1996	68850	19850	49035	0.294
1997	69600	20207	49393	0.299
1998	69957	20678	49279	0.340

资料来源：国家统计局编：《中国统计年鉴（1999）》，中国统计出版社，1999 年版。

1. 李继樊、罗仕聪：《人力经济学》第 233—234 页，中国经济出版社，2005 年 9 月。

国东部经济发达地区较之中、西部地区具有较强的实现充分就业的优势。

二、城镇的充分就业优势

适度的城市化对于扩大社会就业总量和城市就业是有利的。从对1978—1998年中国从业人员与城市化水平的变动情况的分析来看（见表6-15），这一结论可以得到充分的数据支持。1978—1998年20年间，我国城镇从业人员从9514万人增加到20678万人，增加了11164万人，增幅达117%，年均增加531万人，年均增长5.59%，高于同期人口增长率1倍以上。20年中，城市化水平由17.9%提高到34%，与此同时，全部从业人员平均每年递增2.94%，其中城镇从业人员平均每年递增4.04%，而农村从业人员平均每年递增2.55%，低于城镇增速1.49个百分点。因此，随着城市化的推进，引致就业机会递增是显而易见的。[1]

推进城镇化、工业化进程，大力拓展城市经济空间，是扩大就业领域，增加就业岗位，解决众多人口就业问题的根本之路。据有关专家分析测算，城镇化可以创造更多的就业岗位，我国城镇化水平每提高一个百分点，能相应带动500万个就业机会。假定全国城镇化程度平均每年提高2个百分点，五年共提高10个百分点，就可增加5000万个就业机会。目前，我国的城市化水平低，只有36%，城市化滞后于工业化。据估计，到2010年，我国城市化水平将由目前的36%提高到45%，城镇人口约由目前的4.5亿人增加到6.3亿人。可见，城市化在解决城镇就业方面也有巨大的潜力。[2]

城镇化是解决农业剩余劳动力出路的最有效办法。大量农

1．林汉川、夏敏仁：《农民就业转型的模式与对策研究》，本文为国家自然科学基金重点资助项目的阶段成果。批准号：79930400。 http://cedr.whu.edu.cn/cedr-paper/20042921514.pdf.

2．胡德巧：《促进就业与若干重大关系》，《经济研究参考》，2005年8月22日。

民工在城市就业已是事实。据有关部门统计，目前我国1.1亿农村富余劳动力中有约9000万人实际已在城镇生活。农民进城务工，60%流向东部城镇，30%流向中部城镇，10%流向西部城镇；40%在大城市，60%在中小城市和建制镇。据国家统计局农调总队的抽样调查，县域经济和第三产业是吸纳农村转移劳动力的主体，县域经济占65%，地级以上大中城市仅占35%[1]。据测算，1978—2000年，全国农村累计向非农产业转移农业劳动力1.3亿人，平均每年转移591万人，约占农村剩余劳动力存量的76.5%。[2]这一转移还将继续，据有关部门测算，到2010年，我国城市化速度如果每年能够提高1个百分点，将使2.5亿左右的农村人口转为城镇市民。[3]

1. http://www.drcnet.com.cn/temp/20050630chengshi/chengshifazhan3.htm，中国城市发展报告（2003—2004）》。
2. 国家统计局农调队课题组:《中国农村剩余劳动力就业问题对策》，2004年2月。
3. 国家统计局农调队课题组:《中国农村剩余劳动力就业问题对策》，2004年2月。

第七章

劳动力"供给改进"与提高充分就业的质量

本章所说的劳动供给管理与供给学派的供给管理有所不同。本章提出在劳动市场上加强供给管理和供给改进，是着眼于解决因供给方面的素质、结构的缺陷，导致供给与需求不对称所发生的失业。客观地分析我国失业的性质，通过供给管理和供给结构的改进，选择适当的就业促进方式，是缓解就业压力的重要思路。

7.1 结构性失业成为重要趋向

目前，我国失业的类型比较复杂。有人口过剩型失业、有体制转轨型失业、有需求不足型失业，也有结构性失业。其中，结构性失业是可以通过供给管理进行调节的。

7.1.1 失业类型

一、人口过剩型失业

人口过剩型失业是我国历史上人口失控造成的失业，主要表现为人口增长过快，从而导致劳动力增长过快，超过了社会生产吸纳能力而产生的失业。从中长期来说，我国人口快速增长惯性将会持续10—20年,今后若干年的人口自然增长进而劳动力自然增长也将逐步放缓。根据我国1953、1964、1982、1990和2000年的五次人口普查结果,我国人口自然增长率逐步呈下降态势,到2035年中国内地总人口将达到零增长。如果按照现有妇女总和生育率计算,到2030年中国人口将达到最高值14.42亿人,然后开始下降。为此,劳动力供给总量过剩是既定的趋势,不是人为的办法可以扭转的。只有在未来20—30年的等待中,伴随人口自然增长率的下降,人口过剩型失业的压力将逐步缓解。

二、体制转轨型失业

体制转轨型失业产生于计划经济向市场经济转轨过程中,由于国有企业减员增效而发生的原有职工下岗分流。1984年以来,城市经济体制改革以来,因为体制转轨进程中的职工下岗和职工分流,已经将近3000多万人,经过各地政府和社会各界的努力,相当多的下岗职工通过待岗和培训重新上岗,目前国有下岗职工还没有实现再就业的人员将近600多万人。据预测,随着国有企业和国有事业单位改制进程的加快,今后5年中还可能分流出2000多万职工,需要通过市场实现再就业。这种趋向也只能顺势而为。

三、需求不足型失业

总需求不足型的失业直接产生于社会总需求小于总供给,通过产品生产过剩而导致的企业不景气、就业不足。自从1996年我国市场格局转向买方市场以来,我国市场出现明显的生产过剩,除了少数资源型产品和城市基础设施等服务产品存在短缺外,几乎全部投资品生产都出现供过于求,大宗消费品也发生滞销。这种市场格局的改变本身也意味着我国经济已经转入需要约束型经济轨道上来,进而劳动力市场也开始受到这种需要约束经济的左右。伴随着工业技术进步、产业升级和居民收入提高,市场需求结构和消费结构的升级,纺织业、煤炭业、冶金化工、钢铁业、军工行业甚至铁路运输等传统产业出现全行业的调整压缩，各地相关行业出现全行业的人员分流、下岗和转岗。一些长线生产受市场压力被迫转产或者关闭，中国出现了真正意义上的有效需求不足性失业。按照我国市场经济体制建设的发展，这种有效需求不足型失业，将成为我国经济运行中周期性的常态现象。

四、结构性失业

结构性失业则比较复杂。除了因为经济结构和产业结构调整而发生的就业结构错落外，对于我国来说，一是大量的城市劳动力供给结构与劳动市场需求结构不对称的失业，二是二元经济转型中的结构性失业。这种结构性失业是可调控的。

7.1.2 城市劳动力供给结构与劳动市场需求结构不对称的失业

一、劳动力供给结构与劳动市场需求结构不对称的失业

城市劳动力供给结构与劳动市场需求结构不对称的失业，可以说是现代劳动力市场失衡的典型特征。结构不对称，包括劳动力品质不对称、劳动力类型不对称、劳动力空间不对称、劳动力时间不对称、劳动力信息不对称等矛盾。二次世界大战之后的西方国家的失业中，经常出现所谓"失业与就业岗位空缺"的矛盾，一方面是大批失业人员等待就业岗位，另一方面是相当数量的就业岗位空岗无人能够上岗。这其中，显然是由于当时的劳动力素质结构或质量结构不能满足劳动市场的真正需求。如今，这种"失业与就业岗位空缺"的怪现象也出现在我国的劳动力市场上。据劳动和社会保障部统计显示，目前在天津等10大城市中，一些重要岗位如保险业务员、推销展销人员、采购人员、计算机软件工程师、数控操作工、网络通讯工程师、工程施工人员、管理人员、家庭服务人员等岗位严重空缺。另据世界著名IDC的预测，1995—2000年IT行业在亚洲创造300万个就业岗位，2001—2005年在亚洲将创造425万个就业岗位。中国的IT行业企业经常抱怨，学校不能为他们提供满意的学生，知识陈旧、人次结构不合理、与市场需要有差距、动手能力差。目前，中国软件人才缺口40万人。在生物、医药、新材料、军工等领域缺少人才。目前我国高级技工占全部技工4%，而发达国家可达30%—40%。这种劳动力供给与劳动市场需求的不对称，尤其反映在"大学生就业难"的问题上。

"大学生毕业即失业"不是什么新鲜事。在世界上，不少国家或地区都存在着"大学生就业难"的问题。据国家发展改革委员会宏观经济研究院丁元竹研究，印度尼西亚大学生就业形势一直很严峻，几乎40%的学生难以就业；韩国2002年夏季毕业的21万四年制大学毕业生中，只有1万名左右被录用；印度Mysore大学有50%的学生不能找到工作；新加坡2001年国立大学毕业生的就业率是79.4%；以色列就业管理部门统计，至2001年9月，在就业部门登记找工作的大学生有1.2万人，占全国失业人口的12%；在美国，2002年只有65%的应届大学毕业生找到工作。可见，大学生就业难不足为怪。这其中，市场规律决定一切。大学生也是劳动力，不过是较为有知识的劳动力，也要受市场供求规律的制约，凡是不符合市场需求的难以找到工作，或者凡是大学生供给结构不对称的也难以就业。目前我国大学生就业难，首先是表现为初次就业率逐年降低。2002年7月我国大学毕业生一次签约率可以达到70%以上，2003年7月一次签约率仅为50%，到9月份才上升到76%。当然2003年是大学扩招后的第一年，加上"非典"影响，可能初次签约率偏低。但是今后每年都将面临大学扩招或更大规模的毕业压力。2003年全部毕业大学生212万，2004年将达到300万，以后将逐年增加。可以预见，今后大学生毕业就业难将会更为突出。

二、大学生就业群体的供给结构存在严重问题

究其原因，除了大学生自身期望值过高外，主要是大学生就业群体的供给结构存在严重问题。其一，劳动力供给价格大大高于需求价格。据华南师范大学高等教育研究所2002年调查，专科毕业生一般自己预期月收入为2000—4000元，大部分单位能够提供的为1000—2000元，甚至有的报价为1000元以下；研究生一般报价月收入期望为5000元以上，而大多数用人单位定价为3000—4000元以内。甚至较高收入的上海，对于大学生工资定价也不过1500—2000元以内。其二，劳动力流动的空间结构存在误区。大多数大学毕业生倾向于向发达地区、高薪部门或者福利待遇高的行业中流动，而边远地区、欠发达地区、低收入部门或者所谓“低层次”部门难见大学生问津。“宁要城里一张床，不要乡村一栋房”。据深圳市就业市场调查，2003年初深圳市人才招聘会上招聘单位能够提供1.5万个就业岗位，但是来自全国参加应聘的大学生超过10万人。其三，大学生培训教育结构不适应劳动力市场需求结构。目前，我国高等教育的学科结构很不合理，受市场短期热点的驱动，许多大学热衷于追逐热门专业，致使专业趋同现象十分严重，前些年的“会计热”、“国际贸易热”、“国际金融热”已经使许多毕业生大吃苦头。由于产业结构调整很快，受市场驱动的专业设置导致许多原来热门的专业没有几年光景就供给过剩。其四，现行教育制度的培养模式存在弊病，重知识传授、轻实际能力培养，导致不少毕业生缺少工作经验和实际操作能力，能说不能做。调查发现，相当多的用人单位明确表示不要应届毕业生。一些单位反映，现在一些大学生不仅实践能力不足，创新精神也差，自身毛病不少，有的学生还存在各种素质缺陷。据马陆亭在《高等教育研究》2002年第1期《用人单位对高校毕业生的录用与评价》一文的分析，用人单位对毕业生的评分与期望值相差的标准偏差值分别为：工作态度差0.71，专业知识差0.62，动手能力差0.70，创造和开拓精神差0.75，合作精神差0.76，知识面差0.69。可见，毕业生素质偏差大于知识的偏差。其五，现有的用人制度和人事管理制度依然存在不合理的地方。部分城市或单位依然按照计划经济的人事管理办法，人事档案管理、户口管理依然比较僵化，导致毕业生向其他地区流动发生困难。

7.2 “供给改进”的主要内容

7.2.1 劳动力的“有效供给”

“供给改进”的前提是界定“有效供给”。鉴于结构性失业主要源于劳动力供给结构与需求结构的不对称,改进供给水平、供给质量,实现供给与需求的对称就成为劳动力供给管理的重点。

供给改进,首先应当就劳动供给进行分解,区分“潜在劳动供给”与“有效劳动供给”。潜在劳动供给是指具备一定的劳动能力的劳动供给,有效劳动供给是指愿意并且能够为劳动力市场需求接纳的劳动供给,后者显然小于前者,就是说,并不是所有的潜在劳动供给都能够转化为有效劳动供给。这其中,既包括劳动力素质结构的不对称,也包括部分劳动力没有就业意愿,这可以说是劳动力市场交易活动的特殊性。

市场供给主体没有交易的意愿,就不可能转化为有效供给。部分劳动力具备劳动力技能但是不意愿选择就业,西方国家称之为“自愿失业”。这批自愿失业者可能有多种生存状态,或者是有他人供养,或者是自己拥有一定资产,凭资产收益生活。据笔者不完全测算,目前在全国股票市场上,6000万个人开户者中,扣除法人户头、退休人员以外的股民中,至少有10%的专业股民,即500—600万人,这批专业股民既是一种凭财产收益吃饭的人,又可以算作做投资生意的群体,但是他们在统计中不少是既不被计算在潜在劳动力之内,也不被计算在就业者范围内。另外,城乡各地中,属于劳动力适龄人口范围的,但以自我供养或者被人供养的状态存在的社会群体也不在少数。在全国10%的中高收入人口中,他们至少占其中的5%,即总人口的0.5%,即600多万人。笔者认为,对于这些自愿失业者不宜用传统的寄生者或者食利者阶层来定义,无论从现阶段社会道德规范来讲,还是从经济运行来说,这部分群体与社会无害。包括“全职太太”之类的自愿失业者,虽然没有作为生产资源发挥单体效能,但是他们作为劳动力市场的退出者缓解了劳动力市场的不平衡,作为消费者拉动了消费从而也有助于就业,这应当视为劳动力市场平衡的自动优化。至于由于劳动力素质的不对称,自然不可能被劳动力市场需求所吸收。

正是由于潜在劳动供给大于有效劳动供给,加上摩擦性、技术性和季节性等自然失业,所以全员就业是不可能的。充分就业不等于100%都就业。这不仅是劳动力市场交易活动的特殊性决定的,也是一种市场运行的内在机制。马克思就曾经说过,产业后备军的存在,可以压迫在业工人提高生产效率。适度失业恰恰是市场创造的效率机制。为此,笔者认为,我们各级政府和社会各界,不要追求所有失业者都充分就业,不要试图将所有的潜在劳动供给都转化为现实劳动供给,应当承认社会保持一定的“适度失业率”是必然的,也是必要的,我们应当尊重劳动者的选择,也要尊重劳动力市场的配置规律。

通过界定“有效供给”和“适度失业率”,剔除自愿失业,供给改进的目标只发生在愿意就业的群体范围内,潜在劳动供给的转化才能够有效。

7.1.2 “供给改进”重在改进劳动力的素质结构

潜在劳动供给与劳动需求结构的不对称,突出表现为劳动力素质结构不适应产业结构的要求。供给改进,当然应当通过改进劳动力的综合素质、专业技能、实际工作能力来适应岗位需求。这方面,一是要整体提升教育水平,二是要分类培训指导。

孔子曰:不愁无位,患所以立。意思是不愁社会没有你的位置,但愁的是你是否具有适应的能力。全民教育水平和教育规模,关系到国家的前途和命运,也关系到劳动供给的整体素质,需要通过国民教育和职工培训不断得到提升。目前,我国高等教育入学率只有10.5%,是一种典型的“精英教育”模式。据

2000年全国人口普查资料显示，我国大学以上文化程度占总人口的3.6%，初中教育程度占33.97%，高中文化程度占3.6%，小学文化程度占35.7%。另外总人口中还有6.72%的文盲，总数为8507万人。当然，城市人口中平均受教育年限要高一些。从人口总数比例来看，就业对象45%来自中等教育，36%来自小学教育，6.72%来自文盲，合计约为80%。由此可见，我国劳动力队伍整体文化教育年限较低，文化基础知识较低，与飞速发展的现代知识经济和产业结构非常不相称，从整体上不适应产业发展水平，需要社会从整体上改进劳动力教育水平。

今后，安置性再就业将逐步退出历史舞台，而劳动力供给能力的改善将成为重要的因素。城市人员、农转非人员的岗位技能和文化知识培训，成为社会一大产业，成为国家和政府下气力的业务。政府失业救济金应当有相当部分用于改进劳动力素质结构，改进供给与需求不对称的问题。为了提升劳动力的就业能力，除了整体提高受教育的水平外，现实工作中很重要的一项任务就是划分类别、区别培训、分类指导。

就受高等教育的劳动力来说，重要的是调整高等教育的结构，既要避免跟风式地创办专业学科，又要具有前瞻性。高等教育必须认真研究国家产业结构发展趋势，对未来劳动力市场需求动向和人才需求结构做出预测，有预见性地转移教育重点，避免专业设置扎堆。同时，部分高等教育必须定位于职业教育，重点传授大学生的职业的高级技能和从业经验。

从当前失业人员受教育程度来看，初中占53.1%，高中占33.9%，两者相加达到87%，可见受中等教育的群体构成我国失业队伍的多数。而我国接受中等教育的就业群体的就业能力，应当定位于一线操作人员，培训的重点应当放在专业技能方面。

此外，终身教育已经成为市场经济国家的普遍共识。由于现代科技的快速进步、传统工业的升级换代，普通劳动者在以往的学校教育中所接受的知识训练老化得非常快，在职工技能教育培训中的技能，也很难适应更新的机器设备，也难以适应不断改进的现代企业管理,劳动者只有不断接受后续培训或教育,才能形成有效供给能力。因此,继续教育将成为今后发展的热门产业。目前,我国拥有技术学校4500多所,就业培训中心2700多所,企业培训中心2万多个。但无论是数量和培训质量,距离现代劳动市场的需求还差距较大,需要社会不断扩大职业培训的规模和水平。

通过培训,改进劳动供给质量,应当逐步深化人力资源开发类型。从社会职业竞争压力来看,职业培训或者人力资源开发的层次至少分为三大类:一类为"生计型"培训,一类为"发展型"培训,还有一类为"资本型"培训。"生计型"培训主要是解决就业上岗资格问题,例如各种岗前培训和上岗证培训;"发展型"培训主要是帮助从业人员解决知识更新和发展机会的知识专业储备;"资本型"培训主要是针对高级管理人员和高级职员提供高级人力资本平台的培训。显然,随着劳动力市场竞争的升级和经济发展的程度,职工培训市场的三级培训将都会得到长足的发展。越是发达的地区和职场,"发展型"培训和"资本型"培训越发达;越是欠发达地区"生计型"培训越唱主角。我们的目标,是适应劳动力市场的发育,全面构建人力资源培训的体系,适应不同层次人力资源开发的需求,在提升全民教育水平的基础上,力求使劳动供给结构更多地适应产业发展需求。

7.1.3 "供给改进"调整就业的空间结构和时序结构

劳动供给的空间结构主要是指劳动力供给的区域布局。由于区域之间的劳动边际生产率的差别和劳动力价格的差别,劳动力向高产出率和高收入地区流动是一个自然过程。劳动力市场的资源配置的最优境界是各个地区之间劳动力边际产出率和劳动力价格趋于一致,但前提是各个区域之间没有障碍,劳动力可以实现自由流动。在美国等发达国家,经济发展比较均衡,地区差别、城乡差别不大,人员流动没有更多的制度屏障,所以劳动力流动主要看收入和福利,从而不会导致就业群体的过度集中。中国作为一个发展中国家，城乡之间、东西部之间、沿海开放地区与内地之间，不仅收入差别很大，而且就业机会也差别很大，由此导致就业群体向大城市、东北沿海开放地区集聚，尤其是高学历就业群体更是首选发达地区和大都市。由此导致边远地区人才过度“饥渴”，发达地区人满为患，失业压力巨大。

解决劳动供给的空间布局不平衡，从根本上讲，取决于区域之间的平衡经济发展，取决于落后地区的经济繁荣。在现阶段区域发展不平衡的条件下，一方面应当放宽户口限制和改变人事档案管理制度，创造劳动力自由流动的宽松环境，允许劳动者进出发达或落后地区没有户口限制和居住地限制，便于区域之间的劳动力自由配置；另一方面，国家和有关地区应当进一步出台优惠政策，鼓励劳动力到边远地区和人才“饥渴”地区就业创业。

劳动供给的时序结构主要是指劳动供给的时间差结构。劳动就业存在明显的时差因素，从宏观上讲，高出生率年代的群体进入劳动力年龄，肯定会出现就业密集高峰现象；农闲时期，劳动力市场供给也会出现集聚现象。尤其是进入每年夏秋季高等院校毕业时期，劳动力市场的供给过剩更为突出。如何缓解供给过于集中的矛盾，也是供给结构改进的重要内容。解决劳动供给高峰问题，一方面可以采取分散高校毕业时间，另一方面可以安排毕业生进行毕业实习和毕业岗前培训，缓解就业供给集中的压力。印度的学生毕业时在城里找不到工作，可以暂时回到农村，待经济形势好转后，再回到城里找工作。

加快劳动力由潜在状态转入就业状态，缩短转化时差，就需要改进劳动力的销售。劳动力作为一种商品，当然需要推销，尤其是在劳动力市场处于绝对买方市场的格局条件下，劳动力的推销更为重要。这种推销，不仅仅是劳动者个人的事，政府和社会都有责任和义务帮助劳动力推销。目前政府和社会举办的各种职业介绍机构、职业洽谈会、就业项目交易会等本身就是劳动力市场的推销行为。劳动力市场销售促进是由个人、社会和政府支付交易成本，向社会推销劳动能力的行为。作为一种供给行为,当然需要讲究销售策略。其中包括劳动力需求市场细分、市场定位、劳动力品牌营造、广告、销售渠道、公共关系、定制营销、客户关系管理等手段。目前的职业介绍、职业中介都属于销售促进。包括个人,在劳动力市场营销,都要选择市场,进行市场细分,准确定位有助于实现就业上岗。中介组织在组织毕业生销售洽谈会、人才交流会、订单销售时,细化再细化。

7.1.4 "供给改进"推动农业剩余劳动力转移

通过"供给改进",解决二元经济中失业问题,关键是将农业劳动力的潜在供给能力,转化为现实的市场需求。

二元结构转型中的失业也是一种典型的结构性失业。根据发展经济学家刘易斯的二元经济理论，由农业经济社会转向工业经济社会中,由于劳动生产率和报酬率的引导,必然发生大批农业劳动力向城市的集中。由于工农业劳动生产率落差和收入差的作用,对于城市就业岗位来说,来自农业的过剩劳动力具有无限的供给能力。发展中国家的工业化一方面在造就新的工业就业岗位,另一方面又在相对意义上排挤劳动力,加上发展中国家工业化进程的曲折，导致了无限的劳动力供给与工业就业岗位需要不足的反差。于是，一方面是农村工业化将大批农民从土地依附中剥离出来,另一方面工业经济的发展又难以吸收大量的富余农业劳动力,导致大批农业劳动力潜在失业。

农村剩余劳动力的转移通常采取两条途径，一条是向城市转移,另一条是农村工业化和城镇化。比较几次普查的结果,尽管统计口径不尽一致，但总体显示出中国的城市化速度正在加快，城镇人口比例从 1982 年的 20.55% 增加到 1990 年的 26.23%,增长了 5.68 个百分点。"五普"数据显示,2000 年中国城镇人口比例达到 36.09%，比 1990 年增长了 9.86 个百分点，速度大幅度提高。可以预计,21 世纪中国的城市化进程将进一步加快。从 1978 年到 2001 年,我国从业人员总量由 40152 万人增加到73025万人，年均增加1429万人，其中城镇从业人员从9512万人增加到23940万人，年均增加627万人，城镇从业人员占全国从业人员的比重从23.7%提高到32.8%，而农村就业人员比重由76.3%降低到67.2%。乡村就业比重下降反映了农业劳动力向城镇转移的趋势。据调查，我国目前5亿多农业劳动力中，按照现有农业生产率计算，只需要1.8亿农民即可以实现现有生产，而目前已经有将近8000多万人长期流动在各个城市的就业市场中。近些年乡村工业的发展已经吸纳了近1亿农民就业，但是由于乡办工业与城市工业的同构化，以及乡办工业缺少技术更新能力，导致近年来乡办工业的发展迟缓，吸纳剩余劳动力能力下降。目前广大农村仍然有2亿多农业劳动力实际上处于潜在失业状态。这种潜在失业主要表现为我国农业劳动生产率的长期低下和农民人均收入水平长期低下，进而制约了我国工业化进程，也制约了城乡就业规模的创造，构成一种恶性循环。目前我国经济的总体就业弹性为0.1，其中，第一产业为0.06，这意味着农业不再具有吸纳就业的潜力；第二产业为0.34，吸纳劳动力就业的能力已趋于下降；第三产业为0.54，呈现较高的吸收就业能力。所谓就业弹性，就是GDP增长1个百分点，带动就业增长的百分点。中国目前的总体就业弹性为0.1，也就是说，GDP增长1个百分点，只能带动0.1个百分点的就业增长，大约是80万人。而发展中国家的平均就业弹性大约是0.3—0.4。总的来看，20世纪80年代，中国经济增长对就业的拉动作用较大，但自90年代以来逐步减小，已经降低了2/3。

根据笔者计算，从1990年到2000年10年中，我国第一产业产值比重下降了41.33%，就业比重下降了16.64%，第一产业变动弹性为0.4；第二产业产值比重上升了22.36%，就业比重上升了5.1%，变动弹性为0.23；第三产业产值比重上升了6.1%，而就业比重上升了48.65%，变动弹性为7.98。可见，我国第一产业就业下降速度慢于产值下降幅度，说明第一产业向外转移就业人口速度太慢，明显存在着潜在失业；而第二产业产值比重上升速度也快于就业上升幅度，说明第二产业吸纳就业能力并没有随着第二产业扩大而同比例上升，事实上第二产业就业吸纳能力是相对递减的；只有第三产业就业比重上升速度超过了产值比重上升幅度，变动弹性最大，吸纳就业能力最强。

根据钱纳里多国模型的结构预测，当人均收入800美元时，劳动力在三个产业之间的配置比重依次为30%、30.3%和39.6%。而以我国2000年为例，三次产业就业比重依次为50%、22.5%和27.5%。偏差值分别为20、7.8和12.1个百分点。其中第一产业滞留了20个百分点的劳动力没有转移出去，第二和第三产业恰好缺少20个百分点的吸纳能力。这一方面说明我国农村工业化的步伐依然不快，另一方面说明城市工业化的进程就业创造能力不高。

1990—2000年我国就业结构偏差系数与变动弹性

	第一产业			第二产业			第三产业		
	产值结构	就业结构	偏差系数	产值结构	就业	偏差系数	产值	就业结构	偏差系数
1990年	27.1	60.1	+33.	41.6	21.4	–20.	31.3	18.5	+12.
2000年	15.9	50.0	+34.	50.9	22.5	–28.4		27.5	+5.7
比重改变百分率	41.33	–16.64	/	+22.36	+5.1	/	+6.1	+48.65	/
变动弹	0.4			0.23			7.98		

资料来源：《中国劳动统计年鉴》2001。

注：产值结构和就业结构指数是指三次产业产值和就业人数各占全部三次产业中的比重；产值结构比重＝某产业产值／全部产值；就业结构比重＝某产业就业量／全部产业就业总量。

偏差系数是指就业结构比重相对于产值比重相差的数值；就业比重低于产值比重的系数为负值，负值相差越大，说明该产业吸纳就业能力越弱。

变动弹性是指各个产业产值结构变动率与就业结构变动率之间的比率，公式为：变动弹性＝就业结构变动值／产值结构变动值；其中，第一产业变动弹性为0.4；第二产业变动弹性为0.23；第三产业变动弹性为7.98。弹性值越大说明该产业吸纳就业能力越强。

我国近些年的城市就业促进政策，都没有将农村剩余劳动力考虑在内，以致于连政府的失业登记都没有将农村失业统计在内。这种视而不见的政策是一种“鸵鸟政策”。姑且不论滞留在农村的停滞失业人口，单就流动于城市中日益增长的农民打工者队伍来说，事实上已经进入城市劳动力整体配置体系中了。有的城市早已规定无论是否是本市市民，只要在城市就业，就必须缴纳各种社会统筹保险。但是为什么安置就业就没有民工的份儿呢？

同样，导致我国农业劳动力转移速度慢的原因除了因为工业化吸收能力不足外，很重要的一个问题就是农业劳动力供给结构与市场需求结构的不对称。农业劳动力技术禀赋不高，大批的农业劳动力缺少现代产业必须的知识和技能，参加工业只能从事简单工作，难以全面适应现代产业的劳动需求。对于农业剩余劳动力的供给改进，一方面要坚持对农民的技术培训和技术支持，帮助农民在提高农业劳动力生产率上多投入、多产出；另一方面还要通过乡镇企业的发展，因地制宜地帮助农村劳动力提升从事现代产业的劳动技能和创业方法，帮助企业更多地消化富余农业劳动力。对于在城市中打工一族，更应当列入城市就业储备和就业培训的体系之中，帮助他们从低技术劳动逐步提高到中等技术乃至高级技术的就业水平上来。这不能视为摊薄城市就业资源，而是一种城市劳动供给的整体优化。

7.3　“供给改进”创造有效需求

经济理论强调需求决定供给，同样我们也看到现代市场经济中，供给也创造需求。当然，这种劳动市场上的供给创造需求，不同于萨伊定律。萨伊定律抛开供求矛盾，把商品交换简单等同于物物交换，认定供给可以自动创造需求，这就是教条。劳动市场的供给创造需求，必须是有条件的，也是有针对性的。劳动市场上供给创造需求，突出表现为创业式就业创造劳动需求。

首先，相对于市场对商品和服务的需求来说，社会对于劳动的需求是派生性需求。但是，作为劳动供给来说，对市场的供给却是直接的供给。例如，向市场提供一种投资咨询的服务，可以直接刺激人们获利的需求；向社会提供一种私人事务代理服务，也可以唤起人们的需求。当然，现实的需求需要现实的供给来满足，而劳动供给创造的需求，则是一种潜在的需求。为此，我们可以看到，他雇状态的就业即受人雇佣的就业多半是一种满足现实需求的供给行为，而自雇状态的就业或者创业式的就业，其中包括了相当程度上的创造市场需求的成分，因此是一种有效供给。

自雇就业或创新式就业，通过直接为社会提供某种产品和服务，其中就包含了一些新项目、新产品、新服务，直接创造了社会需求；另一方面创业式就业可能在一定程度上带动新的就业岗位诞生，产生了新的就业岗位需求。从全国各地的再就业标兵的事迹来看，这些下岗失业职工通过创办编织社、绿化队、大嫂饺子店等项目，不仅自己脱困，还安置了不少其他下岗失业职工。据统计，发达国家每千人有中小企业 550 个，我国中小企业总量 800 万户，每千人 6.4 个企业。如果达到发达国家水平，我们还需要 5000 多万个中小企业。

为此，创业扶植就应当成为社会和政府改进劳动供给的重要举措。这种创业扶植，实质上也是国家负担部分供给改进成本，发展供给创造就业需求能力的一种政府引导市场的行为。世界上许多国家在解决就业渠道时，普遍采取创业扶植政策。日本在支持失业人员创业时，采取了各种方式，其中包括：一是修改“商法”，失业人员可以用 1 日元开办公司，以后再逐步增加注册资金；二是如果失业人员自己创办企业，根据他的申请，可以从国有政策性金融机构获得上限为 500 万日元的无担保、无抵押的开业资金贷款；三是如果失业人员在护理、保育、家居装修、人才派遣等领域创办服务性企业，并在一年内雇佣 3 名失业者,将会得到最高500万日元的无偿资助。

创业扶植,由政府负担创业成本的方式可以包括减税、免税或财政贴息,让创业者无偿获得创业资金。在重庆市,下岗失业人员在社区、街道、工矿区等从事的商业、餐饮、修理等个体经营的微利项目的小额担保贷款,由财政按同期商业贷款利率,据实全额贴息。这些微利项目包括:家庭手工业、修理修配、图书借阅、旅店服务、餐饮服务、小饭桌、小商品零售、搬家、钟点工、家庭清洁卫生服务、初级卫生保健服务、婴幼儿看护和教育服务、残疾儿童教育训练和寄托服务、养老服务、病人看护、幼儿和学生接送服务等。

供给学派的拉弗曲线表达了税率与收入额的关系。对于劳动就业规模来说,税率高低也关系到低盈利项目的投资和就业岗位。我们设横坐标为就业岗位L,纵坐标为投资量I和税收T。当税收为T_1时,无人开办低盈利项目,也没有一个就业岗位;当税收降低为零时,即T_0时有人投资为I_1,就业岗位为L_1;随着投资增加I_2,就业岗位扩大到L_2,进而税收也会增加到T_2。

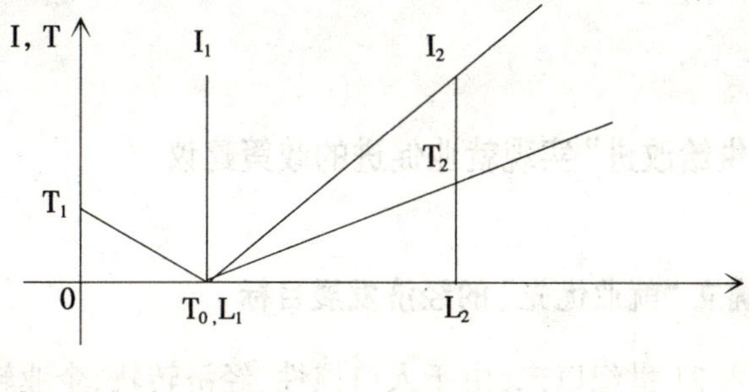

减税或免税应当成为一个大政策。这个创业项目的减税或者免税,包括所得税、营业税、牌照税以及部分行为税。

政府承担创业成本,还包括搭建创业平台,实行"一站式"服务,减少创业者的开业成本。要创办一个个体企业,从选择行业到选择场所,从筹集资金到领取执照所需要的相关手续及程序非常复杂,需要一个较长的周期,这也是困扰再就业人员的一个主要问题。南京市玄武区新街口街道办事处筹办了一个"下岗职工创业园",将分散在全市的再就业明星汇集在一起,通过为他们提供智能化的办公场所和创业平台,促进他们更好地交流信息,联动创业,并示范和带动更多的下岗失业人员在创业中实现再就业。目前,创业园已建有800多平方米的办公用房和培训场地,首批入驻企业近30家。创业园为入园企业免费办理企业工商执照、税务登记等多种服务,定期举办专业技能培训和再就业心理辅导等讲座。

1998年以来,我国一些城市开始实施"创业培训计划",重点培训部分下岗失业人员的创业技能、管理素质和企业经营技巧。上海创业培训对象主要是具有上海城镇户口、初中文化以上、年龄在18—45岁的下岗失业人员。到2001年5月,为2650名下岗失业人员提供开业策划等20多个方面的指导,已有1059人成功开业。大连市政府连续3年举办了下岗失业人员创业项目洽谈会,不仅提供培训,也提供创业项目、创业技术和创业贷款,对于推动大连市下岗失业人员创业式就业起到了很好的示范作用。

7.4 "供给改进"实现就业促进的政策建议

7.4.1 确立"就业优先"的经济发展目标

进入21世纪以来,由于人口惯性、经济转轨、企业转制、劳动岗位转换多重因素,我国就业和再就业面临更为严峻的形势。从2003年的情况看,全国城镇新增劳动力近1000万人,国有企业和集体企业下岗职工600万人,登记失业人员近800万人。三项合计,全国城镇需要安排就业的劳动力总量达2400万人。按照现在的就业弹性系数来看,经济每增长1个百分点,可以提供70—80万个就业岗位。按国民经济增长7%左右测算,2003年可以增加500—560万个就业岗位。2003年的目标是要新增800个就业岗位,年度缺口在1600万人左右。再加上大量农村富余劳动力需要转移,高校扩招后首批毕业生走向社会,以及非典疫情的影响,使得该年就业工作压力明显增大。根据数据显示,2003年上半年全国城镇单位就业人数为10941万人,比2002年同期减少166万人。其中,国有单位就业7039万人,减少48.6万人;集体单位1092万人,减少17.7万人;其他单位2720万人,减少49.7万人。如今,"就业第一",已经成为我国宏观经济调控乃至国家社会生活的头等大事。各地在制定经济发展计划时,可能会有多种目标,或是实现大城市化、或是增加居民收入,但是目前更为重要的应当把充分就业作为第一目标。大城市化如果不能实现充分就业,就应当考虑调整建设步伐;如果在居民收入提高的同时不能同时扩大就业,居民收入提高就应当让位于就业安置。

7.4.2 政府观念的转变

政府由过去的发现就业岗位转向发掘就业岗位,由单纯的就业需要管理,增加为劳动供给改善并重,以解决失业与岗位空缺并存的结构性失业。各地劳动和保障部门,首要的任务是劳动供给改进,而不是推动扩大需求,增加就业岗位。推动供给改进,劳动部门的工作定位就是解决品质不对称、类型不对称、时空不对称、信息不对称问题。通过职工培训改进劳动力的素质结构,通过职业介绍帮助劳动者进入市场、帮助劳动者自主创业。

7.4.3 政府充当创业就业中介和担保,配合扶植政策

自主创业是高级就业形式。对于失业下岗人员来说,自主创业与自谋职业是一条重要的就业渠道。但是下岗失业人员一般没有足够的资金来源,而且对国家的一些政策法规也不是十分了解,国家的税收及相关的收费也会使一些微利项目因利润太

小而乏人问津。因此,在这些方面,国家及各级政府应提供一些优惠政策及便利措施,为下岗失业人员自主创业与自谋职业营造一个良好的环境。任何政府都不可能为几亿人提供现成的饭碗,相比“安排就业”,一个公平、公正的就业环境更重要,也就是要让老百姓自己“找饭碗”、“造饭碗”。各级政府部门应不折不扣地落实中央各项再就业扶持政策,清理各种就业障碍,放宽创业领域,降低创业门槛,解决资金疑难。资金问题是下岗失业人员创业过程中的第一大难题,解决的主要途径是从银行贷款,但是大多数人又难以提供有效担保,而且贷款利息也是减少利润的重要成本。为解决就业中遇到的启动基金缺乏的困难,石嘴山市政府于 1999 年 5 月在宁夏率先建立了下岗职工再就业贷款担保基金,成立了下岗职工再就业贷款担保中心,用政府出资的 100 万元和社会捐助的 100 万元作担保金,以 4 倍为上限,为下岗失业人员从金融部门贷款作担保。之后,该市每年拿出 100 万元,逐年扩大基金,增加放贷量。4 年过去了,石嘴山市下岗职工再就业贷款担保基金已积累到 700 万元,放贷额已达 2095.7 万元,已帮助 4100 多人渡过难关,走上就业路。

7.4.4 改进失业救济方式

失业救济本身作为一种社会福利政策,目的在于通过社会共济辅助弱势群体,稳定社会秩序。但是从劳动力市场供给行为来看,失业本身就是一种调节社会劳动绩效的机制,失业救济也是一种涵养劳动供给能力的机制。不过,从实际效果来看,较好的选择应当是通过以工代赈的方式给予失业人员接济。以工代赈是凯恩斯主义的一项重要原则,社会救济应当以不损害社会效率为代价。按照以工代赈原则,凡是有劳动能力的失业人员,本身具备劳动储备,不应当指望政府和社会无偿救济,应当通过政府委托公益性劳动,通过个人劳动获取救济。这种失业救济方式,既是一种涵养劳动力的方式,也是接续劳动能力、改进劳动供给的有效方式。浙江省民政厅 2003 年 9 月出台一个规定，全省范围内有劳动能力但拒绝参加公益性社会服务劳动的城乡低保对象，将被取消最低生活保障。根据这个规定，在浙江省有50万享受低保人群中，将有10余万人要做义工。为了安排国有大龄下岗失业人员再就业，辽宁省2003年共拿出1.34亿元资金，开发10万个公益性岗位。社区巡防、交通协勤、市场协管、城管协勤、保洁、保绿等公益性岗位成为重要的就业渠道。目前这项工作进展顺利，2003年上半年共开发公益性岗位3.67万个，完成年度计划的36.7%。

除上述政策建议外，以下两点也应当给予重视：一是，不宜以期末数大于期初数的劳动力安置增加量作为考核地方政府和主管部门的指标。因为，由于各地工业化进程不同，国有企业比重不同，计划经济传统就业制度的惯性不同，以及劳动者就业观念的差异，南方和北方城市的失业队伍基数不同，就业安置的难度也不同，所以完全以就业增加量来衡量政府业绩，不一定科学。如果一定需要考核，就考核失业人员培训率、职业介绍率等指标。二是，城市政府建立分类失业统计：既要统计城市失业率，也要统计农村失业率；既要统计城市居民就业率，也要统计农村人员在城市打工人员的就业率；既要统计一般人员的失业率，也要统计具有高等教育学历人员的失业率。

第八章

政府与充分就业

8.1 政府的充分就业战略、目标

8.1.1 就业优先发展战略

一、我国就业发展战略的演变

就业发展战略是一个历史的概念。一定的就业发展战略总是在一定历史时期内，特定的社会经济、政治条件下形成的。

新中国诞生的初期，国家面临着两大基本任务：一是尽快恢复国民经济，建立起独立的工业体系；二是解决旧中国遗留下来的大量失业问题。另外，还有一个尤其重要的政治因素就是，认为社会主义就是消灭私有制、消灭剥削、消灭失业，人人都有工作。为此，我们选择了消灭失业，实行人人有工作的“完全就业”发展战略。这一发展战略在当时为大量安排劳动就业、稳定社会秩序、保证国民经济的迅速恢复与发展，让人们对刚刚建立起来的社会主义具有信心起到了积极作用，这在当时的历史条件下不失为合理的可行战略。这一战略在计划经济体制下延续了多年。

20 世纪 70 年代，出现了大批上山下乡知识青年回城，知青返城和新成长劳动力大量增加,大批劳动力在等待就业,形成了较大的就业压力。劳动力待业实质就是一种失业，但当时的体制制度并不承认失业。为反映当时城镇的这种大量劳动力等待就业的状况,政府只是使用“待业”一词,而回避失业,劳动部门建立起了待业登记制度，并计算城镇待业率。面对当时较大的就业压力，为了保持社会的稳定，政府在城镇实行统包统配政策,在农村实行自然就业,使绝大部分劳动力得到了就业安置。这实际上是延续了过去那种“完全就业”发展战略。这时的就业发展战略的实施,较稳妥地应付了当时较大的就业压力。“完全就业”发展战略是计划经济体制的产物。这种就业发展战略的实施,排斥劳动市场,经济增长不考虑社会经济发展对劳动力的实际需要,不考虑有限的资源对劳动力的吸收能力,完全由政府统包统配就业。这是一种以牺牲劳动生产率、牺牲资源为代价的,完全通过计划方式贯彻的就业发展战略。

改革开放以来,我国的经济战略发生了根本变化,由过去的片面追求总产值转变为注重市场需要；由追求高速度转变为以提高经济效益为中心；由强调不平衡发展转变为抓重点、促平衡;由重视物质技术基础建设,不注重人力因素转变为物质资源与劳动要素并重；由闭关自守转变为以自力更生为主并解决实行对外开放,以至目前的大力开放。总之,由过去那种单纯经济增长的发展观转变为全面发展、协调发展和可持续发展的科学发展观。随着经济体制改革的不断深化，我国的社会主义市场体制正在不断建立和完善。新的经济战略发展观和市场经济体制的建立制约着新的就业发展战略的选择，即市场经济体制下的“就业优先”发展战略。

二、就业优先的发展战略

随着我国市场经济体制的逐步建立，对传统就业体制的改革也逐渐市场化。1993 年以后确立了市场化的就业模式。1998 年正式确定了“劳动者自主择业,市场调节就业,政府促进就业”的就业方针。政府从计划经济时期就业的“统包统配”转到市场经济时期的政府“促进就业”。

基于改革和发展大背景下的严峻的就业形势，我国政府除了积极实施多样化的促进就业的方式外；在发展战略问题上更要有新的选择，即应由过去的“经济增长优先”发展战略转变为“就业优先”发展战略上来。提出“就业优先”发展战略的主要依据是：

1. 增加劳动者收入的需要。改革开放以来，我国人民群众的生活水平尽管有了明显改善，但绝大多数劳动者的个人资产积累水平还很低。广大劳动群众的生活改善、提高和资产积累的增加，主要依靠劳动收入的增加，而劳动收入只有在实现了就业后才能获取。社会主义经济发展的根本目的就是要不断增加劳动人民群众的收入，提高生活水平和生活质量。因此，要增加劳动群众的收入，就必须要首先保障和实现他们的劳动就业。

2. 保障劳动者劳动权益的需要。我国宪法和劳动法规定，劳动者享有平等就业和选择职业的权利。这一权利是劳动者一生中最重要的权利，也是劳动者享有其他权利的基础。实施“就业优先”发展战略，正是为了充分保障劳动者实现就业权利的要求。

3. 稳定社会的需要。严峻的失业问题，会严重影响人民群众的收入和生活水平，使劳动者的劳动权利无法得到保障。劳动者的利益一旦受到损害，就必然会引发、诱发，甚至激化社会矛盾，严重影响着社会稳定。因此，实施“就业优先”发展战略，对维护社会稳定必然会起到积极有效的作用。

4. 扩大内需、促进经济增长的需要。一般情况下，劳动者收入预期低，必然导致消费市场增速下降，影响扩大再生产，影响经济增长速度，而经济增长速度下降，又直接导致就业机会减少。反过来，扩大就业，增加收入，就是扩大内需。因此，解决好就业问题，能够提高劳动者收入预期，增加购买力，达到通过扩大内需促进经济发展的目的。

5. 考验政府执政为民的需要。政府执政的根本目的是为人民利益服务。群众利益无小事，就业是关系劳动群众利益的大事。政府能否把解决好老百姓的就业问题放在优先考虑的地位上，这是检验政府执政为民是真还是假的标准之一。

实施“就业优先”发展战略，绝不是一句空洞的口号，它应当要落实和表现在具体方面：

其一，在改革和发展的决策中要把就业问题放在优先考虑的地位上。在进行国企改革、结构调整、企业规模以及技术改造等方面的决策时，都要与减少失业、增加就业岗位结合起来，不能单纯依靠“下岗”解决改革发展中的问题。以往出现的在引进外资过程中，只重视资本、技术要素、提高效率问题，在国企减员增效中只重视增效问题，而对如何尽可能减少失业，如何尽可能消化失业，如何尽可能多地安置再就业重视十分不够的现象要坚决纠正。因此，政府要重视出台有利于促进劳动就业的政策，如鼓励和促进中小企业、劳动密集型产业发展的政策；制定把推进国企改革、经济结构调整等方面政策与扩大就业岗位、积极促进就业的政策结合起来决策。

其二，在考核政府官员时要对就业目标实现的考核优于其他目标的考核。我国政府在对宏观经济良性发展标准的四项指标是：经济增长、充分就业、低通货膨胀率、国际收支平衡。但在实际工作中，许多地方领导人都是以“经济增长优先”作为施政的主要目标，考察政府官员的政绩也往往是以 GDP 的增长为主要目标。而事实表明，经济高增长并不一定必然带来就业的相应增长，也不会自动地转化为就业机会的扩大。要更好地解决就业问题，首先必须要在战略指导思想上有一个根本的转变：即由“经济增长优先”的发展战略转变为“就业优先”的发展战略。要强化各级政府的责任，把就业作为各级政府为民办事的事实项目和“民心工程”。各级政府都应将就业列入经济社会发展目标，要把净增就业岗位作为考核各级政府政绩的主要内容，建立目标责任制，要把是否做好就业工作作为考核政府官员业绩和政策效果评价的重要指标。

其三,就业岗位的增加要优先于社会收入水平的提高。要尽量减轻由于社会收入水平提高对就业岗位的排斥。政府不能片面重视社会收入水平的提高，要重视研究在社会收入水平提高下面的通过社会收入水平结构不合理反映出来的社会就业严重不足的问题。社会收入水平的提高与就业岗位的增加要统筹兼顾,两者相比,就业岗位的增加优先于社会收入水平的提高。现在,政府控制社会收入水平的基本点应是以共同富裕为目标,扩大中等收入群体,控制两头收入高低差别悬殊的加重,而要实现这些,就必须增加就业岗位。

其四，降低失业率的调控政策要优先于其他相关的经济政策。宏观调控和相关政策的制定,应适度服从于降低失业率的要求。比如近两三年我国的失业率较高,失业人员的数量很多,政府为控制过高的失业率和积极解决下岗失业工人再就业,就特别需要政府按照“就业优先”原则,制定出台有利于促进就业、再就业的政策。

8.1.2 充分就业目标

一、就业目标

目标是人们在一定时期内从事活动所追求的方向和所要达到的目的或标准。就业目标就是政府在一定时期内从事社会经济管理活动中所要达到的就业目的或标准。

1. 就业目标的重要地位

就业目标是一个国家或地区社会发展目标的重要取向。就业事关国家、地区、组织、家庭和个人的经济利益,经济利益关系及由此关系能决定、影响到政治、社会利益关系的大事。随着人类社会的发展、进步,人的劳动保障权和就业实现权这种最基本的人权,受到越来越高的重视。1995 年 3 月,国际社会最高层次的会议——联合国社会发展问题世界首脑会议召开。该会议就解决全球领域最为重要的问题——失业问题以及与其相关的贫困问题、社会冲突问题,进行了深入的研究,“承诺将促进充分就业作为我们经济和社会政策的基本优先目标”。[1]会议《宣言》提出了“关于扩大生产性就业和减少失业的行动纲领”，并在会后推动了一系列促进就业的活动，力图解决好失业问题，保障公众的劳动就业权利，促进经济社会的发展。[2]从各国的实际情况来看，失业已给一个国家的经济、政治和社会带来了严重的不良影响，成为约束经济发展、危机社会安定的重大问题。在一些国家和地区，失业问题甚至成为了最大的社会问题。因此，控制失业，促进就业，实现充分就业成为许多国家和地区经济社会发展的重要目标取向。

就业目标是政府经济政策和社会政策的重要内容。就业问题已经不仅仅是一个经济问题，而且还是一个重要的社会问题和政治问题，因此，它受到各国政府的高度重视，成为了各个国家的政府公共政策的重要内容。一些国家，把控制失业率、达到充分就业作为经济政策之首；许多国家把减少失业、改进劳工的社会境况、救助包括失业者在内的各种困难群体，作为社会政策的重要内容。

就业目标是社会安全的组成部分和社会控制的手段。对绝大多数人来说，就业是人们获取劳动收入，实现各种利益要求的基本途径。失业就意味着失去了劳动收入，各种利益要求的实现就要受到限制。许多失业者因此会对社会产生逆反心理，进而采取危害社会的越轨行为甚至反社会行为。社会劳动者是一个数量巨大、联系广泛的庞大社会群体，他们的就业状况直接关系到这个群体的稳定，而他们是否稳定直接关系到社会是否安全稳定。因此，就业目标是社会安全的重要组成部分。从社会的角度看，在失业率较高的情况下，受到职业控制的人减少，无所事事的人增多，各种社会问题就会增加。就业在一定程度上可以起到社会控制的作用。从这个意义上说，就业目标是一种社会控制的手段。

1、2. 联合国:《社会发展问题世界首脑会宣言》，载《中国就业》1996 年第 1 期。

2. 就业目标的内涵

就业目标不是一个单一的通过一个“失业率”数字能够完全表示的概念，它是一个有着丰富内涵的概念。从现实经济运行中的就业目标来看，具体应当包括：①失业总体状况（失业率、失业人员数量）；②失业者现实情况（失业者结构、失业持续期、失业者生活状况、社会保障水平）；③就业状况（就业数量、就业增长率、就业结构、劳动参与率、就业弹性等）；④失业、就业状况预期（劳动力供给预期、劳动力需求预期）等。

在就业目标的指标体系中，失业率或就业率具有综合性、概括性的特点，因此，在许多情况下，就业目标的量化概念一般可以用失业率或就业率来表示。

国际劳工组织对社会就业问题高度关注，在国际劳工组织第122号公约——《就业政策公约》中提出“充分、自由选择、生产性”的就业纲领。该公约指出：“各会员国作为一项主要目标，应宣布并实行一项积极的政策，其目的在于促进充分的、自由选择的生产性就业。

上述政策应以保证下列各项要求的实现为目的：

（a）向一切有能力并积极寻找工作的人提供工作；

（b）此种工作应尽可能是生产性的；

（c）每个工人不论其种族、肤色、性别、宗教血统或社会出身如何，都有选择职业的自由，并有获得必要的技能和使用其技能与天赋的最大可能的机会，取得一项对其很合适的工作。”[1] 这一纲领是市场经济国家一般就业政策的指导思想，也是国际劳工组织确定的就业目标，它是就业政策领域的国际惯例。

就业目标是有时间概念的。一般可分为短期就业目标、中期就业目标、中长期就业目标、长期就业目标等。

二、充分就业目标

1. 国际劳工组织北京局：《国际劳工组织：国际劳工公约和建议书》第一卷，第376—377页，北京，1994。

提高劳动就业的数量和质量是增加劳动者收入，提高人们生活水平和生活质量的根本途径；促进和增加就业是促进社会经济发展和维护社会稳定的重要保证。因此，促进就业，实现充分就业也就成为了各国政府的重要职能。也正因为如此，各国政府一般都把充分就业作为本国的社会经济目标或国家宏观经济政策目标之一。

1. 充分就业的概念

凯恩斯认为充分就业就是“在某一工资水平下，所有愿意接受这种工资的人都能得到工作”，并把失业分为“自愿失业”和“非自愿失业”两种。在有了非自愿失业这一范畴基础上，凯恩斯才确立了相应的“充分就业”概念，按照其思想，只要解决了非自愿失业人员的就业问题，就是达到了充分就业。在凯恩斯以后，经济理论界对充分就业进行了深入研究，有两种意见具有代表性：一是认为充分就业是指劳动力和生产设备都达到充分利用状态；二是认为充分就业并不是失业率等于零，而是总失业率等于自然失业率。除了从概念角度分析充分就业之外，经济学家们还从定量的角度说明充分就业。例如20世纪50年代，有些经济学家认为，失业率不超过3%—4%就可以算作充分就业。

我国经济理论界认为，社会主义市场经济条件下的“充分就业”，应当包括如下两层含义：

①从充分就业的本质上说，充分就业是劳动要素与物质要素的充分结合。社会生产劳动是劳动要素与物质要素有机结合并生产产品的过程。充分就业实质就是劳动要素与物质要素的充分结合。从劳动要素角度讲，达到“充分就业”是指，劳动者的素质和意愿与劳动岗位的专业需要、技术要求等相符合，达到“人尽其才”；从物质要素角度讲，达到“充分就业”是指，在符合可持续发展要求和符合市场总需求条件下，社会物质要素最大限度地被劳动要素吸收，达到“物尽其用”；从二者相结合的质量角度讲，达到“充分就业”是指，劳动资源与物质资源的结合在经济运行中呈良性、不断优化的趋势，达到一种最佳的优化

配置状态。

②从充分就业的数量上说，充分就业是有劳动能力且愿意就业的劳动适龄人口基本上都能得到就业岗位。充分就业是除非劳动适龄人口中有劳动能力人口（退休尚有劳动能力的人员等）、人力人口中因各种原因不愿意就业即自愿失业人员外的人力人口都能获得就业岗位。鉴于此，在计算劳动力参与率，确定充分就业的标准时，就不应以全部有劳动能力的人口作为基数，而应将上述两类有劳动能力的人口除外。[1]

2. 影响充分就业的主要因素[2]

①人口数量、人口结构的因素。人口是决定劳动力供给量的决定性因素。劳动人口的数量与人口总量成正比关系，如果人口总量不断增长，最终必然导致劳动人口随之增长，若此种增长超过了经济增长对劳动力供给的需求，充分就业必然难以实现。人口结构也会影响就业结构的合理性。人口结构包括性别结构、年龄结构和素质结构等。性别结构中若女性比重过大，年龄结构中若青年比重过大，就会增加充分就业的困难；人口素质结构从身体素质和文化科技素质两个方面影响充分就业。如身体素质是否适应那些对身体有特别要求的产业、部门、岗位的需要。同样，文化科技素质是否适应那些对文化科技有相应要求的产业、部门、岗位的需要。

②科学技术进步的因素。一般来说，科技进步必然促进劳动生产率的提高，而劳动生产率的提高对充分就业会产生正、负两方面的影响。从负面的消极影响来看，劳动生产率的提高具有排斥劳动力的作用，科技进步将使传统产业不断萎缩，带来的结果是失业增加，就业减少。这种情况一般是在科技进步的短期内或局部范围发生的；从正面的积极影响来看，提高劳动生产率

1．参阅李继樊、罗仕聪：《人力经济学》第253页，中国经济出版社，2005年9月。

2．参考李微辉、薛和生：《劳动经济问题研究》第113—114页，上海人民出版社，2005年3月。

能增加社会剩余产品，提供资金积累，这是扩大就业的物质基础。科学技术进步必然带来整个经济社会的发展进步，带来新兴产业的不断出现，特别是推动了第三产业的发展，从而有利于充分就业。

③各种经济的因素。经济因素是影响充分就业的最重要因素。经济因素主要包括：以优先发展为特征的经济发展战略模式、经济发展速度、产业结构、经济形式等。以优先发展为特征的经济发展战略模式有两类：一类是"经济增长优先"发展战略模式，另一类是"就业优先"发展战略模式。两类样式的经济发展战略模式，对充分就业的影响显然是不同的。在"经济增长优先"发展战略指导下，经济增长与就业增长相比，经济增长更显重要和突出，甚至在有些情况下，为了经济增长的需要可能会发生降低就业增长的现象。而在"就业优先"发展战略指导下，经济增长与就业增长相比，就业增长更显得重要和突出，甚至在有些情况下，为了就业增长的需要可能会发生适当调低经济增长速度的现象。因此，"就业优先"发展战略更有利于充分就业的实现。劳动力的需求是由整个社会经济发展的需要决定的，通常情况下，经济增长速度快，对劳动力的需求也就越多，就业就会增长。但又不能把这种关系绝对化，由于大批国有企业集中在短期内完成体制改造和制度创新、整个社会加快产业结构调整、现代科技的广泛应用等因素影响，可能也会出现经济高速增长与就业增长下降同时存在的现象，近几年我国就发生了此种现象。产业结构不合理也会在宏观上限制着充分就业的实现。如在现代科技日新月异的背景环境下，若第三产业发展落后，产业比重较低，就会严重影响充分就业；再如在我国这样一个人口众多、劳动力素质普遍不高、整个社会生产力水平还较低的国情条件下，若不重视劳动密集型产业的发展，也会影响充分就业。社会经济形式也是影响充分就业的重要因素。经济形式发展多元化，特别是中小企业的健康迅速发展，既可以适应不同层次生产力发展水平的要求，又可以适应不同素质劳动者的就业需求，有利于促进充分就业。

④政府的劳动制度、宏观政策因素。政府制定的各项劳动制度、宏观政策是指导充分就业的制度性文件，是实现充分就业的政治保障。用工制度内容、形式和执行机构的效率，直接影响充分就业的实现。工资制度合理，既能吸收劳动力到劳动岗位就业，又能吸引劳动力按照社会化大生产和市场经济发展的客观要求流动。政府能否制定和出台有利于充分就业的各项经济政策，如投资政策、税收政策、财政政策、收入政策、产业政策等的制定，必然对充分就业起到最有力的指导作用。

⑤心理因素。就业意愿、职业评价、择业动机、对一系列就业行为过程及其结果预期等就业意识现象，这些都是劳动者就业心理因素的表现。它是人们对就业选择的基本出发点。就业意识影响和指导人们的就业行为，使劳动者的就业行为具有目的性、方向性和预见性，影响着人们对未来职业的选择。

3. 充分就业目标的内容

①充分就业目标的量化指标

充分就业目标的衡量性指标：城镇调查失业率。所谓衡量性指标是指用以衡量或证明充分就业目标是否实现的指标。

官方的失业率主要有城镇登记失业率和城镇调查失业率。城镇登记失业率是指，城镇登记失业人数同城镇单位就业人数、城镇私营企业及个体就业者和城镇登记失业人数之和的比。其中，目前失业登记的统计范围基本上是户口在本地的城镇人口。因为登记失业人数和城镇就业人数的统计口径不同，所以计算的城镇登记失业率是一种不准确的估计。1995 年我国建立了城镇劳动力情况抽样调查制度，自此有了调查失业率。城镇调查失业率是指，城镇调查失业人数与城镇调查失业人数和调查从业人数之和的比。城镇调查失业率计算公式是：

城镇调查失业率 = [城镇失业人数 /（城镇就业人数 + 城镇失业人数）] × 100%

调查失业率在调查口径的界定方面，借鉴了国外以“劳动时间”作为判定就业、失业标准的方法，这是我国失业统计的一大进步。但多年来，我国对外作官方发布的是城镇登记失业率，而调查失业率一直未作官方的公开数据。[1]

学术界经常关注的失业率主要是自然失业率和真实失业率。自然失业率是从西方经济学引进的概念。自然失业率是指，自然失业人数与总劳动力的比例。自然失业由摩擦性失业和结构性失业构成。自然失业率与城镇调查失业率基本上是比较一致的。城镇真实失业率是指，城镇真实失业人数与城镇真实劳动力人数的比。城镇真实失业人员包括：登记的失业人员、下岗的失业人员、流动的失业人员和毕业的失业人员；城镇真实劳动力包括：城镇劳动力人口、农村向城镇流动的人口和各类高校毕业生。[2] 城镇真实失业率的统计方法还不是参照国际通常的统计方法进行的，还缺乏国际性规范，可比性不足。

我们认为，使用城镇调查失业率用于判断我国充分就业目标是比较合适的。这主要是因为，首先，城镇调查失业率的统计方法参照了国际上通行的统计方法。例如，在城镇调查失业率的统计中只规定了年龄下限，没规定年龄上限。国际劳工组织推荐的定义中没有年龄上限，绝大部分市场经济国家也没有规定年龄上限，这有助于了解全部劳动力的情况。再如，规定在调查周内未从事有收入劳动的为调查周内从事有收入劳动的时间不到 1 小时或零小时。这也是国际通常做法。其次，城镇调查失业人数是通过抽样调查推算出来的，而失业率是通过公式计算出来的。计算过程的基本要求是：分子（失业人数）与分母（经济活动人口）应严格保持同一口径，这就克服了城镇登记失业率计算中，因登记失业人数和城镇就业人数的统计口径不同所造成计算城镇登记失业率是一种不准确的估计的问题，使城镇

1. 参阅杨宜勇：《劳动就业体制改革攻坚》第 129—130 页，中国水利水电出版社，2005年 1 月。

2. 参阅李微辉、薛和生：《劳动经济问题研究》第 162 页，上海人民出版社，2005 年 3 月。

调查失业率比较准确和可靠。第三，根据国家发展和改革委员会经济研究所杨宜勇副所长提供的较有权威的城镇调查失业率统计（见表8-1），与国内其他一些专家学者估算的我国自然失业率是一致的，就是与有的学者计算的城镇真实失业率（见表8-1）也比较接近。

表8-1 1995—2001年城镇调查失业率与城镇真实失业率比较（%）

年份	1995	1996	1997	1998	1999	2000	2001
城镇调查失业率	5.4	4.0	4.6	5.5	5.3	5.6	5.3
城镇真实失业率	4.2	6.1	6.8	6.4	6.4	6.1	5.7

资料来源:根据李微辉、薛和生:《劳动经济问题研究》第162页，杨宜勇《大开放的就业》第136页提供资料绘制。

充分就业目标的观察性指标:经济增长率、经济增长的就业弹性系数、劳动力参与率、劳动力资源数量等。

所谓观察性指标是指用以观察、分析和判断充分就业目标实现过程中的变动趋势的指标。

经济增长率是表示经济发展速度的指标。经济增长速度为实现充分就业提供了一定的宏观经济环境，为我们观察、分析和判断充分就业目标实现的形势提供了一个依赖的经济背景。一般来说，在经济发展的快速或高涨时期，实现充分就业目标就比较容易些，反之就困难些。个别时期也有例外。所谓经济增长的就业弹性系数是指就业增长速度与经济增长速度的比值，即经济增长1个百分点，相应就业增长的百分点。一般用国内生产总值作为经济增长指标，用失业率或就业率作为就业增长指标。就业弹性系数为观察、判断经济发展过程充分就业的变动趋势提供了一项依据；特别是产业就业弹性系数信息，为“就业优先”发展战略指导下的产业结构调整提供了依据。劳动力参与率是衡量劳动就业状态的一个重要指标，它反映了一定范围内劳动力人口参与劳动的程度。劳动力参与率一般是指劳动年龄内就业人口占劳动年龄人口的比率。由于我国过去计划经济体制下实行特殊的“完全就业”或“高就业”模式,形成了在世界上较高的总人口劳动力参与率。我国偏高的劳动力参与率产生的负面作用是比较明显的:过高的劳动力参与率直接增大了劳动力供给,造成巨大的就业压力,对经济结构调整、产业升级形成阻力;受教育时间短,缺少必要的教育和培训,参与劳动的年龄提前,使劳动技能偏低,影响劳动生产效率的提高等等,而这些都直接或间接地影响着充分就业的实现。劳动力资源数量指全部人口中已经或可能参加社会劳动的人口数量。包括经济活动人口和非经济活动人口两部分。前面的经济增长率、经济增长的就业弹性系数、劳动力参与率,反映和判断的是经济发展中对劳动力的需求状况,而劳动力资源数量反映和判断的是经济发展中劳动力的供给状况。

②充分就业目标的质量要求

充分就业目标要实现的质的要求就是,达到劳动力要素与物质要素结合的有效性,实现就业者的高效劳动。可以通过就业的效益指标反映出来。就业的效益指标包括:劳动生产率;生产资料的理论生产率(如设备利用率、设备产出率等);要素生产率;人均总产值;经济增长率等。[1] 充分就业目标质的要求除了以上的经济性要求以外,还应有社会性的要求,这就是社会的可持续发展和社会的和谐稳定。

③充分就业目标的实现阶段

近期充分就业目标:促进充分就业。

1998 年我国提出了“劳动者自主择业,市场调节就业,政府促进就业”的就业方针。充分就业是政府长期坚持的宏观经济政策目标之一。由于我国特殊的国情决定了我国的劳动就业与失业问题较之其他国家更为艰难和复杂,因此,我们在朝着实现

1. 参阅姚裕群:《走向市场的中国就业》第 231 页,中国人民大学出版社,2005 年 4 月。

充分就业目标的努力过程中，不仅要采用多样化的方式来促进充分就业和解决失业，而且更应该充分认识到重视劳动就业体制改革攻坚所起的作用。实现充分就业目标需要一个积极努力促进充分就业的过程，并经过这样一个过程建立起一系列促进充分就业、实现充分就业的有效途径和方式。主要包括:以国民经济持续、健康的增长来带动就业;建立和完善促进就业的政府责任体系;调整经济结构,大力发展第三产业;通过加快城市化和发展非农产业,解决好农村剩余劳动力的转移;完善劳动力市场,实行积极的劳动就业政策;大力扶持中小企业的发展;不断完善社会保障体系;注重发展教育事业,促进就业等。[1]

中长期充分就业目标:实现充分就业。

实现充分就业是世界大多数市场经济国家普遍实行和提出的就业目标和就业口号。我国正在建立社会主义市场经济体制,也完全有理由实行充分就业目标。

但对于我国这样一个具有特殊国情，市场经济体制正在建立的国家来说,要真正实现充分就业还需要一个积极努力的过程。尤其它需要在经过“促进充分就业”阶段建立和取得必要基础和条件情况下,才有可能实现充分就业,因此,实现充分就业应当作为中长期充分就业目标。

8.2 充分就业政策选择

8.2.1 充分就业政策的特点

一、开放性

就业政策的开放性主要是指打破过去那种完全由政府计划

1. 参阅杨宜勇:《劳动就业体制改革攻坚》第60—66页,中国水利水电出版社,2005年1月。

操控的封闭的就业政策。中央提出的“劳动者自主择业，市场调节就业，政府促进就业”的就业方针，并明确提出：要充分开发利用劳动力资源，统筹安排城乡劳动力，依靠社会各方面的力量，拓宽就业渠道，促进再就业，保持就业局势的稳定。这标志着我国就业政策的更加开放，更加符合市场经济规律。政府充分就业政策的开放，使得实现充分就业目标，就不只是政府自己的事，也是社会的事，是劳动者自己的事，使政府的充分就业目标的实现得到广泛的社会支持，通过各方面共同努力，使充分就业目标的实现有了最大的可能。

二、现实性

就业政策的现实性主要是指政府的充分就业政策更加贴近实际，更具有针对性和可操作性。政府的充分就业政策不仅具有宏观指导作用的大政策，如《中华人民共和国劳动法》、中央制定的“劳动者自主择业，市场调节就业，政府促进就业”的就业方针和“就业优先”的原则等，这都属于大政策；与此同时，政府更多制定的政策是解决具体的实际问题，针对性和可操作性较强的现实性政策，如政府为促进充分就业制定的“财政税费优惠政策”、“财政补贴政策”、“金融贷款政策”等等。

三、灵活性

就业政策的灵活性主要是指，政府制定就业政策重视从国情出发、从劳动就业的实际情况出发，与时俱进，并根据就业现实情况的变化而不断完善现行政策或及时出台新的政策。1997年中共十五大报告提出，要加快国有企业改革，实行鼓励兼并、规范破产、下岗分流、减员增效和再就业工程，形成企业优胜劣汰的竞争机制。因此，是以通过深化企业改革、加快技术进步、大规模调整结构来推动企业下岗人员流动。1998年要求国有企业建立再就业服务中心，逐步完善三条基本保障线，采取多种方式使1800多万下岗职工实现再就业。中共十六大报告转向提倡广开就业门路，鼓励发展劳动密集型产业，对提供就业岗位和吸纳下岗失业人员再就业的企业给予政策支持。2003年3月，朱总理在《政府工作报告》中提出,国有企业改革要坚持减员增效与再就业相结合,自谋职业和自主创业相结合,积极倡导、推广灵活多样的就业方式。这充分标志着我国就业政策的灵活性。

四、规律性

就业政策的规律性主要是指政府制定就业政策时更加重视了按照市场经济规律办事,充分运用市场调节的作用,实现劳动力的合理配置。在改革开放以前,我国没有建立劳动力市场,就业体制、就业政策呈现计划经济的特征,就业以及调配劳动力问题完全由国家统一安排。20 世纪 80 年代,伴随着国有企业放权让利到转换企业经营机制的改革进程,国有企业从新员工开始实行劳动合同制,到 1993 年逐步实现了全员劳动合同制,启动了固定工制度改革,企业与员工通过劳动合同确定劳动关系。虽然由于国有企业的计划体制还没有从根本上得到改变,劳动合同制在很大程度上还流于形式,但劳动合同制在一定范围内使企业、劳动者双方获得了自主选择的权利,为就业市场化提供了运行条件。1993 年 2 月劳动部在《关于实施 <全民所有制工业企业转换经营机制条例> 的意见》中使用了“劳务市场”一词,第一次把就业问题与劳动力市场联系起来;1993 年 12 月,劳动部制定了《关于建立社会主义市场经济体制时期劳动体制改革总体设想》,把通过劳动力市场实现劳动力充分就业和合理流动作为即将建立的新型劳动就业体制的内涵之一。1994 年通过的《中华人民共和国劳动法》为就业市场化提供了法律保障。自此就业市场化进入发展阶段。按照新的就业体制和就业政策的要求,国有企业可以遵循市场经济规律调配劳动力资源。与此同时,非国有经济更具有自主用工、自主分配的经营特点,可以直接通过劳动力市场进行劳动力资源培配置。我国劳动力就业体制和就业政策的市场化演变过程说明,按照市场经济规律办事是就业政策成功演变的主线。

8.2.2 充分就业的政策选择

一、积极的就业政策

就业是民生之本。我国是一个劳动力资源大国，目前又正处于体制改革的深化期和社会转型期，就业矛盾突出。扩大就业、促进再就业将是我国现代化建设进程中需长期关注并要积极解决的重大经济和社会问题。《中共中央关于完善社会主义市场经济体制若干问题的决定》提出，把扩大就业放在经济社会发展更加突出的位置，实施积极的就业政策。从宏观层面上看，积极的就业政策指以促进就业为取向的宏观政策体系，即不仅要将就业作为经济增长的前提和经济运行的结果，而且要将之作为经济发展的基本目标，在产业结构和产业布局的调整以及经济增长方式和增长速度的确定等重要决策中，充分考虑各项措施的就业效应，将能否促进就业增长作为宏观经济决策的基本原则。政府的目标是多重的，包括经济增长、市场稳定、社会公平和充分就业等，在经济发展的不同阶段，政府目标的侧重点也有所不同。根据我国当前的实际状况，将就业增长作为宏观政策体系的重心，在经济快速增长的同时实现就业增长，有效解决我国因经济结构调整和体制转型带来的严重的失业问题，有着重要的意义。从微观层面看，积极的就业政策主要体现在政府对劳动力市场的主动干预上。市场机制仍然是劳动力资源配置的主要手段，但市场机制是以效率为中心的，在市场经济条件下，劳动力只是一种生产要素，和资本等其他生产要素一样，劳动力的需求是一种派生的需求，是附属于产品生产的。这显然与将人本身作为直接目的的社会价值观相冲突。而且，市场功能本身是有缺陷的，例如在劳动力市场上的歧视问题、不同特征的劳动者之间的分割问题、结构性失业问题等等，都不可能通过市场本身得到解决。所以，通过政府对市场的主动干预来引导市场行为，弥补市场功能的缺陷，从而实现整个社会福利的最大化，是十分必要的。具体来说，政府对劳动力市场的积极干预包括：鼓励发展劳动力密集型产业以创造更多的劳动力需求，通过发展正规教育、提供职业培训和劳动中介服务来影响劳动力供给水平和供给结构，提高劳动者的就业能力，通过立法的手段反对就业歧视，保证不同群体有公平的就业机会等。

我国当前的积极的就业政策包括的主要内容是：保持快速稳定的经济增长速度，从而拉动劳动力需求的持续增长，扩大就业需求总量；鼓励发展劳动密集型产业、中小企业、第三产业和非公有制经济，多渠道开发就业岗位；通过大力发展基础教育来提高劳动者的素质，提高劳动者首次进入劳动力市场的年龄，缓解新的劳动群体对就业市场的冲击；通过就业服务和职业培训促进劳动力市场供求之间的合理匹配，减少摩擦性失业；对就业困难群体进行援助，包括培训、提供就业信息以及提供必要的政策支持（资金、税收等），以帮助他们实现就业和再就业；完善劳动力市场体系，修复劳动力市场功能的缺陷，消除对特定群体的就业歧视，创造一个良好的就业环境。

二、灵活就业政策

在国际上，灵活就业大多与非全日制就业和非正规部门或非正规经济就业的定义相关。劳动和社会保障部科学研究所课题组在其所撰写的《我国灵活就业问题研究报告》（2002年）中根据我国实际情况对灵活就业作出如下定义：灵活就业是指，在劳动时间、收入报酬、工作场地、社会保险、劳动关系等几个方面不同于建立在工业化和现代工厂制度基础上的、传统的主流就业方式的各种就业形式的总称。灵活就业形式主要包括：非全日制就业、临时就业（包括短期就业、派遣就业、季节就业、待命就业）、兼职就业、远程就业、独立就业、承包就业、自营就业和家庭就业。它的特点主要是：灵活就业形式以自营就业和家庭就业为主；灵活就业的产业空间主要分布在第三产业；从事灵活就业的主要群体普遍存在文化和技能水平偏低，年龄偏大的实际情况。

目前，我国发展灵活就业具有明显的两个方面的实践意义：

⑴就业门槛低、行业和门类庞杂，比较适合于我国城镇大多数下岗失业人员实现再就业的需要。随着产业结构的调整，劳动市场对那些低技能、低劳动生产率、低收入行业的劳动力的需求大幅度下降，而从公有制企业的体制改革当中分离出来的下岗失业人员，绝大多数是文化水平和技能水平较低、年龄偏大人员，他(她)们缺少就业竞争优势，难以进入到新的部门就业。在这种情况下，各种灵活就业形式，由于具有对技能和资金的要求不高，进入的门槛低、行业和门类庞杂、包容性大等特点，成为那些下岗失业人员实现再就业的主要渠道。根据劳动和社会保障部的统计，目前我国已有70%以上的下岗失业人员进入灵活就业领域。⑵机制灵活、进退方便，有利于劳动力流动，形成竞争和激励，促进劳动力素质提高。灵活就业形式，特别是自营就业和家庭就业形式，在用工、工资、纪律等方面管理机制灵活，人员进出、流动方便，有助于形成劳动力竞争，促进劳动力素质的提高。

国家实行鼓励灵活就业的政策。通过实行灵活就业政策，广开就业门路，拓宽就业渠道，努力促进充分就业。1996年上海市政府首次提出了“非正规劳动组织”概念。非正规劳动组织就业主要是通过为社区居民提供各类服务，为企业提供各种临时性、阶段性的劳务，以及参加城市环境维护方面的公益性劳动，在社区中发展家庭手工业、开办工艺作坊等形式。为此，上海市政府出台一系列的具体政策、措施，支持和引导非正规劳动组织的有序发展。从1997年以来，上海全市通过发展非正规劳动组织，已安置就业16万人，其中97%是下岗失业人员。

三、重视发展就业率较高的产业

劳动密集型产业和第三产业都属于就业率较高的产业。劳动密集型产业是和资本密集型产业或技术密集型产业相比较而言的，它具有劳动力配置密集、产业存在长期、产业涉及广泛、产业吸纳劳动力普遍等特点，是具有能较多吸纳劳动力就业空间的产业。我国人口多是不争的事实，人口与劳动力占到世界的22%和26.5%，但人均资源稀缺，资金不足，技术和发达国家相比相对落后，因此，我国丰富的劳动力资源，成为大力发展劳动密集型产业的比较优势。近20年来，我国大力发展民族工业，尤其是发展劳动密集型产业，相当一部分农村剩余劳动力成功地转移到了非农产业，使得劳动力资源得到了比较充分的利用。表8-2表明，从1999年以来，尽管农村劳动力从事农林牧渔业的人数略有减少，但是和其他几个行业相比较，仍占绝对优势，解决了相当一部分农村劳动力的就业问题。其他几个行业吸纳的农村剩余劳动力呈逐年上升趋势，除邮电通讯业外，农村剩余劳动力从事的多是表中几个行业的劳动密集型产业的工作。

表8-2　我国农村劳动力就业的行业分布

单位：万人

年份	农林牧渔业	工业	建筑业	交通运输仓储及邮电通讯业	批发零售、贸易业、饮食业	其他非农产业
2001	32451	4296	2797.4	1205.4	1864.5	5614.6
2000	32797.5	4108	2691.7	1170.6	1751.8	5441.9
1999	32911.8	3953	2531.9	1115.8	1584.6	4799.3

资料来源：李贤沛、胡立君：《21世纪初中国的产业政策》表6-1。

经济的多元性是我国经济发展的一个重要特征，先进的工业和落后的农业并存、手工作坊和自动化生产并存，使得劳动密集型产业和资金密集型产业、技术密集型产业共存于我国社会的不同地区和领域。从各行业的就业人员数量来看，劳动密集型产业仍然占主导地位。截至2001年底，我国农林牧渔业、制造业、社会服务业共有就业人员42024万人，占各行业总就业人数的57.55%，上述三个行业中多是劳动密集型产业，加上其他行业中劳动密集型产业，该产业的就业人数绝对超过总就业人数的50%。从新提供的就业岗位来看，我国汽车、机械、钟表行业将有107.8万人下岗，而食品加工业、纺织业、服装业和建筑业等劳动密集型产业将提供9199.5万个就业岗位，远远大于资金和技术密集型产业所能提供的岗位。由此可见，我国独特的国情决定了在未来相当长的一段时间内，劳动密集型产业将占主导地位。[1]大力发展劳动密集型产业也是我国未来在社会经济发展过程中努力促进充分就业和实现充分就业的历史任务。因此，大力发展劳动密集型产业必将成为我国今后实现充分就业目标的政策选择。

在三次产业中,第三产业是吸纳劳动力就业最多和最有就业潜力的产业。1979—2000年,我国三次产业的平均就业弹性系数分别为0.06、0.34和0.57,这表明第一产业已无吸纳就业的潜力,第二产业的就业弹性也在下降,只有第三产业保持了较高吸纳就业的能力。20世纪90年代,我国第三产业增加值每增长1个百分点,平均增加就业岗位就达85万个。目前第三产业是我国吸纳新增劳动者就业的主体行业，占劳动力总需求的73%。[2]1993—2002年的10年间,我国增加就业人员7367万人,其中,第三产业有7019万人,占增加就业人员总数的95.28%。从发展的态势看,我国第三产业正处于加快发展、扩大规模的上升期,伴随着工业化、城市化进程加快,第三产业吸纳就业人员数量将可能突破城镇从业人员总数的50%。[3]当然这与发达国家的70%还有明显差距,但这同时也说明,我国第三产业的发展空间还很大,吸纳劳动力就业的空间也还很大。因此，大力发展第三产业也必将成为我国今后促进充分就业和实现充分就业目标的政策选择。

四、促进充分就业的财政税收、金融政策

政府在促进充分就业过程中，除了制定相关的总的指导方

1. 参阅李贤沛、胡立君:《21世纪初中国的产业政策》第184页,经济管理出版社,2005年3月。
2. 参阅赵国鸿:《论中国新型工业化道路》第202页,人民出版社,2005年5月。
3. 参阅李继樊、罗仕聪:《人力经济学》第268、277—280页,中国经济出版社,2005年9月。

针、发展战略、产业政策以外，还要制定相关的具体的财政、金融政策来促进充分就业。

1. 促进充分就业的财政税收政策。主要包括两类：①财政税费优惠政策。它是政府通过向企业提供一定的税收、行政收费减免优惠以增加就业的政策。近些年来，在全球性失业率上升，就业压力加大的情况下，许多国家都采取了减免部分税金以鼓励和支持企业招雇或避免解雇工人的做法。近几年，我国政府也实施了一系列减免税费的优惠政策促进就业、再就业。国务院规定，国有企业的下岗失业人员、国有企业关闭破产需要安置的人员等自谋职业、自主创业，免除属于管理类、登记类和证照类的所有各项行政事业性收费；对下岗失业人员自谋职业实行税收优惠政策。下岗失业人员从事个体经营（国家限制的行业除外）的，3 年内免征营业税、城市维护建设税、教育费附加和所得税；对吸纳下岗失业人员就业的服务型企业实行减征税收。②财政补贴政策。这是国家通过直接扩大财政支出，直接拨款以补贴的方式促进失业人员就业的财政政策。这种财政补贴政策，主要用于政府对失业保险基金提供财政补助，以弥补因社会失业人员增多而形成的经费缺口；用于职业培训和转岗培训、职业介绍等补贴，社区劳动和社会保障工作经费和人力市场信息网络建设投入，以改善人力市场运行，促进就业、再就业。财政投入政策除了以补贴的方式扶持就业和再就业外，政府还应对直接投资开发具有就业潜力的领域，增加就业岗位以缓解高失业率带来的社会压力。如政府投资基础设施建设、环保产业、公益服务业等。这些方面的发展前景和开发就业岗位的潜力都非常大。

2. 促进充分就业的金融贷款政策。这项政策就是通过银行向失业人员自谋职业、自主创业提供担保资金和低息贷款，或以贷款贴息的方式促进充分就业的政策。这是许多国家在促进充分就业过程中普遍采用的政策。我国省（自治区、直辖市）和地级以上城市都由政府筹集资金建立了下岗失业人员贷款担保基金，为下岗失业人员、大中专毕业生和劳动年龄内的退伍士兵自谋职业、自主创业提供小额贷款担保、贴息。其贷款额度一般在2万元左右，贷款期限最长不超过2年。对使用该项小额贷款从事微利项目的，由中央财政据实全额贴息。例如，重庆自2002年推行小额贷款政策以来，截至2004年，全市财政已投入担保资金5550万元，发放贷款7605万元，帮助6611名失业人员实现了再就业。重庆对招用下岗职工人数达到一定比例的企业，实行贷款贴息。近5年来，重庆市共扶持再就业重点企业275户，帮助这些企业落实贷款12.24亿元，贴息3123万多元，这些企业为下岗职工和失业人员提供了10.2万个就业岗位。这些政策对促进充分就业的效果非常明显。

除上之外，加快中小企业发展，加快推进城市化建设等也都是我国在促进充分就业和实现充分就业目标过程中重要的政策选择。

8.3 政府的充分就业服务

8.3.1 建立和完善促进充分就业的政府责任体系

一、政府在促进和实现充分就业中的责任

在计划经济体制下，政府是完全包办就业，其结果是高就业、低效率，对此必须进行改革。在建立和完善市场经济体制条件下，基于目前改革和发展大背景下的失业、就业形势，政府还要不要承担管理责任？世界银行在其《1997年世界发展报告——变革中的政府》一文中说的好："历史反复地表明，良好的政府不是奢侈品，而是非常必要的。没有一个有效的政府，不论是经济的还是社会的可持续发展都是不可能实现的"。[1]在解决我国

1. 世界银行：《1997年世界发展报告——变革中的政府》第1页，中国财经出版社，1997年版。

改革和发展过程中面临的严峻的失业与就业问题当中，同样需要政府的参与和作用的发挥，需要政府承担应有的重要责任。政府的责任应集中在通过实施多样化就业方式积极促进就业与制定就业优先化的战略上来。具体来说，这种责任主要包括：在发展经济的过程中千方百计地创造更多的就业岗位，把失业率控制在正常范围之内；构筑统一、高效的劳动力市场，为所有求职者平等地提供各种有效服务。在就业服务过程中，要特别关爱社会“弱势群体”的就业，逐步消除劳动力市场上在性别、年龄、残疾等方面的歧视；通过立法和监督，反对欺诈、垄断等不法行为，维护就业竞争的公平性，保护劳动者的合法权益；大力发展教育产业，让劳动者拥有一个公平的、更好的受教育机会，以便进一步提高劳动力的素质，努力完善社会保障制度；运用经济政策和社会政策促进劳动力市场的流动性。所有这些都是政府不可推卸的责任，其作用在于弥补市场经济的缺陷，在公平、公正的基础上实现社会的发展和稳定。[1]

二、建立促进和实现充分就业的政府责任体系

为了发挥好政府在促进和实现充分就业中的管理功能，有效落实政府的责任，需要建立和完善政府责任体系。主要包括：⑴各级党委和政府对本地区充分就业工作负主要责任。促进和实现充分就业是各级党委和政府的重要职责。各级党委和政府要把控制失业率和增加就业岗位作为宏观调控的重要指标，纳入国民经济和社会发展计划。要把净增就业岗位，落实就业政策，强化就业服务，加大资金投入和帮助困难群众就业纳入各级各部门的考核体系，量化指标，层层分解，督促落实。⑵各部门和各社会团体要切实履行职责，协调配合，积极促进充分就业。劳动和社会保障部门作为就业工作的主管部门，要加强对就业工作的协调和指导，提供及时有效的就业服务和社会保障；工

1. 参阅杨宜勇：《劳动就业体制改革攻坚》第59—60、61—62页，中国水利水电出版社，2005年1月。

商、税收管理部门要及时制定、调整和完善有利于促进充分就业的行政法规，减少行政审批程序，保护广大工商业户的利益，为促进充分就业创造良好的自谋职业、自主创业环境；教育部门要着力提高劳动力素质，并采取减免费用等措施，解决好就业困难群体子女上学问题等。(3)充分发挥基层党组织和思想政治工作在促进充分就业工作中的作用。在实施企业改制重组，关闭破产，下岗分流和再就业过程中，要把保障群众生活，促进就业和维护社会稳定作为各级党组织的主要任务，依靠政治优势，充分发挥各级党组织尤其是基层党组织的政治核心作用，发挥党员的先锋模范作用，做好深入细致的思想政治工作。[1](4)建立和完善社区就业管理机构。在政府系统成立各级社区就业领导、协调机构，建立社区就业的行政推行机制，并在资金、场地、基础设施等方面予以投入并发挥主导作用。街道和居委会等基层社区组织在政府机构（如社区就业服务工作委员会）领导下，兴建基础设施、拓宽就业领域，具体负责社区就业安置和具体事务管理。通过社区动员社会各界广泛参与各项具体的就业活动，广泛促进充分就业工作。

8.3.2　政府的充分就业服务

劳动就业问题是一个涉及到政府、社会、企业、家庭、个人等诸多方面的现实问题，是一个与国民经济和社会发展有十分密切关系的重大问题。为了保证这一重要现实问题在实践中的有效解决，政府劳动就业服务部门、机构应当坚持以下指导思想。

一、政府就业服务的指导思想

1. 充分就业服务要立足于社会。劳动就业工作其本身的性质就是社会性的。在计划经济体制下，我国劳动部门执行的不是社会服务职能，而是劳动要素分配的管理职能。市场经济体

1. 参阅杨宜勇：《劳动就业体制改革攻坚》第59—60、61—62页，中国水利水电出版社，2005年1月。

制的建立,政府职能的转变,使我国的劳动就业部门开始恢复其社会性质,担负起研究宏观形势、促进就业、解决劳动方面社会问题的重要职能。具体来说,政府的劳动就业服务系统在政府就业政策的制定、就业工作重点选择等重大就业问题方面,在职业介绍、职业培训、举办劳动服务网点、保障失业者生活等具体工作方面,都能体现出重要的社会价值。我国目前正处于经济持续快速发展和改革全面深化的时期,面对城镇严峻的失业、就业、再就业问题,面对大规模农村剩余劳动力转移进城的现实,政府的劳动就业服务部门要发挥更加有力有效的促进就业作用,全面落实充分就业目标的实现。

2. 充分就业服务要立足于经济。一个国家的就业状况从根本上说是由本国的经济发展水平决定的,通过劳动力市场供求关系变化及其市场运行实现的。计划经济体制下,就业工作仅仅作为计划配置劳动力的执行工作,政府的劳动就业部门"为分配就业而安置就业",完全违背了劳动就业的经济性规律。在社会主义市场经济体制下,实现就业必须要立足于经济。政府劳动就业部门的就业服务工作要从社会经济发展和劳动力市场供求关系出发,既要立足于宏观经济发展对劳动力的总需求趋势,又要研究和把握社会用工单位对劳动力的实际需求可能;要立足于劳动力市场机制的培育,立足于劳动力供求双方的双向选择。

3. 充分就业服务要立足于人。劳动权和就业权是最基本的人权之一,它是劳动者普遍追求的目标。国际劳工组织的《就业政策公约》指出:"每一个会员国都应当为了鼓励经济增长和发展、提高生活水平、满足对劳动力的需求以及克服失业与就业不足而宣布和执行一项积极的政策,促进充分的、生产性的和自由选择的就业,并把它作为一个重大的奋斗目标。这项政策的目的是要确保所有可以工作并在寻找工作的人都有工作可做,而且这样的工作应当尽可能是生产性的;还要保证人人享有选择职业的自由,并且有尽可能充分的机会获得为了做适合于他的工作而需要的资格以及实现人尽其才，而不论他是什么种族、肤色、性别、宗教、政治观点、民族血统或社会出身。”[1]公约的立场十分清楚，充分就业目标的目的就是服务于人，确保人人有工作可做，确保人人享有选择职业的自由。就业是民生之本，解决好就业问题是党和政府的根本大事和根本任务。政府的劳动就业部门、机构是介于用人单位和求职者之间的协调者、服务者，且偏向于为劳动者服务，保护劳动者权益。因为与用人单位相比，广大求职者显然是弱者，是需要政府和社会给予一定保护的。就业服务工作要立足于人，就是要注重搞好人力资源的开发利用，使得人尽其才。具体说就是，就业服务要为人的自由择业、自强创业、自主劳动、自由流动和劳动者个性的充分发展，提供良好的场所、信息和制度等方面的服务，要对人们进行合理的职业指导，帮助他们搞好职业生涯设计、搞好职业选择、搞好就业后的职业转换，为劳动者的发展创造更好的环境和条件[2]。

4. 充分就业服务要立足于科学。就业问题本身属于经济问题，它要涉及宏观经济、产业经济、企业经济、劳动力市场等经济学；解决就业问题是一个系统的管理问题，它要涉及管理学、政策学、法学、社会学、职业指导理论等；就业是各种人的劳动职业选择、安置问题，它要涉及人才学、心理学等。因此，政府要做好就业服务、指导工作必须要立足于科学。从我国就业工作的理论和实践来看，当前要研究的问题主要有：就业的性质与地位、就业形势与就业战略、地方就业格局与就业政策的制定、实用职业分类和各类职业的规范、人力资源供求预测、职业信息网络建设、失业者状况分析、择业者结构、个人条件与择业倾向、职业能力与个性测量、职业介绍机构的建设，等等。[3]

---

1. 参阅姚裕群:《走向市场的中国就业》第274页，中国人民大学出版社，2005年4月。

2. 引自王家宠:《国际劳动公约概要》第74—75页。

3. 参阅姚裕群:《走向市场的中国就业》第274页，中国人民大学出版社，2005年4月。

二、政府的充分就业服务体系

我国从20世纪80年代开始，经过长期的劳动就业服务实践，形成了一套劳动就业服务工作体系。这套体系的主要内容包括:进行失业登记、开展职业介绍、提供就业训练、组织生产自救、发放失业救济、开展职业技能鉴定、农村进城劳动力就业服务等。以下主要介绍四种形式:

1. 职业介绍。主要任务是求职登记、企业用工调查登记、劳务市场信息收集、就业与用工的指导与咨询以及就业预测预报。在我国,政府劳动部门设立公立职业介绍所、技工交流中心、劳动力市场等机构。公立职业介绍的内容主要包括：收集与发布职业信息、进行职业咨询、为求职者开展职业能力与职业倾向进行测试等。政府的人事部门设立人才交流中心、人才市场等机构，开展职业介绍的各项工作。通过举办劳动供求见面的各种活动(如洽谈会)为择业人员、转业人员寻找职业提供中介帮助,提供"就业机会"的服务。政府除自己进行职业介绍外,还指导民间的各种职业介绍活动,为求职者服务。据统计,2003年末全国有各类职业介绍机构31109所，其中劳动保障部门办的公立职业介绍机构为21515所,占全国职业介绍机构的三分之二。2003年公立职业介绍机构为1155万人成功介绍职业。

2. 就业培训。主要任务是面对失业青年、妇女和残疾人等开展的就业前培训,失业职工转业培训和下岗后再就业培训,开办短期技能训练，帮助普通中学生获得就业技能与就业资格。我国现行就业培训机构可分为就业服务部门的培训机构、劳动保障部门与人事部门的培训机构、各类社会力量办学培训机构和近年兴办的再就业培训机构四种类型。再就业培训机构,又由就业服务系统培训中心及认定的再就业免费培训机构、教育部门的再就业免费培训学校、企业再就业中心三部分组成。据统计,2003年我国就业培训中心和技工学校培训的人数有1393万人。

我国城乡劳动力市场由于长期分割，城乡劳动力所接受的就业培训实际上已经有了很大的差距，而农村的基础教育又和城市有着很大的差距，这使得农村劳动力和城市劳动力的技能、知识和整体素质产生了巨大的差别。因此为农村劳动力提供更多、更有效的就业培训，以增强他们的人力资本，从而使城乡劳动力可以有公平的就业机会参与统一的劳动力市场竞争，这是政府应当重点提供的就业服务。2003年9月，农业部、劳动保障部、教育部、科技部、建设部、财政部六部委出台的《2003—2010年全国农民工培训规划》，是政府开展以就业培训为核心的人力资源开发服务的一个重大开端。规划提出：要以党的十六大精神和“三个代表”重要思想为指导，围绕全面建设小康社会的目标任务，坚持公平对待、合理引导、完善管理、搞好服务的原则，坚持多予、少取、放活的方针，坚持面向工业化、面向现代化、面向城镇化的方向，以转移就业前的引导性培训和职业技能培训为重点，综合运用财政扶持政策和竞争、激励手段，进一步调动农民工个人、用人单位、教育培训机构、行业的积极性，多渠道、多层次、多形式地开展农民工培训工作，逐步形成政府统筹、行业组织、重点依托各类教育培训机构和用人单位开展培训的工作格局。规划也制定了几项原则，其中包括：各级政府要积极引导和扶持农民工培训事业，加强管理，加大投入。各有关部门协调合作，立足自身职责，发挥各自优势，共同做好政策指导、监督检查以及各项服务工作；农民工培训工作要统筹计划，突出重点，分步开展。把农民工培训作为就业准入制度的重要内容，深入调查研究，认真组织实施。摸清农村富余劳动力和已转移就业农民工的基本情况，制定具体的有针对性的培训计划。要突出重点，逐步对农民工进行培训，当前主要是支持农村富余劳动力较多的地区和贫困地区开展培训，重点支持农民工输出地区开展转移就业前培训；要以现有教育培训机构为主渠道，发挥多种教育培训资源的作用。充分调动行业和用人单位的积极性，多渠道、多层次、多形式地开展农民工培训。要加强政府引导，制定和完善政策措施，优化配置培训资源，建立新的培训机制；

要研究农村劳动力资源现状，做好劳动力市场需求预测，按照不同区域、不同行业要求，区分不同培训对象，采取不同的培训内容和形式。以市场需求为导向，以提高就业能力和就业率为目标，坚持短期培训与学历教育相结合，培训与技能鉴定相结合，培训与就业相结合，增强培训的针对性和实效性，同时，规划也定出了具体的目标：2003—2005 年，对拟向非农产业和城镇转移的 1000 万农村劳动力开展转移就业前的引导性培训，对其中的 500 万人开展职业技能培训；对已进入非农产业就业的 5000 万农民工进行岗位培训。2006—2010 年，对拟向非农产业和城镇转移的 5000 万农村劳动力开展引导性培训，并对其中的 3000 万人开展职业技能培训，同时，对已进入非农产业就业的 2 亿多农民工开展岗位培训。[1]

3. 失业保险。主要任务是失业救济、失业医疗补助、失业职工管理以及对失业职工的再就业给予帮助。我国实行的是失业保险制度，即对失业者采取了投保缴费、享受保险的做法。1986 年国务院发布劳动合同制的四项规定中，对劳动合同制工人实行待业保险，开始逐渐建立了我国的失业救济制度。1993 年 4 月，国务院发布《国有企业职工待业保险规定》，并作出了一系列具体规定。按照规定，国有企业、企业化管理的事业单位实行待业保险，集体所有制及其他经济类型企业也可以参加保险，享受待业保险的人员为：①依法宣告破产的企业的职工；②濒临破产的企业在法定整顿期间被精简的职工；③按照国家有关规定被撤销或解散的企业的职工；④按照国家有关规定停产整顿企业被精简的职工；⑤终止或者解除劳动合同的职工；⑥企业辞退、除名或者开除的职工；⑦依照法律、法规规定或者按照省、自治区、直辖市人民政府规定，享受待业保险的其他职工。1994 年以后，我国把“待业”的概念改为“失业”，由此待业保险也就更

1. 参阅杨宜勇：《劳动就业体制改革攻坚》第 53 页，中国水利水电出版社，2005 年 1 月。

名为失业保险。1998年我国颁布实行了《中华人民共和国失业保险规定》。据统计,2003年末全国领取失业保险金的人数有415万人,参保人数有10373万人。

在我国领取失业保险的对象是"就业以后失业",并且是已经投保缴费、符合给付条件者。但是,在我国改革中存在着大量下岗职工,他们丧失了工作岗位也丧失了工资收入,因而很多人处于生活困难的境地。为此,我国对下岗职工实行了基本生活保障制度,对其发放基本生活费,为其缴纳社会保险,以保证其生活和维持社会的稳定。实际上,下岗职工基本生活费的属性就是变相的失业救济。2003年末,我国进入再就业中心的下岗职工有194万人,绝大多数人都领取了基本生活保障费。[1]

4. 生产自救。主要任务是通过政策扶持和就业服务部门的直接组织,安排失业人员从事临时性的生产自救劳动,或者帮助建立与失业者自己组织"就业性企业",使失业者有一定的短期或长期的工作岗位。80年代以来,我国发展了一大批名为"劳动服务公司"的就业企业,组织生产自救,安置了大量待业人员。90年代后期以来,我国在下岗职工再就业方面也实行了发展就业服务企业、组织生产自救的措施。据统计,到2003年末,我国有575万人在劳动就业服务企业、新办小企业和社区服务组织中就业,完成社会生产总值2682.74亿元,上缴国家税收94.124亿元,对解决社会就业问题和创造社会财富都起到了极为重要的作用。

1. 参阅姚裕群:《走向市场的中国就业》第276—277页,中国人民大学出版社,2005年4月。

第九章

“中国式”充分就业的统计和失业预警的建立

9.1 失业率统计的重要性

9.1.1 失业率是判断社会经济发展状况的重要指标之一，是政府宏观经济决策的重要依据

劳动就业状况是反映一个国家或地区经济社会发展的重要指标，是各国政府决策与公共政策的重要依据。国民经济中的就业数量既与国家的产品总量有关,也与国民的消费总量有关。失业率降低或就业率升高，意味着企业扩大投资、增加用工数量,国民生产总量将会提高,居民的收入规模将会扩大,购买力将会增强,国民经济发展的高潮期将会到来。而失业率上升则意味着企业在缩减投资规模,削减用工数量,国民生产总量将会降低,人们的消费规模亦会缩减,这预示着国民经济衰退期即将到来。总之,经济发展是不断波动的,经济扩张,失业减少;经济衰退,失业增加,造成失业率的波动。因此,失业率或就业状况成为市场经济国家宏观经济形势好坏的一个判断标准。失业率作为反映一个国家或地区社会经济发展状况的综合性指标,是十分重要、不可或缺的。但任何一个国家和社会对失业问题都

是有一定的承受限度的。在正常的市场经济体制下，失业率一般是有一个合理区间的限制。根据专家学者分析，5%以下的失业率基本属于正常状态；5%—10%的失业率预示着存在一定的经济矛盾；10%—15%的失业率则意味着不仅经济矛盾加深，而且可能存在较严重的社会问题；在失业率超过15%以上的情况下，则意味着失业问题的危害进一步加深，并且可能会导致一定的社会冲突和政局不稳等严重问题。因此，控制失业率已成为各个国家经济政策和社会政策的重要目标，成为政府决策和公共行政管理工作的重要内容。例如，近几年来，我国在深化改革、加快产业结构调整和大量农业剩余劳动力出现的过程中，城镇出现了大量失业、下岗工人，城镇调查失业率连续几年都在5%以上，而许多研究人员估计，实际失业率可能会更高。面对如此严峻的失业压力，中央政府始终高度重视解决失业、就业问题，实施积极就业政策，制定了“政府促进就业，市场调节就业，劳动者自主择业”的就业方针，把实现充分就业作为政府宏观经济目标之一，使就业、再就业状况得到了较好的改善，维持了社会稳定。

9.1.2 失业、失业率是研究分析社会问题的重要信息

就业是人们获取经济收入的主要来源，一旦失业，正常的经济收入中断了，就会导致家庭收入减少，使家庭物质生活质量下降。对于依靠工资收入的阶层和贫困家庭来说，失业是“釜底抽薪”，尤其是在社会失业保险制度尚不完善的发展阶段，失业使人们的物质生活蒙受损失，失业者的生活水平会迅速下降。长此下去，失业者就会对政府对社会产生不满，甚至对立情绪。换句话说，目前出现的一些群众对政府、对社会的不满情绪，甚至过激行为，其中的重要原因就是因为许多失业下岗人员的生活水平下降，子女上学、医疗等得不到保障所引发的。

良好、稳定的社会环境是以稳定的和相对公平的利益格局为基础的。大量失业人口的存在容易导致社会的经济利益分配

格局出现失衡，因此容易造成社会环境的不稳定和诸多社会问题的出现。我国的社会保障制度尚未完善起来，如果失业长期得不到解决，失业人口的基本生活都要成为问题。在这种社会环境下，就会诱发盗窃、抢劫、杀人等社会治安问题。我国近年来许多地方的犯罪率增高，恶性案件增多，也跟失业人口的增多有关。总之，失业问题严重化，容易导致社会环境的恶化。

失业对劳动者个人的影响也是相当大的。这种影响包括经济、家庭、婚姻甚至身心健康方面等。失业期间，劳动者个人的收入会大幅度减少，生活水平下降。在现代社会中，人们对自我存在价值的衡量和认同，很大程度上是通过个人所从事的职业来完成的。工作不只意味着收入，而且代表着某种身份、权利、责任，从而代表着自我价值的一种实现。因此，失去工作，容易挫伤自尊心，极易给人造成心理上的失衡。长期的失业更容易使人陷入沮丧、厌倦、抑郁、冷漠的情绪中不能自拔。由此，还会导致家庭内部的不和或冲突，甚至造成家庭、婚姻解体。

我国是世界上劳动力人数最多的国家，在失业率的计算当中分母的数值很大，失业比率稍微发生一点变化，涉及到的绝对失业人数就是成千上万人。通过对失业状况进行调查、统计、分析，计算出失业率等相关指标数据，科学地掌握劳动力市场的变化，给政府政策的制定提供客观真实的依据。同时，就业、失业统计作为国民经济监测的一个指标体系，能够及时反映劳动力市场的变化、劳动力流动情况，从而对整个国民经济形势做出判断及预测。

9.1.3 失业率是投资者（特别是国外投资者）投资决策的重要依据

资本投资需要有一个良好的投资环境。投资环境由许多要素构成，其中失业率的高低是反映投资环境好与差的重要要素。失业率比较低，一般反映的是企业开工率高，产品销售比较顺畅，生产经营信心足，对经济发展预期良好，这时投资者具有比较安全的投资心理和较高回报的投资预期,投资愿望比较强,投资信心比较足;反之,失业率比较高,反映出的投资环境较差,就会影响投资者的投资愿望和信心。我国对外开放以来,许多外国公司、国际组织、外国政府纷纷到中国投资设厂,对中国输出技术和管理,对促进中国经济的增长、加快中国的技术升级、实行管理的现代化和推动中国经济与国际接轨,起到了非常积极的作用。同样,对国外投资主体来说,要保证资金的安全性和良好回报,它们必然要考虑所投资地区的环境情况。比较低的失业率是良好社会投资环境的反映,反之,较高的失业率则是让投资人感到十分担心的投资环境。假如我们的失业率达到10%以上,这时可能就会有许多国外投资者害怕发生经济危机、社会危机而影响资本的安全性,而裹足不前,不敢来华投资。因此,要进一步发展对外开放,进一步发展与国际接轨,就必然要求我们把失业率控制在正常状态。

9.2 中国失业率统计的方法

9.2.1 失业率统计的通行方法

一、失业率计算口径

失业率指失业人口在一定劳动力或人口基数中的比例。失业率既是反映社会就业状况的指标,也是反映整个国民经济运行状况的重要指标,它对反映的社会经济状况在不同的时间、空间中具有可比性。对失业率的计算,主要有两种口径:

1. 一般失业率。一般口径的失业率,即以经济活动人口或现实劳动供给为基数计算的失业率。这是就业管理和经济分析中最常用的失业率指标。通常未加特殊说明的失业率,就是此种失业率。其计算公式是:

$$失业率 = \frac{失业人数}{在业人数 + 失业人数} \times 100\%$$

2. 广义失业率。广义失业率，即以某种人口数量为基数计算的失业率。如全部劳动适龄人口、女性劳动适龄人口等。此种方法运用比较少，有时在研究"妇女失业与妇女就业"等问题时采用。其计算公式为：

$$失业率 = \frac{失业人数}{一定范围的人口总数} \times 100\%$$

二、失业者标准

"失业者"与"就业者"是失业率统计的基础。正确统计和计算失业者和就业者，失业率数字才能准确可靠、科学有用。从一般意义上说，失业者是指有劳动能力和就业的意愿即就业要求，但未能获得劳动岗位的人。他们需要马上走上就业岗位，是最直接的社会劳动供给，是正在闲置的劳动力资源。对于失业者身份的认定，需要同时具备"有就业意愿"和"目前没有劳动岗位"这两个条件：(1)"有就业意愿"的条件。一个人是否有就业要求，就要看他是否"正在积极寻找工作"，诸如到政府指定的失业登记地点进行失业登记，到招聘单位去求职、面谈，与招聘单位通电话联系应聘，或托亲戚朋友帮助寻找工作等。(2)"没有劳动岗位"的条件。判定一个人是否没有就业岗位，要看他是否未从事任何有收入的劳动。如果一个人在规定期间内从事了任何有收入的经济活动，无论是在某单位或岗位正式任职，在某单位或某岗位短期工作，或者在一次性的活动中暂时"打工"，承包一项业务，甚至是个人或合伙从事一项事业等等，均不能属于"没有劳动岗位"的状态。

三、就业者标准

根据国际劳工组织的统计，凡在规定年龄内属于下列情况之一者，均属于就业者：

其一，在规定期间内，正在从事有报酬或有收入的职业者；

其二，有固定职业，但因疾病、事故、休假、劳动争议、旷工，或因为气候不良、机器设备故障等原因而暂时停工者；

其三，雇主或独立经营人员，以及协助他们工作的家庭成员，其劳动时间超过正规工作时间的1/3以上者。

各国的经济统计对于就业者标准的具体掌握有所不同，由此，在国际对比中就有一定的出入。这主要是在就业者的年龄规定和从事劳动时间方面有所不同。

四、失业率的统计方法[1]

从世界范围内看，各国对于失业率的统计调查方法主要有以下几种：

1. 工时统计。根据失去的工时统计折算得出的失业人数，进而计算出的失业率。从理论上说，这个方法最为科学，但目前在实践中这一统计方法尚无实行。

2. 劳动力抽样调查。通过劳动力抽样调查得到失业人数和从业人数（失业人员和从业人员数字产生于同次调查），然后使用下列公式计算得出失业率。

失业率 = 失业人数 /（失业人数 + 从业人数）

劳动力抽样调查法的优势主要体现在：这种调查所使用的定义最接近国际劳工组织国际建议书所推荐的标准定义，便于用来进行国际比较；由于它是通过使用来自同一调查的失业人员估计数和总的劳动力估计数（就业加失业）计算得出的，其失业人员比例数据更加可靠；可以用来研究劳动力市场的其他情况；可以构造人力资源变化情况；它相对独立于行政管理系统之

1. 参阅杨宜勇：《大开放的就业》第130—132页，中国水利水电出版社，2004年3月。

外。劳动力抽样调查方法的不足之处是：搜集成本较高；相对通过就业机构统计取得资料的方式而言，时效性较差，每季而不是每日产生结果；其结果显示的是调查期内的平均值；受样本规模限制无法将数据值分解至各个小地区；可能存在抽样误差。

通过劳动力抽样调查得到的失业人数和从业人数计算失业率，是目前世界上许多国家进行失业统计所采用的方法。这种方法的主要优点是快捷，误差可以控制。在市场经济条件下，采用抽样调查方法取得失业率在我国不仅是必要的，而且是可能的。在劳动力抽样调查取得失业率数据后，再参照政府职业介绍机构的登记失业率（以后继续保留此种调查方法），得出一个更接近实际的失业率数据，则是一种较为理想的选择。按照国际惯例，登记失业率和调查失业率是可以并行的，两者相互补充。登记失业率反映政府目前最需要解决失业问题的重点对象；调查失业率反映城镇劳动力市场的全面供求情况，为判断失业发展趋势和控制失业提供一些依据。

3. 社会保险统计。依据失业保险的覆盖和发放情况来了解失业情况，其失业率则由享受失业保险待遇的人数与参加该保险项目的总人数相除得出。然而用这种方法来判断其对一个国家失业总体水平的代表程度同样是很困难的。

失业率 = 领取失业救济金人数 / 参加失业保险人数

4. 就业机构统计。通过就业机构工作记录获得有关数据，失业人员是指正在寻求工作且每个月底在就业机构进行登记的人员。除了没有工作岗位的人员外，该数据还包括罢工人员、临时生病而不能工作的人员以及在失业救济项目中从事劳动的人员（又称之为登记失业人员）；但是，不包括实际有工作而想跳槽的人员，因为在就业机构的登记中，也有一些寻求调换工作的就业人员或寻找更多工资的就业人员（又称之为工作申请人员）。

就业机构统计方法的优势主要体现在：可以每日获得信息；在统计之后一个月内即可得到结果；就统计调查当日而言，这一数据较为准确;它为全面登记记录,其数据即使按小区域分解后依然有效;搜集成本相对较低。就业机构统计方法的不足之处是:与人们头脑中固有的失业概念有差异;不能提供除失业以外的其他信息;无法据此了解非全日制工作的状况;其覆盖面取决于行政管理系统,并随该系统的变化而变化;无法用来进行国际比较。当登记是完全自愿时,尤其是在就业机构职能仅关注城市、登记失业率且与地方政府领导政绩挂钩时,所得到的数据往往是极不完备的;只有当就业机构与大量失业救济计划密切协作且与政绩考核无关时,这种统计才有可能提供令人满意的数据。

上述4种方法各有利弊。世界上大多数国家采用的是第2种和第4种,即就业机构统计(由此产生登记失业率)和劳动力抽样调查(由此产生调查失业率)。从实际情况看,通过就业机构统计获取数据和通过劳动力抽样调查获取数据是完全不同的两种统计方式,二者各有利弊。

9.2.2 目前我国两种失业统计的方法[1]

一、城镇登记失业统计

1978年正式组织实施“待业登记调查”。当时由于出现失业(当时称为待业)高峰,劳动部门为了及时掌握情况,建立了待业登记制度。1994年将“待业登记”改为“失业登记”,“城镇登记待业人员”改为“城镇登记失业人员”。但实际上其统计标准、统计体系等基本上维持不变。

城镇登记失业人员是指非农业人口,在一定的劳动年龄内(16岁以上及男50岁以下、女45岁以下),有劳动能力,无业而要求就业,并在当地就业服务机构进行求职登记的人员。

城镇登记失业率是指,城镇登记失业人员与城镇单位从业

1. 参阅杨宜勇:《大开放的就业》第132—136页,中国水利水电出版社,2004年3月。

人员（扣除使用的农村劳动力、聘用的离退休人员、港澳台及外方人员）、城镇单位中的不在岗职工、城镇私营业主、个体户主、城镇私营企业和个体从业人员、城镇登记失业人员之和的比。计算公式为：

$$\text{城镇登记失业率}=\frac{\text{城镇登记失业人数}}{\text{（城镇单位从业人员－使用的农村劳动力－聘用的离退休人员－聘用的港澳台及外方人员）＋不在岗职工＋城镇私营业主＋城镇个体户主＋城镇私营企业及个体从业人员＋城镇登记失业人数}}\times 100\%$$

目前，我国城镇登记失业率还存在一些漏洞：据有关部门对无锡市进行的典型调查发现，有60%的登记失业者从事有收入的劳动，还有相当于登记失业者40%的失业者由于种种原因没有去登记。后者主要认为，登记并没有实际意义，一是不具备领取失业保险金的资格，二是对通过政府举办的就业服务机构解决自己的就业问题不抱希望。据报道，在广州就有所谓的“登记失业者”开着奔驰车、手持移动电话去社会保险部门领取失业救济金的个别案例。类似的情况，在其他地区也出现过。因此，应进一步改进失业登记工作，提高城镇登记失业率的准确度。

二、城镇调查失业统计

在1995年以前，我国的失业统计方法主要是政府劳动部门的失业登记统计。由于不少事实上的失业人员并没有去劳动部门登记，而登记的失业人员中又有不少已经通过各种形式就业，因此失业登记已不能全面反映我国城镇劳动力的真实失业状况。参照国际上通行的统计方法，国家统计局自1996年起建立了城镇劳动力情况抽样调查制度，按季度向政府和社会提供城镇劳动力就业和失业状况。

在城镇调查失业率的统计中，城镇失业人员定义为：在城镇劳动力调查中16岁以上人口中，具有劳动能力并同时符合下列各项条件者：(1)在调查周内未从事为取得报酬或经营利润的劳动，也没有处于就业定义中的暂时未工作状态；(2)在某一特定期间内已采取了某种方式寻找工作；(3)当前如有工作机会可以在一个特定期间内应聘就业或从事自营职业。城镇调查失业率计算公式是：

城镇调查失业率 = [城镇失业人数 /（城镇就业人数 + 城镇失业人数）]×100%

三、城镇失业人员定义的几点解释

1. 调查范围确定为城镇常住人口。关于城镇的范围目前在我国还没有一个统一的标准，在实际工作中要确定一个准确的城镇范围是比较困难的。经反复比较，国家统计局采用了目前人口调查的城镇范围，即：设区城市的区、不设区城市的街道以及镇的居委会。常住人口包括了以下四种人：①常住本地半年以上且户口在本地的人口；②常住本地半年以上户口不在本地的人口；③常住本地不到半年但离开户口所在地已半年以上的人口；④常住本地半年以上户口待定的人口。上述范围中没有户口性质的限制，即不论是农业户口还是非农业户口，不论是本地人口还是外来人口，只要符合常住人口的定义，都在本地区接受调查。建议常住人口的时间标准应与国际标准接轨，降低为3个月为宜。

2. 不规定年龄上限。主要依据是：①国际劳工组织推荐的定义中没有年龄上限，绝大部分市场经济国家也没有规定年龄上限，这有助于了解全部劳动力的情况。②我国目前只规定了职工法定退休的年龄，没有规定（也不可能规定）劳动年龄的上限。人口调查资料表明，全国65岁以上人口的就业率为24.52%（1997年）。如果规定了失业人员的年龄上限，对高年龄组计算就业率，就会出现就业率为100%的情况，这不仅不符合我国的实际情况，而且在统计上也无法解释。就我国的具体国情而言，明确失业人口的年龄上限是困难的。假设以退休年龄为上限，事实上不同工种的实际退休年龄也不相同，我国并没有一个统一的退休基准年龄。而不规定失业人员的年龄上限，客观上也不会使失业率偏高。人口调查资料表明，65岁（或60岁）及以上无业而寻找工作（即统计为失业）的人员极少，还不到全部失业人员的千分之一。③劳动力抽样调查中虽不规定失业人员的年龄上限，但在进行失业登记时，还应明确规定年龄上限，这与失业的统计定义并不矛盾。

3. 有劳动能力。这是指在体力和智力上可以从事社会劳动的人员，其中包括有部分劳动能力的残疾人。

4. 在调查周内未从事有收入劳动。即调查周内从事有收入劳动的时间不到1小时或为零小时。这样规定的主要理由是：①对就业与失业作出质的界定，零小时与1小时是一个“无”与“有”的问题，两者的质是不同的，而1小时与1小时以上是就业时间长短的问题；②对劳动力1周内的状况进行调查，而1个月有4.5周，其总的劳动时间究竟如何是不能以1周时间来推断的；③没有涉及收入情况，因为收入情况是复杂的，有的人每周劳动时间很长，收入可能很低；而有的人1周内劳动时间很短或没劳动，收入却可能很高；因此，按照国际上通行的标准，在定义中未考虑收入因素；④国际上把每周工作1个小时以上到不足本国法定工作时间的一半（我国为20小时）称之为就业不足；工作时间居于本国工作法定时间的一半到100%本国法定工作时间之间的为标准就业；工作时间超过本国法定工作时间的为超时就业（或者过度就业）。

5. 当前有就业的可能。具体是指在调查时点以后2周内能应聘上班。如果这个劳动力在两周内不能应聘上班，那么对近期劳动力市场不会产生影响，因此不应作为失业人员统计。

6. 正在以某种方式寻找工作。主要包括：调查时点前3个月内,曾经去职业介绍所登记;去各种劳动力市场或人才市场进行应聘洽谈;通过电视、报纸等新闻媒体和网络寻找工作;自登求职广告;托亲友找工作;自筹资金准备从事经营活动等。显然,登记只是寻找工作的一种行动而不是全部。

9.3 我国失业统计中的主要问题及其完善

9.3.1 失业统计中的主要问题

失业统计是市场经济国家社会经济统计中极其重要的一项统计内容,各国政府对此都给予高度关注,经过相当长时间的实践,市场经济国家在就业与失业统计方面积累了大量有益的经验,并形成了一些通行做法。将我国现行的失业统计体系与国际惯例进行比较,发现我国现行的失业统计做法还存在不少问题需要改进。问题主要表现在以下一些方面:

一、失业统计内涵不准确

我国现行的城镇登记失业人员统计定义与国际标准的失业统计定义相比,还存在着失业人员统计定义内涵不准确的问题,主要表现在:失业者年龄规定与国际惯例不一致、对求职活动方式的规定与国际惯例不一致、劳动时间的量化标准与国际惯例不一致等,这反映了我国对失业人员统计的一些规定过于保守、僵化。

1. 失业者年龄规定与国际惯例不一致。国外通常对失业者只规定年龄下限,并没有年龄上限,退休以后曾经工作,并继续寻找工作者仍算失业者。大多数国家也是按此标准进行失业人员统计的。而我国却规定了失业者年龄上限(男 50 岁、女 45 岁),而且此年龄界限还低于国家规定的城镇职工的退休年龄(男 60 岁,女 55 岁)。这样,一方面使得一些还未到退休年龄的城镇失业者没有包括在城镇失业人口的统计数内;另一方面很多超过退休年龄的人仍具有劳动能力并且有工作要求，他们完全符合失业的定义，但是却没有被包含到失业人口中去，这必然使得城镇登记失业人数及失业率和实际值偏离较大。

2. 对求职活动方式的规定与国际惯例不一致。我国规定的失业人员的定义以是否在当地就业服务机构登记为标准，只有在服务机构登记的劳动力才被统计在失业人员范围内，而部分没有工作且无收入，有就业愿望，但通过行政登记以外的其他方式写求职信、请朋友帮忙、自谋职业等进行求职活动的人员却未统计在失业人员之中，从而使失业人数的统计数值和城镇失业率偏低。而国际标准列出的寻找工作的方式则比较宽泛：①在公共或私人就业机构登记；②向雇主申请职位；③在工地、农场、工厂、劳务市场或其他类似的地方登记；④刊登或回答报纸上的求职广告；⑤向亲友寻求帮助；⑥寻找土地、建筑或设备以建立自己的企业；⑦安排资金来源、申请许可证或执照等。

3. 劳动时间的量化标准与国际惯例不一致。从1995年起，我国借用了国外以“工作时间”作为就业和失业判断标准的方法，这与过去以是否到劳动部门登记为标准相比，无疑是一大进步。但对工作时间的量化标准颇有争议。我国城镇劳动力情况抽样调查方案中，将就业定义为调查标准时间前一周内，工作或劳动时间累计大于、等于1小时，且由此取得一定报酬的，不论其所从事的是固定性的工作还是临时性的工作，均视为就业。相应的，在调查标准时间前一周内从事有收入的劳动时间不足1小时者均视为失业人口。而国外关于劳动时间量化标准的规定是：美国规定为在调查周内工作不满15小时，法国规定不满20小时者即为失业。按照目前的法定时间，这两个国家都是实行每周五天工作制，每天最多工作8小时，他们的工作时间均超过了正常工作时间的1/3。而我国规定的1小时的标准显然偏低。按照我国目前的工资水平，一个普通人显然不可能维持正常的生活。

二、失业统计对象的外延过窄

国际标准的失业人数是包括城镇和农村的全部失业人口

数，而我国作为一个农业大国，农村人口占人口总数的60%以上，却不承认农民失业的存在，失业的统计对象只限制在城镇居民中，不包括农村人口中的失业人数。这主要是由于当时在计划经济体制下，认为农村劳动力是全部就业，务农就是他们的职业，所以，农村被认为不存在失业。现在转入市场经济体制后，情况便发生了变化。由于农业生产力水平的不断提高，一方面带来了农业劳动生产率的大幅度提高，农业生产蒸蒸日上；另一方面也使农村剩余劳动力大量涌现出来。据劳动部资料显示[1]，2001年我国有4.82亿农村劳动力，2002年增加到4.98亿，而今后平均每年还将新增1000万人。据专家预测，在农村现有的生产力水平和生产规模条件下，我国农村只能为1.5亿劳动力提供就业机会。也就是说，在4.98亿农村劳动力中，有近3.5亿属于剩余劳动力。除了已经进入乡镇企业、非农产业和大中城市打工的2.3亿人外，还有1.5亿劳动力处于绝对失业状态，目前仍滞留在农村。可见农村劳动力的就业形势是十分严峻的，而且伴随着改革的逐步深化和农业生产力的不断提高，特别是加入WTO以后，国际市场对我国农业生产造成巨大冲击，农村剩余劳动力的数量必然越积越多，形势也越来越严峻。

按照传统观念，谈到失业问题，人们往往首先想到的是国企职工的失业下岗，其实大量涌入城市的农民工也面临着失业问题。据调查[2]，2000年33.5%的农民工遇到失业问题，是城市中失业率最高的阶层；2002年这一比例达45.4%。在面对如此高的失业率时，只有很小比例的农民工返回农村，而大多数人宁愿呆在城市。由于传统体制的原因，农民工在城市既不能享受失业保险，也不能享受城市最低生活保障待遇。如果不对这部分人口进行失业统计，一方面，政府不能准确指导农民工的失业

1. 参阅曹进祥、郭谦：《我国农村剩余劳动转移的现状、困难与对策》，《山东经济》2003年9月。

2. 参阅李强：《不得已的非法生存》，《改革内参》2003年第2期。

率,对其无法控制;另一方面,农民工本身也不可能知道自己所在地区存在多高的失业率,不能对自己的就业流向有很好的了解,这样就容易造成盲目流动和社会的不安定。所以完全有必要对农民工失业统计问题给以高度重视。

三、失业统计指标单一化

我国除了失业人数、失业率统计指标外,还没有能反映现阶段出现的隐性失业、隐性就业等新的劳动经济现象。

1. 隐性失业。隐性失业又称为潜在失业或在职失业,指的是用人单位所雇佣的劳动者从事不能充分发挥其能力的工作或从事那种劳动生产率低于他能达到的标准的工作。通俗地讲,隐性失业就是名义上的就业,实际上的失业。我国在20世纪80年代初,迫于巨大的就业压力,国家对国有企业实行行政性就业安置政策,其结果,使国有企业尤其是国有大中型国有企业沉淀了大量的富余人员,这些人员实际是由社会失业者变成了企业内部的隐性失业人群。随着经济体制改革的不断深化,现代企业制度逐步建立和完善,国有企业在效率和效益的推动下,企业必然要向社会释放失业人员,但由于我国劳动制度的特殊性和出于保持社会稳定的考虑,从而出现了"下岗"现象。下岗职工就是,"实行劳动合同制以前参加工作的国有企业的正式职工(不含从农村招收的临时合同工)以及实行劳动合同制以后参加工作且合同期未满的合同制职工中,因企业生产经营等原因而下岗,但尚未与企业解除劳动关系,没有在社会上找到其他工作的人员"。下岗待工是我国在经济体制转轨时期出现的一种特殊的隐性失业表现形式,它与在岗隐性失业共同构成了我国城镇隐性失业大军。

在岗隐性失业即企业内的冗员数量很大,详见表9-1。[1]

根据上述的估算结果,描绘隐性失业率的变化趋势如图

1. 参阅孙立:《转型中国之隐性失业分析与治理》图3.1.1,中国经济出版社,2005年12月。

表 9–1 我国城镇国有工业企业隐性失业估算结果

年份	高效就业量 L（万人）	隐性失业量 LL（万人）	隐性失业率 R（%）
1979	1970.67	1237.3288	38.57
1980	1908.32	1425.6766	42.67
1981	1914.81	1573.1857	45.10
1982	1940.21	1641.7948	45.83
1983	2077.87	1554.1297	42.79
1984	1959.61	1709.393	46.59
1985	2041.41	1773.5911	46.49
1986	1873.62	2081.3795	52.63
1987	1942.31	2143.6922	52.46
1988	1954.44	2274.5552	53.78
1989	1932.36	23540.6442	54.78
1990	1805.84	2559.1616	58.63
1991	1866.10	2605.9001	58.27
1992	1959.70	2261.2969	53.57
1993	2410.83	2088.1704	46.41
1994	2051.42	2319.581	53.07
1995	1803.31	2593.6851	58.99
1996	1722.71	2554.6938	59.72
1997	1628.81	2411.1878	59.68
1998	1726.89	994.11302	36.53
1999	1697.71	714.28629	29.61
2000	1724.29	371.71296	17.73
2001	1566.98	257.02499	14.09
2002	1480.25	165.747279	10.06

9–1所示。[1]

1. 参阅孙立:《转型中国之隐性失业分析与治理》图 3.1.1，中国经济出版社，2005 年 12 月。

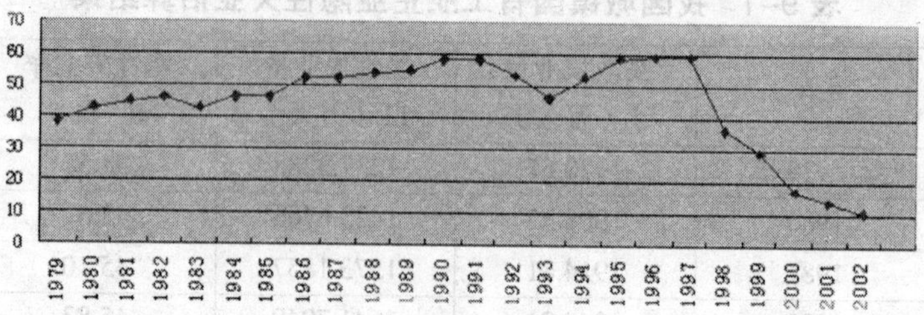

图 9-1 隐性失业率变化趋势

隐性失业规模估算结果及其变化趋势表明：①国有工业企业的隐性失业率比较高，且高隐性失业率的持续时间也比较长，说明我国隐性失业的存在不仅是阶段问题，而且是历史问题。由于估算中仅采用国有工业企业为样本，所以整个城镇隐性失业的绝对数量一定会更大；②从 1997 年开始，随着国有企业改革的不断深化，改革力度加大，国有企业的隐性失业人员开始大量释放，并且释放的速度较快，隐性失业的规模明显下降，隐性失业显性化问题日益突出。

城镇隐性失业的存在，不仅不能为企业带来效益，而且因占用企业稀有的物质资本，分享企业收益，而使这些企业人均物质装备水平降低。也使有效劳动力预期收入下降而影响劳动积极性的良好发挥，而且企业无效劳动力的存在也是企业人浮于事的重要根源，这将导致资源浪费和效率低下。按照现代企业改革的要求，这些人都会在企业减员增效过程中逐步被释放到原企业或原企业之外，由隐性失业者变成显性失业者。妥善安置企业释放出来的隐性失业人员是一个亟待解决的社会热点问题，是关系到深化企业改革、保障职工合法权益和社会稳定的重大问题。但各项政策措施的制定需要以准确的数据为依据，然而目前的劳动统计数据却无法反映这方面的情况。一些部门或科研单位为了决策或研究的需要自行进行了一些专门调查，但由于各部门、单位在进行调查时所选用样本或方法的不同，导致同样的问题调查结果却相差很大，这不仅不利于人们客观认识隐性失业问题，有时还会夸大问题的严重性。因此迫切需要统计部门建立能够反映职工隐性失业情况的一些相关指标，随时掌握、监测、分析企业的隐性失业情况，及时为政府提供决策依据。

2. 隐性就业。我国不仅存在大量隐性失业，近年来还出现了相当规模的隐性就业。所谓隐性就业是指名义上失业或下岗，实际上是有工作和收入的人员。隐性就业大致可以分为两种：①国有企业职工在本企业下岗，拿一定的生活费用和享用企业提供的社会保险，同时又从事个体经营或到其他企业工作，但本人隐瞒其工作收入；②登记失业人员，他们在非公有制企业从事全时或非全时工作，有的从事个体经营，却不认为自己已经就业或有意隐瞒其就业状况。造成隐性就业的主要原因是：①传统的就业观念。有些人认为只有在劳动关系稳定，政府劳动部门对其批准，有一切福利保障和退休金支付义务的企业或单位工作才算是真正就业，除此之外就不算就业；②用有无社会保障来衡量是否就业。一些人认为只有在给予社会保障的企业里工作才是就业，而在那些缺乏社会保障的非国有企业工作或从事个体劳动的只是当成临时举措而加以隐瞒，准备一旦有机会还回国有企业。由于目前社会保障制度覆盖面还不广泛，因此，有许多在没有社会保障的企业或单位里工作的人，他们大都隐瞒自己的工作和收入，也不认为自己已经就业了；③劳动力市场运行规则不健全。由于劳动力市场运行规则不健全，对非公有制经济单位的就业、失业状况的调查登记难以全面反映实际情况，也给一些人一手拿下岗津贴或失业救济，一手又拿隐性就业劳动报酬提供了可乘之机。据国家统计局 1998 年调查，全国下岗职工总数为 1008.8 万人，劳动和社会保障部统计的下岗未就业职工数为 709.8 万人，再就业率为 29.6%；经住户调查估算的下岗未就业职工数为 481.8 万人，再就业率为 52.2%。因此在劳动和社会保障部登记的下岗未就业国企职工中，有 228 万人处于隐性就业状态，隐性就业率达到 32.2%。目前劳动部门对这个群体的活动几乎没有任何约束，统计也是一片空白，要了解每个失业者的真实状态存在许多不便，信息不对称导致失业保险机构工作效率不高。

四、失业调查体制存在的缺陷

我国的劳动力调查是与人口调查结合进行的，工作任务由国家统计局人口统计人员承担。这种体制和组织的优点是，人口与劳动力统计可以互为补充，可以利用人口基数框算出劳动力的各项绝对数，可以简便地分出城镇和乡村等。但是，这种体制也存在一些先天的缺陷。

1. 调查员的素质不高。失业有其严格的统计定义，调查工作必须认真细心，对调查员的素质要求较高。但人口调查没有专职调查队伍，到县一级统计部门没有设专职统计人员，调查前临时凑人，这就难以保证调查人员具备较好的专业素质，而低素质的调查人员就难以保证调查统计工作的高质量。

2. 按小区抽取样本，获得失业资料的代表性较差。抽样调查的特点之一是，最终样本点越随机分散，代表性就越强。但人口调查受到经费和人力的限制，只能按小区抽取样本，而小区的规模还相当大，这样对人口变动影响不大，但对失业问题的影响却很明显。这样调查获得的失业资料对市没有代表性，对省的代表性也差，就很难调动省市两级的工作积极性。

五、存在的其他问题

1. 失业统计的时间指标简单化。我国的失业指标只统计年末的城镇失业人数和失业率，间隔长达一年之久，没有规范的季度统计，更没有国际通行的月度统计，失业统计时间指标的简单化，大大降低了失业统计的时效性和使用价值。而大部分失业人员往往是一年中的某一段时间处于失业状态，而其他时间处于就业状态，这就是失业的交替性。随着社会经济的快速发展，社会劳动力资源、就业失业人数的变化频率加快，仅仅利用年度的统计指标已经不能及时、准确地反映劳动力变化情况了。

2. 统计手段落后。我国失业统计的方法是采用劳动部门的失业登记记录，失业人员的数据是通过各级劳动行政主管部门的逐级汇总上报而来的。用这种方法完成的统计存在许多弊病：①地方各级部门往往抱着报喜不报忧的原则，提高就业方面或压低失业方面的数据；②许多失业者并未去劳动部门登记，从而导致统计结果偏低、失真；③一些人登记的目的仅仅是为了取得失业救济，他们并不是真正的失业者。这在我国失业救济制度逐步完善的情况下，将表现得日益突出。

9.3.2 不断完善失业统计工作

一、建立比较完善的失业统计指标体系

建立失业统计指标体系关系是能否全面、系统反映失业状况的大问题。我国目前正处在经济体制转轨时期，这个时期出现了大量新的劳动经济现象，例如：隐性失业、隐性就业、下岗、农业剩余劳动力等。随着劳动力市场的建立和发展，劳动力供求双方逐渐成为了市场的主体，自主用人、自主择业、劳动力自由流动，各种形式的就业和失业现象时常发生。为了全面准确地把握社会就业和失业形势，必须尽快完善我国现行的就业失业统计指标体系，为政府制定经济政策、社会发展政策和就业政策提供客观的现实依据，为社会和社会保障等部门积极有效地开展工作提供及时、可靠的信息。在这种情况下，笼统地用一个登记失业率指标显然已不能反映出我国现阶段劳动力就业与失业状况。因此，我们需要建立一套完整的反映我国社会就业或失业状况的统计指标体系。

从我国实际情况看，全面的失业统计指标体系应当包括以下指标内容。见表 9-2。

以下简要介绍美国的失业统计指标体系有关内容，以资借鉴。美国除了失业的一般统计定义外，进一步制定了根据具体

---

1. 参阅杨宜勇：《劳动就业体制改革攻坚》第 141—142 页，中国水利水电出版社，2005 年 1 月。

表 9–2　全面的失业统计指标体系内容

<table>
<tr><td rowspan="10">全部失业率</td><td rowspan="8">显性失业率</td><td rowspan="7">城镇全部失业率</td><td colspan="2">城镇登记失业率</td></tr>
<tr><td colspan="2">城镇调查失业率</td></tr>
<tr><td rowspan="5">城镇其他特殊统计失业率</td><td>大学生失业率</td></tr>
<tr><td>妇女失业率</td></tr>
<tr><td>退伍军人失业率</td></tr>
<tr><td>外来流动人口失业率</td></tr>
<tr><td>其他</td></tr>
<tr><td colspan="3">农村失业率</td></tr>
<tr><td rowspan="2">隐性失业率</td><td colspan="3">城镇隐性失业率
（城镇隐性失业者主要为企业富余人员）</td></tr>
<tr><td colspan="3">农村隐性失业率
（农村隐性失业者主要为农业剩余劳动力）</td></tr>
</table>

情况使用的七种失业率统计指标：[1]

U–1：为长期失业率，由失业时间超过 13 周以上的失业者除以劳动力人口获得，这是最为严格的失业率定义。

U–2：为失去工作的失业率，由所有失去工作的失业人口除以劳动力人口获得。

U–3：为成人失业率，由 25 周岁以上的失业人口除以劳动力人口获得。

U–4：为全日制劳动失业率，由寻找全日制劳动的失业人口除以劳动力人口获得。

U–5：为通常失业率，即上文所提到的作为一般指标的官方失业率。

U–6：为包含一半目前只从事部分工作的失业者的失业率，由寻找全日制工作的失业者人数加上寻找部分工作的失业人口和目前从事部分工作的劳动人口除以劳动力人口获得。这种定义假定目前寻找部分工作的人和目前从事部分工作的人有一半是非自愿的，他们应被认作部分失业人口。

U–7:为包含失去寻找工作勇气的失业人口的失业率,这是在U–6失业率基础上,分子和分母各加上失去寻找工作勇气的失业者获得的失业率。

这七种失业率分别从不同方面反映了社会劳动力真实所处的状态，实际操作性很强。这对我国的失业率统计指标体系设计有借鉴意义。

政府的劳动和社会保障部门、人事部门等,还可以根据自己的管理、科研的需要,进行特定的、专项的就业或失业统计调查。

二、用调查失业率替代登记失业率作为政府宏观经济运行监测指标

近年来我国对外正式发布的失业率指标是城镇登记失业率。但是由于登记失业率统计存在一些问题，使得这一指标不能客观反映我国城镇失业状况,不能真正起到监测宏观经济运行和进行宏观调控的作用，也不利于国际间比较。而城镇调查失业率则是通过定期抽样调查和入户抽样调查取得失业人数和从业人数计算的失业率指标,与城镇调查失业率相比,抽样调查具有周期短、信息量大、人为干扰少的特点,将在很大程度上提高我国失业统计的数据质量和时效性。该调查和所使用的失业定义比较符合国际标准,可用来进行国际比较,它相对于行政管理系统之外,可用来研究劳动力市场的其他情况,构造人力资源变化情况和构造其他指标。

从世界绝大多数国家的失业统计方法来看，失业统计的主要方法是住户调查、失业保险登记、失业登记。从失业登记、失业保险的行政记录中可以获得失业人员的数据,并可以节省时间和调查费用。但使用这些方法得到的失业人员数，由于覆盖面小,一般不作为计算失业率的依据,而只是用于进行专项的分析或用于地区间的比较以及反映公众对政府的信任程度。1992年美国登记失业人数只占调查失业人数的51.0%，这个数据说明了登记失业人数与调查失业人数的关系。住户调查可以避免登记方法的弊端,它是贯彻国际标准的最佳途径,也是国际劳工

组织向世界各国推荐的方法。在住户抽样调查中，通过灵活的问卷形式可以准确地体现国际标准的失业口径，并且可以得到经济活动人口、家庭或住户的社会经济状况的完整资料。目前世界上绝大多数的国家都已采用了住户抽样调查。

随着我国市场经济体制的逐步建立和不断完善，缓解失业、促进就业已经越来越成为政府和社会十分关注的头等重要问题之一。政府经济政策、社会保障政策的制定，研究机构和研究人员对就业与失业问题的关注，特别需要获得社会就业失业数据，这些都要求我们应该向社会公布城镇劳动力调查的数据，而这样做也是表明我国有信心、有能力解决好失业问题。相对于城镇登记失业率而言，城镇调查失业率更能反映我国客观的实际失业状况，这必将为各级政府制定科学、可行的就业失业政策、社会保障政策提供更真实的统计依据。当然，在获取调查失业率统计数据的同时，应该要继续获取登记失业率统计数据，因为计算该指标所需要的数据是通过全面登记方法取得的，其数据即使按小区域分解后依然有效，成本相对较低，也可以反映需要政府帮助解决就业问题的人员的总量和构成，而登记失业人员正是政府劳动保障部门提供就业服务的重点对象。

三、取消失业年龄上限

主要理由：

1. 国际通行标准对失业者年龄不设上限，我们应与国际标准接轨；

2. 在我国，国家规定了失业者年龄上限，而此年龄界限还低于国家规定的城镇职工的退休年龄，这种年龄差别使得一些未到退休年龄的城镇失业者没有包括在城镇失业人口的统计数内，进而影响失业统计数据的真实性。另外，除了国有企事业单位以外，其他企业、单位并没有退休年龄的统一规定，如果不取消失业年龄上限，那么在这些企业或单位工作的人员很可能就会因为失业年龄上限的规定（相对于国有企业的退休年龄来说）过早地离开这些企业或单位；

3. 随着人民群众生活水平的提高和健康状况的整体改善，人均寿命延长，劳动能力丧失的年龄大大退后，许多达到退休年龄的人，不仅身体状况良好，而且就业愿望很强，并在积极寻找适合自己的岗位。所以，取消失业年龄上限，不仅符合我国的国情，而且有利于与国际标准接轨。

四、完善失业统计调查方法

我国的年失业率指标是以年末失业人数计算的，这只是个存量指标，只能反映年末实际拥有的失业人数，不能真实反映一年内的失业状况。因此，在实施城镇调查失业率和继续保留城镇登记失业率的基础上，还应建立月度、季度失业统计制度，增加失业统计的统计时点，缩小间隔长度，以增加统计资料的时效性。另外，在失业保险制度完善实施之后，还可通过建立保险统计进行估算。这样就可以通过失业社会保险的行政登记记录获得失业人员的数据。

五、对隐性失业做出补充统计

我国现正处在经济体制转轨时期，大量隐性失业的存在已是客观事实，重视我国隐性失业问题的调查研究，不仅具有重要的理论价值，而且特别具有实践意义：对转轨时期隐性失业合理释放问题的研究，有利于推进平等竞争环境的建设；对转轨时期隐性失业显性化后再就业问题的研究，有利于促进我国劳动力市场的建设；对转轨时期农村剩余劳动力转移问题的研究，有利于加速二元经济中传统农业的进步等。因此，我们在失业统计指标中应当增加对城乡隐性失业的统计，以便为政府制定政策和研究部门的研究提供充分的数据。

我国城镇和农村都存在隐性失业，但是它们的表现方式是不同的，城镇主要是企业富余劳动力的低效劳动，农村则是由于大量农业剩余劳动力造成的边际产出为零或者负数的劳动，因此，对它们的推算或者估计方法有所不同。在估算城镇隐性失业人口时，目前用的比较多的是采用实际有效工时推算。例如，2000 年城镇从业人员为 21274 万人，如果有效工时是制度工时的80%—85%,那么隐性失业人数大约为3191.1—4254.8万人。而有效工时占制度工时的比重，需要通过模型或者函数测算出来。对于农村的隐性失业人口估算,主要有三种方法:一是国际对比法,即在农业产值比重相当的国家或者历史时期下,找出一般农业劳动力比重标准，然后将中国的农业劳动力比重与此标准对照，多出来的部分就是农业隐性失业。二是抽样调查估算法,即通过对部分农村地区进行抽样调查得到的样本特征来推断整个农村的隐性失业率。作为这项调查的单位是国家统计局、国家计委、劳动和社会保障部等权威部门。国家统计局曾用这一方法测算出1994年我国的农村隐性失业人数为1.1亿,隐性失业率为25%。三是各种模型推算法。我们倾向于使用抽样调查估算法,因为这可以作为以后农村失业抽样调查的理论基础,为下一步的失业统计改革打好基础。[1]

六、大力强化失业统计工作

强化就业失业统计队伍。与一般市场经济国家的就业失业统计相比，无论在政府的统计部门，还是在政府的劳动就业部门，我国的就业失业统计力量都是严重不足的。在经济发达国家,人口劳动统计工作人员数量多,具有专业水准,经费投入非常高。在美国,除了有规模庞大的人口普查局外,联邦政府的劳工部中,也设有专职的劳工统计局,所担负的“劳工信息统计”职能是劳工部五大职能中的第一项。[2]相比之下,我国的就业失业统计队伍就显得十分不足。在当前省地以下的政府机构精简的情况下，许多地方还把统计队伍作为“没用”的人员大批“砍”掉,这种局面令人担忧。强化就业失业统计队伍,是我们实行市场经济体制,走向现代化社会所必需的,也是我们在进行

1. 参阅潘文荣:《对我国失业统计的探讨》,国家统计局统计教育中心,2005年3月31日。

2. 参阅姚裕群等:《美国劳动市场》第105—112页,中国大百科全书出版社,1995年版。

经济体制的转轨过程中不可缺少的，相反必须加以强化。

强化就业失业统计的体制保障和统计的审核制度。应实行国家统计部门垂直领导体制，以从根本上保证统计部门的客观性和监督职能。在许多发达国家，都实行统计部门垂直领导的模式，即使在像美国、英国、日本这样有着高度分散的统计体制的国家，其统计部门依然是独立于地方政府，在组织机构、统计方法制度和统计数据公布等方面仍实行集中统一管理。[1] 建立统计数据真实性审核制度，凡出现违反国家统计法、编造数字的问题，都要受到行政处罚以至法律的制裁。

9.4 失业预警系统的建立

失业预警系统是在高失业率出现前，预先报警的一种系统。“预警”的思想是市场经济的伴生物，因为市场调控是一种“事后”调控机制，即当市场处于极不平衡时，靠经济规律进行相应的调节。这一调节的弊端显然较大，可能造成整体的“经济危机”，在就业问题上则可能出现严重的“失业高峰”，进而引起社会矛盾的爆发。因此，研究开发在大规模失业事件发生前预先报警的“失业预警系统”，比事件发生时才报警的警报系统更先进、更有用。

9.3.1 失业预警系统建立的必要性和作用

一、建立失业预警系统的必要性

1. 我国面临十分严峻的就业失业形势，建立失业预警系统十分必要。我国正处在新旧体制转轨的特殊时期，随着企业改革的不断深化，计划经济体制造成的滞留在企业内的大量富余

1. 中外统计体系比较研究课题组：《中外政府统计体制比较研究总报告》（上），《中国统计》2001 年第 11 期。

人员，要求在市场经济体制下释放到市场、社会中去，在城镇涌现了大批失业下岗人员；与此同时，户籍制度的松动及城乡收入差距的拉大，使得大量农村剩余劳动力向城市的转移逐渐规模化，又加大了城镇就业压力。另外，随着我国工业化进程的加快，而在这一进程中产业结构升级换代、技术进步等因素对劳动力就业失业都将产生重要影响。我国失业保险和养老保险体系正在完善中，失业保险的范围还不够广泛，失业救济水平还比较低。过高的失业率对国家的经济发展和社会的稳定都会产生严重的影响，而这种严重的影响正在发生着。

为了避免失业问题对我国经济发展全局构成较大的风险和危机，防止经济运行中失业问题的恶性化，在坚持执行常规的就业和失业统计的基础上，必须抓紧建立失业预警系统，准确预测未来失业的变化，对可能出现的高失业率采取相应的预防应对措施，是十分必要和紧迫的。

2. 从国外的实践来看，建立失业预警系统也是十分必要的。借鉴国际通行的做法，政府应在非常时期充分发挥社会生活的组织者和协调者作用，采取措施，引导和适当干预企业的裁员行为，以保留工作岗位，减少失业，或者开办公共工程安置就业，或给予失业救济等。但这种干预必须是以市场就业、失业机制为基础的顺势操作和阶段性做法，与计划经济时期的行政干预有本质区别，实行时要注意避免可能产生的负面影响。

从国外的实践来看：如“9·11”恐怖事件给美国的航空和旅游业造成了巨大冲击，在3个月内丧失了近百万个就业岗位。美国劳工部实施了“紧急失业援助计划”，对因“9·11”事件导致的失业者，在给予失业救济的同时，提供为期6个月、每人每月405美元的失业援助津贴，为失业者寻找工作提供帮助；韩国政府针对亚洲金融危机爆发后失业率由2.6%上升到7%的情况，实施了“积极创造工作岗位计划”。一方面通过拨款举办公共工程，为失业者提供了23万个就业岗位；另一方面，由政府从就业保险金中向困难企业提供6个月的职工工资的1/2到

2/3的补贴,鼓励企业不裁员、不关闭;日本政府对经济结构调整中受到剧烈冲击的行业和地区,实行紧急就业稳定计划,为不裁员的困难企业及其员工发放就业和培训补助金;对就职困难失业者延长1—3个月的失业救济;促进失业者从事公益事业;德国政府在“两德统一”时,针对东部地区大规模失业问题,采取了工资补贴、开办公共工程、购买公益就业岗位、提供免费职业培训、延长失业保险等多项特殊的措施。

二、建立失业预警系统的作用

1. 预测未来失业率的变化。这是失业预警系统的最主要的功能和作用。失业率是一个动态指标。它因各种对其具有深刻影响关系的因素变化而发生相应变化。这些主要因素有:①国内生产总值的变化。这是影响失业率变化的最重要的宏观经济因素。一般来说,国内生产总值持续保持在较高年增长率水平上的话,意味着整个社会发展形势看好,发生大规模的高失业危险性的可能性小;反之,高失业的危险性可能就大。②社会总需求的变化。社会总需求的变化主要反映的是投资、消费、出口的变化,而它们的变化对社会就业失业的影响关系十分密切。③劳动力供给的变化。这是影响失业率的最基础性因素。从理论上说,当劳动力总供给超过对劳动力总需求时必然产生失业。从我国现阶段的实际情况看,基本如此。④工业化过程中产业结构的迅速变化。特别是农业、资源性产业、技术落后产业的萎缩,直接造成这些产业劳动力需求的减少。⑤劳动就业制度的变化。改革开放后,我国劳动就业制度的根本变化是,劳动力由过去的计划配置转向市场配置。在市场经济不断发展过程中,公有制经济已无法继续保持大量冗员,隐性失业变为显性失业,出现了大量失业下岗人员。⑥基本建设投资规模的变化。⑦第三产业发展速度和规模等因素。上述这些经济因素都是处在动态的变化中,由此影响和决定着失业率也处在动态的变化中。因此,我们可以通过观察、分析和预测这些经济因素的变化趋势,进而来观察、分析和预测失业率的变化趋势。市场经济是存在风险的经济。在市场经济关系下，由于各经济因素变化过程中有时表现出来的及其复杂性，甚至不可预见性，触发失业风险的可能性是存在的；特别是我国已加入 WTO，国际经济一体化将对整个宏观经济和企业微观经济产生巨大的影响，这些影响都有可能在就业领域形成极大的失业风险。建立失业预警系统就是对未来失业率变化趋势进行跟踪和预测，对可能发生的失业风险提早发布警报信息。

2. 在高失业率达到前发布警报。失业警报是以失业警戒线作为参照的。失业警戒线是基于对失业率的分析，以失业率为参照系数提出的社会对失业的容忍程度，其实它是对我国失业承受能力的一种评估。有了警戒线，可以根据劳动力市场供求状况，为政府有效控制失业率的上升，弥补劳动力市场功能的不足，进行宏观调控，提供可靠的参考依据，并采取行政的、经济的、法律的干预措施。当失业率达到或超过警戒线时，即发出预警信号，劳动部门将及时采取措施促进就业，以迅速降低失业率。可以通过行政手段暂行终止经济性裁员，暂时停止受理企业破产申请，控制农村劳动力进城，用减免企业税赋等措施鼓励企业多吸纳劳动力或不将富余劳动力推向社会等，以缓解就业压力。

9.3.2 失业预测系统

一、失业预测系统的指标体系

建立失业预测系统，首先要从分析失业问题入手，选取一系列与失业相关的经济运行指标构建失业预警系统的指标体系，并且建立这个指标体系的数据库。选取指标体系是构建失业预警的首要的和最基础的条件，而确定什么样的指标体系又是关系到能否保证失业预警结果科学性的关键。一般来说，在构建失业预警指标体系时应遵循以下几个原则：

1. 关联性原则。所选取的指标必须是与失业有着紧密牵连的，对失业有着重要影响的指标。它们的关系可以通过计算所选取的指标和失业率的相关系数进行判断。例如GDP指标，美国经济学家奥肯经过实证研究发现，在3%的GDP增长基础上，GDP增长速度每提高2个百分点，失业率便下降1个百分点；反之，GDP每下降1个百分点，失业率便上升1个百分点。这充分反映了GDP指标与失业率之间存在十分明显的关联关系。

2. 可预测性原则。既然是对失业进行预测，发现危险趋势，发出警戒信号，所选取的指标必须具有可预测性，进而对失业问题具有前瞻性，至少是同步性，这样才可以保证对失业进行预测。例如，我们可以通过对未来GDP的发展速度、固定资产投资的增长幅度等的预测值，根据它们与就业失业的关联关系，就可以预测失业率的变动趋势。

3. 综合性原则。要求所选的指标具有高度的概括性和代表性，能够准确地较深层次地反映纷繁复杂的失业问题的最本质的表现。

4. 灵敏性原则。要求选取的指标敏感度高，指标的细微变化能直接影射出劳动力供求变化，而且变化反映迅速，就是说指标的变化会在较短时期内影响到就业失业形势发生变化。例如，基本建设投资规模、第三产业发展规模等的增、减变动对社会就业增、减变化的影响就具有较强的敏感性。

5. 可操作性原则。要求指标都有精确的数值表现。不论是可直接通过统计调查获得的客观指标，如登记失业率、失业人员性别比等，还是通过评分方法示值的主观指标，如满意度、理解程度等，最终都必须能使用数值来计量。

以劳动和社会保障部课题组的《我国失业预警系统与就业对策研究》为例，该课题通过回归分析确定了影响失业率的18个宏观经济指标：(1)经济活动人口；(2)国内生产总值；(3)第二产业产值；(4)基本建设投资；(5)发电量；(6)钢产量；(7)水泥产量；(8)金融机构企业存款；(9)工业生产增加值现价；(10)第三产业产值；(11)社会消费零售总额；(12)进口总额；(13)货币供给I；(14)货币供给II；(15)居民消费价格总指数;(16)商品零售价格总指数;(17)进出口总额;(18)出口总额。以这18个宏观经济指标为自变量,失业率为因变量,建立了失业预测的"回归模型"。

二、失业预警系统的预测模型

在构建了失业预警系统的指标体系,并且建立了这个指标体系的数据库基础上,再必须通过一定的预测模型的计算,最终预测出未来的失业人数、失业率的变化。下面仍以劳动和社会保障部课题组的《我国失业预警系统与就业对策研究》中通过运用失业预测"回归模型"来完成对失业人数和失业率的预测为例,来说明失业预测模型对科学预测失业人数和失业率的有效作用。[1]

失业预测"回归模型"描述公式为:

U=f(X1,X2,X3,……,Xi)

式中U——失业(率);

Xi——影响失业的各种经济总量和结构因素,i=1,2,3,……,n;

f( )——其影响函数。

(1)失业人数预测模型

选择经济活动人口、国内生产总值、第二产业产值、基本建设投资、发电量、钢产量、水泥产量、金融机构企业存款、工业生产增加值现价、第三产业产值、社会消费品零售总额、进口总额、货币供给Ⅰ、货币供给Ⅱ、居民消费价格总指数、商品零售价格总指数、进出口总额、出口总额等18个宏观经济变量为自变量,失业人员作为因变量,并进行时差调整,采用逐步回归法(Stepwise),经过多次反复建模,其最优数学模型是:

失业人数=401.163+7.503×10–3企业存款+5.346×10–2基建投资–1.082×10–2GDP+2.969

---

1. 参见:《我国失业预警系统与就业对策研究》,《中国劳动科学报告集》(2000—2001年),中国劳动社会保障出版社2001年版。

（10.710）(5.391) (–2.831)

10–5 进口

(2.354)

$R2=0.973$ $F=256.921$

变量系数检验:方程的各项系数均通过 T 检验,各系数置信度大于 95%。

模型检验: 方程的 R2 值为 0.973,Durbin–Watson 值为 1.23,自由度(df)为 32,F 值为 256.921,方程通过检验。

因此,该模型可用于预测失业人数的变化。

(2)失业率预测模型

选择经济活动人口、国内生产总值、第二产业产值、基本建设投资、发电量、钢产量、水泥产量、金融机构企业存款、工业生产增加值现价、第三产业产值、社会消费品零售总额、进口总额、货币供给Ⅰ、货币供给Ⅱ、居民消费价格总指数、商品零售价格总指数、进出口总额、出口总额等 18 个宏观经济变量为自变量,失业率作为因变量,并进行时差调整,采用逐步回归法(Stepwise),经过多次反复建模,其最优数学模型是:

失业率 =2.927+2.947 × 10–5 企业存款 +1.722 × 10–4 基建投资 –4.261 × 10–5GDP

（8.561）(3.374) (–2.060)

$R2=0.931$ $F=131.168$

变量系数检验:方程的各项系数均通过 T 检验,各系数置信度大于 95%。

模型检验; 方程的 R2 值为 0.931, Durbin–Watson 值为 1.489,自由度(df)为 32, F 值为 131.168,方程通过检验。

因此,该模型可用于预测失业率的变化。

(3)模型的实际预测检验

利用失业率模型进行实际检验,2000 年 2 季度的调查失业率为 5.26%。可用 1 季度的宏观经济指标预测其失业率的变化,分别为:

企业存款为 109057 亿元；

基本建设投资总额为 1235 亿元；

国内生产总值为 18173 亿元。

代入预测模型计算：

失业率 =2.927+2.947 × 10–5 企业存款 +1.722 × 10–4 基建投资 –4.261 × 10–5GDP

=2.927+2.947 × 10–5 × 109057+1.722 × 10–4 × 1235–4.261 × 10–5 × 18173

=5.58%

通过模型预测的 2000 年 2 季度的失业率为 5.58%，而实际的调查失业率为 5.26%。模型误差为 0.32 个百分点，误差率为 6%。因此，模型较好地解释了失业率的变化情况，可以用于预测季度失业率的变化情况。

9.3.3 失业警报系统

失业警报系统是以失业警戒线作为参照的，因此，失业警戒线是建立失业警报系统的关键指标。确定失业警戒线首先要确定当前城镇的失业率，以它作为主要参照指标；在此基础上确定失业警戒线。

一、当前城镇失业率的确定

现阶段，我国有两套失业率统计指标：城镇登记失业率和城镇调查失业率。登记失业率从 1978 年起由政府的劳动部门组织实施；调查失业率从 1996 年起由国家统计局组织实施。调查失业率的定义、统计范围和调查方法都尽量采用了国际标准。该调查每年进行三次，时间分别为 5 月、10 月和 12 月，这基本上能够代表 2、3、4 季度的失业情况。完成此项调查是以城镇家庭和集体户抽样进行的，全国约抽取 31 万人，包括了农村进城务工的劳动力，也包括了没有工作正在寻找工作的下岗职工。相对于失业登记来说，失业调查比较全面地反映城镇失业的真实状况。因此可选择城镇抽样调查来确定当前城镇失业率。

二、城镇失业警戒线的确定

在市场经济条件下，确定我国失业警戒线的实质是要确定一个社会可承受的失业率，即个人（家庭）、企业和政府三方面都可承受的失业率。对个人（家庭）来说，就是不影响广大劳动者（家庭）的就业和基本物质文化生活水平的失业率；对企业来说，就是保证企业合理负担和生产经营能够良性循环下去的失业率。随着经济体制改革的深化，政企分开，企业逐渐变为独立的经济利益主体，并开始独立承受失业给企业带来的压力：一方面企业要提供一定比例的失业保险金；另一方面企业还要承受传统体制下形成的企业内冗员的压力。企业从自身的发展出发，要求释放大量冗员，使之显性化，但这又可能会给社会和政府造成压力；对政府来说，就是国家宏观政策可以调控的失业率。政府要承担失业可能造成的社会风险，对失业保险金进行补贴，还要制定宏观调控政策以保证社会经济的稳定发展。在这三者之中，个人（家庭）是决定失业警戒线的最关键因素。因为劳动者（家庭）是失业损失的直接承受者。对一定失业率的可承受力或可容忍程度关键是取决于劳动者（家庭）是否可承受或可容忍。对企业来说，缴纳失业保险金的压力是履行法律义务，企业有没有失业，有多少失业，都必须依法缴纳。企业深化改革过程中要释放大量冗员，不能为所欲为，要依照法律和政府政策行事，最终还是要看广大劳动者（家庭）对失业的可承受或可容忍程度。政府调控的失业率的高低其根本依据也还是广大劳动者（家庭）对失业的可承受或可容忍程度，而不是政府的主观意志。因此，城镇失业警戒线确定的决定因素或首要因素是取决于广大劳动者（家庭）对一定失业率可承受或可容忍程度。

现在一些发达市场经济国家对失业率“度”的掌握大体标准是：3%—4%以内的失业率属于劳动力供给紧张型；5%—6%属于劳动力供给宽松型；7%—8%为失业问题突出型；9%以上为失业问题严峻型。例如美国，20 世纪 90 年代一般认为 5.5%—6%的失业率为“充分就业”标准失业率，失业率若低于 5%便表明劳动力供给紧张。我国作为一个发展中的市场经济国家，劳动力呈现出自己的特点，社会可承受的失业程度也应与国际上的一般标准不尽相同。[1]

杨宜勇等学者参考发达市场经济国家的现实标准，从我国幅员辽阔、地区发展不均衡的实际国情出发，提出了全国、直辖市、中心城市和小城市的四类失业警戒线（2002 年）。[2] 详见表 9–3、表 9–4 所示。

表 9–3　以城镇登记失业率为标准的失业警戒线

	安全线	轻警线	中警线	重警线
全国失业警戒线	5%	6.5%	8%	9.5%
直辖市失业警戒线	4%	5.5%	7%	8.5%
中心城市失业警戒线	5%	6.5%	8%	9.5%
小城市失业警戒线	6%	7.5%	9%	10.5%

表 9–4　以城镇调查失业率为标准的失业警戒线

	安全线	轻警线	中警线	重警线
全国失业警戒线	6%	7.5%	9%	10.5%
直辖市失业警戒线	5%	6.5%	8%	9.5%
中心城市失业警戒线	6%	7.5%	9%	10.5%
小城市失业警戒线	7%	8.5%	10%	11.5%

三、城镇失业报警系统指标确定

《我国失业预警系统与就业对策研究》课题组通过研究得出结论认为，我国城镇当前失业率已经达到 7%，近一两年有增加的趋势；城镇失业率的警戒线为 7%。根据德尔菲法调查的结

1. 参阅杨宜勇等：《大开放的就业》第 146 页，中国水利水电出版社，2004 年 3 月。
2. 参阅杨宜勇等：《大开放的就业》第 147 页，中国水利水电出版社，2004 年 3 月。

果，确定了城镇失业报警系统的指标构成。课题组根据德尔菲法调查的结果，结合课题组在4个地区的调查和长期研究的积累,将城镇失业报警系统分为6个区域。[1]但我们考虑到以下原因，将课题组城镇失业警戒线系统每一区域的指标分别提高了1个百分点（详见表9–5）。主要原因是:以2002年城镇调查失业率为参照。2002年我国城镇调查失业率为6%（根据表9–4中安全线6%）。在此基础上降低1个百分点留有余地,为5%,表现为充分就业状态,比较适宜;中国与美国等发达市场经济国家的国情完全不同。我国劳动力市场的发育及信息系统虽然比美国要落后,但现阶段我国政府比美国更具社会管理能力（社会动员能力、宏观调控能力等）的优势;另外,我国又存有深厚

表9–5 城镇失业报警系统的指标构成

项目	失业率	意义
浅绿灯区	5.0%以下	充分就业状态
绿灯区	5.0%—6.0%	处于适度失业状态
浅黄灯区	6.0%—7.0%	失业率出现警惕性提高,社会进入警戒线的边缘,部分地区失业率达到警戒线,应及时予以解决
黄灯区	7.0%—8.0%	全国绝大多数地区失业率达到警戒线,在解决局部地区的超警戒线的同时,密切注意失业率的严重变化,开始实施应付全国性高失业率的预案
红灯区	8.0%—11%	发出全国警报,立即采用应付高失业率的全国性预案,政府发行国债用于基础设施投资和社会保障,检讨并调整宏观经济政策等
紫红灯区	11%以上	发出严重警报,立即采取紧急措施。政府增加发行国债用于基础设施投资和社会保障,进一步调整宏观经济政策等

1．参阅杨宜勇等:《大开放的就业》第147页,中国水利水电出版社,2004年3月。

的“中庸”等传统文化的深刻影响，这些因素对确定（表 9–5）提出的失业报警系统指标的社会承受力的影响作用都将是经济因素不可替代的。

城镇失业报警系统的指标分区是：

1. 浅绿灯区。浅绿灯区的失业率在 5.0%以下，社会处于充分就业状态。一般认为，当失业率等于“自然失业率”时，就是充分就业状态。国外在过去的理论观点和实践认为，3.0%左右的失业率是“自然失业率”，现在提高到 4.0%。美国在“9·11”事件以前，基本处于该状态，是比较理想的充分就业状态。目前，我国劳动力市场的发育成长和劳动力信息系统建设水平虽然比美国落后，但考虑到我国的特殊国情：①我国新旧经济体制还处在转轨时期，计划经济体制的痕迹还有表现，如国有经济成分还是不少，政府对经济的过分干预权力还在表现等；②我国政府比美国更具社会管理能力（社会动员能力、宏观调控能力等）的优势；③我国存有深厚的“中庸”等传统文化的广泛而深刻影响。这些特殊的国情因素对保持社会稳定都将起着经济因素不可替代的作用。基于这些因素，我们认为把 5.0%以下定为充分就业状态的浅绿灯区还是比较合适的。

2. 绿灯区。绿灯区的失业率在 5.0%—6.0%之间，社会处于适度失业状态。这时的劳动力市场失业率超过“自然失业率”1 个百分点，对社会经济的影响较小，有利于发挥劳动力市场的竞争作用，促进劳动者通过参加培训等形式提高自身素质。

3. 浅黄灯区。浅黄灯区的失业率在 6.0%—7.0%之间，社会失业率出现警惕性提高，进入警戒线边缘。意味着在“自然失业率”基础上，又加了 2 个百分点的失业，在现实中则意味着劳动力市场存在 1000—1200 万的失业人员 。这时，部分地区会出现失业率达到警戒线的情况，应该采取有效措施予以解决。这种状态会对社会经济产生负面影响，应引起政府的注意，并采取培训、提高劳动力市场的效率等相应措施，促进劳动者就业。

4. 黄灯区。黄灯区的失业率在 7.0%—8.0%之间，社会处于失业警戒线的状态。绝大多数地区的失业率达到警戒线，在局部地区出现了失业率超过警戒线的情况。这时，一方面要密切注意失业率的变化，开始实施应付高失业率的全国预案；另一方面，加大解决失业问题的工作力度，尤其是要通过宏观经济政策的调整，解决局部地区失业率居高不下的严重状态。

5. 红灯区。红灯区的失业率完全超过7.0%的失业警戒线，立即发出全国失业警报。同时采取应付高失业的全国预案。包括，使用失业金的结余和增加财政投入以保证失业保险金的按时足额发放，实行更加积极的财政政策，鼓励消费等。同时，制定紧急措施预案，严密监控失业率的变化。

6. 紫红灯区。紫红灯区的失业率超过11%的警戒线，立即发出严重失业警报。同时，采取全国性高失业的紧急措施。包括：财政补贴充足的失业保险金以保证保险金的按时足额发放，进一步降低利率促进企业投资，政府增发国债用于基础设施投资和社会保障，进一步调整宏观经济政策，发展劳动密集型企业，增加投资，刺激鼓励消费等，扩大企业生产，促进扩大就业，逐步缓解过高失业率。

第十章

充分就业的哲学观

10.1 充分就业与科学发展观

10.1.1 对科学发展观的理解

一、发展观的历史演变过程[1]

随着发展中国家发展实践的不断发展，人们对发展问题的认识也不断深化，发展观也经历了不断演变的过程。第二次世界大战结束后，围绕着与发展相关的问题，先后形成了以下四种发展观。

1. 发展 = 经济增长的发展观。20 世纪 50 年代以后，大多数国家，特别是广大发展中国家普遍把国内生产总值（GDP）作为评判发展的标准，把发展单纯归结为物质财富的积累。1956 年，美国经济学家刘易斯的《经济增长理论》成为发展经济学的开山之作。刘易斯将发展视同于增长，即“总人口人均产出的增长”。这种观点极具代表性。然而，许多发展中国家在经济增长

1. 参阅中共中央宣传部理论局：《理论热点 18 题》，学习出版社，2004 年；庞元正主编：《当代中国科学发展观》，中共中央党校出版社，2004 年。

的同时，却没有实现社会经济结构、社会状况、政治经济体制等的明显进步和质的提高，相反，却出现了严重的分配不公、社会腐败、政治动荡。人们将这种现象称为“有增长而无发展”或“负发展”。

2. 发展 = 经济增长 + 社会变革的发展观。20 世纪 60 年代末以后，人们在肯定经济增长是发展的基础上，更多地注意到发展中质的变化，认为发展不只是国内生产总值的增长，而且包括经济、文化和社会的发展。虽然这一发展观没有考虑到后代的发展空间问题，但它比单纯追求经济增长的发展观要全面、成熟些。它表明人们的发展观开始由单一性、片面性向多元性、全面性转变。

3. 发展 = 合理 + 可持续的发展观。20 世纪 70 年代初期，由于全球性环境污染、资源短缺、经济发展不平衡等问题越来越突出，罗马俱乐部的报告《增长的极限》和联合国斯德哥尔摩会议通过的《人类环境宣言》，明确提出“持续增长”、“合理的持久均衡发展”的概念，强调以未来的发展规范现在的行为，主张实现在保护地球生态系统基础上的、人与自然和谐相处的人类社会的永续发展。1987 年的联合国世界与环境发展委员会发表了《我们共同的未来》的报告，正式提出可持续发展的概念，并以此为主题对人类共同关心的环境与发展问题进行了全面论述。人们的发展观在多元性、全面性的基础上又向前迈出了一大步。

4. 发展 = 以人为中心 + 社会综合发展的发展观。20 世纪 80 年代，联合国推出法国经济学家佩鲁的发展学论著《新发展观》，强调发展应该是“整体的”和“内生的”，提出发展应以人的价值、人的需要和人的潜力的发挥为中心，促进生活质量的提高和社会每位成员的全面的发展。联合国开发计划署从 1990 年开始，每年发表一份不同主题的《人类发展报告》。《报告》更为注重人类发展指数（HDI）的演变。与传统的发展观不同，HDI 超越了经济方面，在经济与道德、效率与公平、工具与目的、眼前与长远、局部与全局的关系上,力图沟通、平衡与和谐。HDI 包括三个基本因素:寿命、知识和生活水平。

从对以人为中心+社会综合发展的发展观的认识中,不能理解这一科学发展观与实现充分就业目标有着十分密切的关系。因为,充分就业与该科学发展观十分重视的人的价值、效率公平、生活水平等因素关系密切,相互影响深刻。

二、科学发展观的内涵[1]

在党的十六届三中全会上,以胡锦涛同志为总书记的新一届中央领导集体,进一步明确提出要树立和落实科学发展观,即"坚持以人为本,树立全面、协调、可持续的发展观,促进经济社会和人的全面发展"。这一科学发展观的内涵主要包括以下几个方面:

1. 发展必须是全面的发展。全面发展就是以经济建设为中心,全面推进经济、政治、文化建设,促进物质文明、政治文明和精神文明的协调发展,实现经济发展和社会全面进步。

2. 发展必须是协调的发展。协调发展就是统筹城乡发展、统筹区域发展、统筹经济社会发展、统筹人与自然和谐发展、统筹国内发展和对外开放,促进生产关系和生产力、上层建筑和经济基础相协调,促进经济、政治、文化建设的各个环节、各个方面相协调。

3. 发展必须是可持续的发展。可持续发展就是要促进人与自然的和谐,实现经济发展和人口、资源、环境相协调,保证资源一代接一代地永续利用,保证人类一代接一代永续发展。要满足人类的需要,也要维护自然界的平衡;要注意人类当前的利益,也要注意人类未来的利益。要改变那些只管增长、缺乏长远的打算,重局部利益、轻整体利益的错误做法,走上生产发展、生活富裕和生态良好的文明发展道路。

1. 参阅丰子义主编:《树立和落实科学发展观专辑》第 112、124—126 页,中国人民大学出版社,2005 年 8 月。

4. 发展必须是坚持以人为本的发展。以人为本是科学发展观的本质和核心。以人为本就是以最广大人民根本利益为本，努力实现人的全面发展。要从人民群众的根本利益出发谋发展、促发展，不断满足人民群众日益增长的物质文化需要，切实保障人民群众的经济、政治和文化权益，让发展的成果惠及全体人民、惠及子孙后代。要把满足最广大人民群众的根本利益和实现人的全面发展作为经济社会发展的出发点和落脚点。

三、树立科学发展观的意义[1]

第一，树立科学的发展观是贯彻"三个代表"重要思想的本质要求。"三个代表"重要思想的本质是立党为公、执政为民。要解决好这个本质问题，必须把发展作为党执政兴国的第一要务。"三个代表"重要思想强调发展要有新思路。这个新思路从大的方面讲，就是要着眼于经济、政治、文化全面协调发展，在解决好最广大人民群众根本利益的同时，努力促进人的全面发展。可见，科学发展观的内涵完全符合"三个代表"重要思想的本质要求和发展的新思路。

第二，树立科学发展观是全面建设小康社会的重要保障。经过改革开放 20 多年的发展，我国人民生活总体上已经达到了小康水平。但是这个小康目前还是低水平、不全面、发展很不平衡的小康。它同全面建设小康社会的发展目标相比较，还有很大差距，缩小这个差距的任务还很繁重。人多、不发达，这是我国的两大国情。中国有近 13 亿人口，不管多么小的问题，只要乘以 13 亿，那就成为很大的问题；不管多么可观的财力、物力，只要除以 13 亿，那就成为很低的人均水平。目前，城乡之间、地区之间、不同群体之间还存在着较大的收入差距。社会失业、就业问题还很严峻。解决这些问题，必须落实科学发展观。只有按照科学发展观的要求，我们才能动员更多的资源，投向社会公共事

1. 参阅丰子义主编：《树立和落实科学发展观专辑》第 112、124—126 页，中国人民大学出版社，2005 年 8 月。

业、投向生态建设和环境保护,从而实现全面建设小康社会的宏伟目标。

第三,树立科学发展观是解决现实问题的迫切需要。改革开放以来,我国的经济发展取得了举世瞩目的成就。但在经济快速发展的同时,也积累了不少矛盾和问题,主要是城乡差距、地区差距、居民收入差距持续扩大,就业和社会保障压力增大,教育、卫生、文化等社会事业发展滞后,投入产出的效率不高,可持续发展的能力还不强,经济社会发展与人口、资源、环境、生态之间的矛盾比较突出,等等。解决这些问题,迫切要求我们树立科学发展观。

10.1.2 实现充分就业与树立和落实科学发展观的密切关系

一、实现充分就业是实现科学发展观的全面发展的重要内容和保证

科学发展观的全面发展就是以经济建设为中心,全面推进经济、政治、文化建设,促进物质文明、政治文明和精神文明的协调发展,实现经济发展和社会全面进步。不论是从经济发展的角度讲,还是从社会进步的角度讲,实现充分就业问题都是它们其中的重要内容和它们得以实现的重要保证。

1. 从经济发展角度讲,就业是劳动力在社会经济发展中的劳动要素配置问题。没有就业,没有劳动力在劳动岗位上的合理安置或配置,没有劳动力与物质资料要素的结合,再先进的再丰富的物质资料要素也只能是一堆不能活动的“死物”,就不会发生实际的社会经济活动,无法创造出满足社会需要的各种物质文化资料。简言之,没有就业,就没有现实的经济活动,就没有社会生存与发展所需要的物质资料。在现实的社会经济活动中,确实存在一个就业是否充分的问题。也就是说,社会劳动力是否都能够找到工作岗位,是否都能够被用人单位招雇去使用的问题。我国是一个劳动力资源十分丰富的国家,如果不能达到充分就业(充分就业是存在一个正常失业率的就业概念)状

态，就必然会造成相当一部分劳动力资源的浪费，同时那些不能就业的劳动者，也就失去了生存与个人全面发展的主要经济来源，就不利于劳动力素质的普遍提高，反过来就会影响社会的经济发展。简言之，没有充分就业，就没有每个劳动者的良好的生活与全面发展，就会影响整个社会经济的持续健康发展。

2. 从社会全面进步的角度讲，就业除了具有经济关系属性外，还具有社会关系和政治关系属性。就业的社会关系属性，就是保障人民群众的就业权益，保障人们通过就业谋生和发展的权益。充分就业就是保障人们就业的平等性和公平性，人们都有机会均等的职业选择权。政府和社会对劳动市场上的弱者，即困难群体的帮助，主要是采取扶持就业、促进就业的办法，而不仅仅是社会救济。劳动者的就业权益得到保障和实现，排除或减少了失业的痛苦，这就有利于社会的和谐和稳定。从就业的政治关系看，问题也是十分明显的。人民群众的就业权益一旦得到重视和保障，就会减少或淡化由于失业带来和诱发的劳动者与社会、劳动者与政府的冲突，减少和防止反社会、反政府行为，有利于社会秩序稳定和政权的巩固。综上所述，实现充分就业是实现科学发展观全面发展的重要内容和保证；反过来讲，树立和落实科学发展观的全面发展的思想，也必然要求实现充分就业。

二、实现充分就业是科学发展观的协调发展的题中应有之意

统筹城乡发展、统筹区域发展、统筹经济社会发展、统筹人与自然和谐发展、统筹国内发展与对外开放，是科学发展观协调发展的重要内容，它们与就业、充分就业问题都有着十分密切的联系。

1. 统筹城乡发展。统筹城乡发展的实质，是促进二元经济结构的转变。我国正处在深刻的社会转型过程中，即从城乡二元经济结构向现代社会经济结构转变。在这个转变的历史过程中，由“三农”问题产生的大批农村剩余劳动力向城市转移寻找就业的问题尤为政府和社会的关注。统筹城乡发展的一项重要内容，就是要以战略的眼光解决好农村剩余劳动力向城市转移问题，也就是通过工业化，用先进的科学技术改造农业和农村经济，建立先进的现代农业产业和非农产业，消化和吸收由自身产生出来的大批剩余劳动力就业；通过推进工业化、城市化的发展建设，实现大量农业人口向城镇转移，进城就业。因此，统筹城乡发展的一项重要内容和任务，就是要解决好大量农业剩余劳动力转移到城镇、转移到非农产业去就业。2005 年 12 月，国务院发布了《关于推进社会主义新农村建设的若干意见》指出：进一步清理和取消各种针对务工农民流动和进城就业的歧视性规定和不合理限制。建立健全城乡就业公共服务网络，为外出务工农民免费提供法律政策咨询、就业信息、就业指导和职业介绍。严格执行最低工资制度，建立工资保障金等制度，切实解决务工农民工资偏低和拖欠问题。完善劳动合同制度，加强务工农民的职业安全卫生保护。逐步建立务工农民社会保障制度，依法将务工农民全部纳入工伤保险范围，探索适合务工农民特点的大病医疗保障和养老保险办法。认真解决务工农民的子女上学问题。

2. 统筹区域发展。统筹区域发展的实质是实现地区共同发展。区域经济发展不平衡是我国的国情。保持比较发达地区快速发展的势头和扶持落后地区发展，都是国家的既定政策。统筹区域发展，从就业角度来讲，就是要引导、服务、推动好劳动力和人才在区域间的有序流动，清除类似“户籍管理”等不利于劳动力和人才流动的阻碍因素，取消歧视外籍劳动力就业的不合理规定，为劳动力和人才的区域间流动、就业创造一个良好的政策、社会环境。在城市化进程中，中西部地区人口向东部地区转移，这种转移在一定程度上可以替代产业转移，同时这种转移从一定意义上说也是一种就业转移。劳动力和人才的区域流动带来的良性效益是十分明显的。一方面，劳动力进入发达地区就业，有利地支持了发达地区的发展建设和那里人们生活的需要；

另一方面，落后地区劳动力向发达地区的流动，使大量的财力从发达地区汇入落后地区，从而形成了落后地区经济发展的巨大财力支持。落后地区劳动力在发达地区就业，全面提高了劳动力的素质和观念，等等，这些因素对保持比较发达地区快速发展的势头和扶持落后地区的发展都起到了积极作用。当然，劳动力的区域流动所带来的一些负面问题，是应当引起高度重视和认真解决的。

3. 统筹经济社会发展。统筹经济社会发展的实质，是在经济发展基础上实现社会全面进步，提高全体人民的福利。随着社会温饱问题的解决和改革的深入，经济发展中一些社会问题日益凸显出来，例如：失业、贫困、社会保障、国民教育、公共卫生和医疗、收入分配差别过大等现实社会问题亟须解决，而这些现实社会问题都与就业有直接或间接的密切关系。上述诸多社会问题的解决，必须以经济持续发展为基础，这是一方面；另一方面，国内外的经验和教训都说明：社会经济发展的战略目标，不是单纯追求经济增长，更不是单纯追求 GDP 的增长，而是在经济发展基础上实现社会全面进步，提高全体人民的福利。实现社会全面进步，提高全体人民的福利，必然要求实现充分就业，而充分就业的实现又是实现社会全面进步和提高全体人民福利的基本标志。就业是人们获取经济利益的最基本途径，而经济利益是提高人民福利、实现其他利益的前提和基础；就业也为许多人要求充分表现自己的聪明才智提供了机会和领域，因此，就业权就成为了人权的一项最基本的最重要的内容。社会实现了充分就业，表明政府、社会对人民最基本权益的尊重，这是社会全面进步的体现。反过来讲，要判断是否实现了社会的全面进步，充分就业是不可缺少的指标。

4. 统筹人与自然和谐发展。统筹人与自然和谐发展的实质，是人口适度增长、资源的永续利用和良好的生态环境。充分就业跟人与自然和谐发展之间的关系也是十分紧密的。自然给人类的资源是有限的，而有限的资源不仅要满足当前人类生存和发展的需要,还要考虑人类子孙后代的生存和发展的需要,有限的资源能否照顾到这两方面的需要,选择不同人口增长幅度是最为关键的问题。若人口过度增长,必然造成劳动力的过度供给,这种劳动力的过度供给与有限资源对劳动力吸纳的有限之间必然发生严重冲突,这种冲突则阻碍着充分就业的实现。如果只是单纯考虑到当前扩大就业的需要,必然造成对有限资源的过度、盲目、无序地利用,破坏生态平衡,这时不仅要遭到自然界对人类的惩罚,而且更要遭到人类自身对自己的惩罚,结果经济发展的停滞,严重的失业和贫困不可避免。实际上人类的不少地区和一些历史阶段就是从上述的描述中走过来的。因此,只有实现了人与自然的和谐发展,社会才会有实现充分就业的可能。

5. 统筹国内发展与对外开放。统筹国内发展与对外开放的实质,是更好利用国内外两种资源、两个市场,顺利实现中国经济的振兴。实现充分就业目标也要利用好国外资源和劳动市场。一方面,我国是一个劳动力资源十分丰富的国家,有向外输出劳动力的要求;另一方面,国外一些国家可利用资源丰厚,有的国家劳动力短缺,存在输入劳动力的要求。这就为我们这个劳动力资源大国利用国外劳动市场,向国外输出一定数量的劳动力,实现我国劳动力充分就业目标提供了有利机遇和条件。

三、科学发展观的可持续发展为充分就业的可持续实现提供了可能

可持续发展就是要促进人与自然的和谐,实现经济发展与人口、资源、环境相协调,保证有限的资源一代接一代地永续利用,保证人类一代接一代永续发展。充分就业不论是作为政府追求的宏观经济目标,还是作为判断社会全面进步是否的基本标准,它始终都是政府和社会积极不懈地去努力,并能使它成为一种就业常态的方向,与经济的可持续发展一样也能力争做到充分就业的可持续实现。从根本上说,充分就业的可持续实现只有建立在经济的可持续发展上才有可能。因为,从人与自然的和谐，经济发展与人口、资源、环境相协调的关系中所反映出来的是人力资源与自然资源之间的最优化最合理的配置关系，即劳动力资源的供给与有限资源对劳动力有限需要之间达成的协调性与一致性。这也正是充分就业内在质的要求。社会经济的可持续发展为充分就业的可持续实现提供了极大的可能。充分就业的最终实现还要经过政府、社会和劳动者个人在实践中的积极努力。关于可持续发展与充分就业的一般关系已在前面做过阐述。

四、实现充分就业是科学发展观的必须坚持以人为本的必然要求

以人为本是科学发展观的本质和核心。以人为本就是以最广大人民的根本利益为本，努力实现人的全面发展。最广大人民的根本利益是他们的经济利益，而经济利益又是政治利益、文化利益等利益的基础和出发点。就业是人们实现在特定岗位上通过进行特定职业劳动获取经济利益的方式或手段。对失业者来说，就意味着他失去了从事职业劳动获取经济利益的途径，进而就要影响、损害他的全面发展。因此，失业对广大人民来说是最痛苦的事。科学发展观坚持以人为本，就必然要求政府积极努力去实现充分就业目标，保障广大劳动人民的就业权益，保障广大人民的根本利益。关于充分就业与科学发展观以人为本的关系问题，我们还要在10.2节展开论述。

10.1.3 以科学发展观为指导探索中国特色充分就业道路

在党的十六届三中全会上，党中央进一步明确提出要树立和落实科学发展观，即“坚持以人为本，树立全面、协调、可持续的发展观，促进经济社会和人的全面发展”。以科学发展观为指导探讨中国特色充分就业道路，努力实现充分就业目标，促进经济发展，维护社会稳定，推动整个社会不断发展进步。

一、发挥我国的劳动密集型产业的比较优势，更多地吸纳劳动力就业

以科学发展观审视我国的产业发展政策，根据我国的国情就是要坚持和发挥我国的产业比较优势,发挥产业竞争力优势,保持良好、较高的经济增长速度。我国的产业比较优势是比较明显的,就是发展劳动密集型产业。从各行业就业人员数量来看,至2001年底,我国农林牧渔业、制造业、社会服务业(多是劳动密集型产业)的就业人员数量占各行业总就业人数的57.55%;从新提供的就业岗位来看,根据有关分析,我国汽车、机械、钟表行业将有107.8万人下岗,而食品加工、纺织业、服装业和建筑业等劳动密集型产业将提供9199.5万个就业岗位,大大超过技术和资金密集型产业所能提供的就业岗位;从我国的资源禀赋来看,我国人均资源稀缺,资金不足,技术与发达国家比较相对落后,但是,我国的劳动力资源丰富,具有大力发展劳动密集型产业的比较优势;再从产业竞争力来看,参阅最近10年的中国统计年鉴,我国的出口产品业基本上是传统的劳动密集型产品。由此可见,由我国特殊的国情决定了在未来的一段相当长的时间内,劳动密集型产业将占主导地位。劳动密集型产业,顾名思义就是具有吸纳众多劳动力特点的,特别是能吸纳一般劳动力素质的人员就业的产业。据资料介绍,我国在金融保险和科研行业等资本密集型或技术智力要求比较高的行业中就业的高中以下文化程度人员非常少,几乎都不到各自学历人群的1%。[1]相比之下,纺织、服装、食品、建筑等劳动密集型产业占用资金少,吸纳劳动力多,对劳动力素质的要求也相对较低,能为大量失业、下岗人员找到就业出路。劳动密集型产业作为我国具有比较优势的产业,又具有明显的扩大就业岗位的优势,应当着重加快发展。

二、从我国多层次生产力水平、经济发展极不平衡的国情出发,采取多元、灵活的就业方式,扩大就业渠道,促进充分就业的实现

只有采取与我国现实生产力水平相适应的就业方式,保持

1.《中国统计年鉴》(2002),中国统计出版社。

就业方式与现实国情的相适应性、一致性，才符合科学发展观协调发展的思想，才能推动社会经济的快速、健康发展。我国现实生产力水平的特点是，生产力发展水平多层次、经济发展极不平衡，与之相适应的就业方式应当是，就业的经济形式多元化和就业方式的灵活多样化。所谓就业的经济形式多元化是指，劳动力可以选择在国有企业、集体企业里就业，也可以选择在私营企业、中外合资企业、外商独资企业里就业；所谓就业方式的灵活多样化主要包括：非全日制就业、临时就业（包括短期就业、派遣就业、季节就业、待命就业）、兼职就业、远程就业、独立就业、承包就业、自营就业和家庭就业等。灵活多样化就业方式的显著特点是：具有就业门槛低、行业和门类庞杂，有利于缓解劳动力市场的结构性矛盾；机制灵活、进退方便，有助于推进企业现代人力资源管理制度的确立和劳动力的合理流动。灵活多样化就业方式在促进市场就业机制的形成、促进经济增长、促进城市就业再就业、推动城镇化进程、转移农村剩余劳动力和增加农民收入等方面都发挥了举足轻重的作用。因此，从我国实际国情出发，采取多元化、灵活就业方式，可以达到扩大就业渠道、增加就业人员数量的目的。

三、加快推进城市化发展，为实现充分就业开创更广阔的空间

城市化是“人类生产与生活方式由乡村型向城市型转化的历史过程，主要表现为乡村人口转化为城市人口及城市不断发展完善的过程”。[1]城市化的基本内涵主要包括以下几个方面：⑴城市化是城市人口比重不断提高的过程；⑵城市化是产业结构变迁的过程。主要表现为第一产业人员不断向第二、三产业转移，第二、三产业在GDP中的比重不断上升；⑶城市化是传统生产、生活方式向现代生产、生活方式转变的过程；⑷城市化是经济重心不断向城市转移的过程；⑸城市化是城市文明不断发

1. 中华人民共和国建设部：《中华人民共和国国家标准城市规划用语》，1999年。

展并通过互动带动农村文明发展的过程；(6)城市化是人的整体素质不断提高的过程。[1]我国农民占总人口的60%,农村人口的大量转移,必须靠城市化来解决。改革开放后,由于城市化较前一时期发展快很多,农村人口的转移也呈现加速之势。据测算,1978—2000年，全国农村累计向非农产业转移农业劳动力1.3亿人，平均每年转移591万人，约占农村剩余劳动力存量的76.5%。这一转移还在继续,据有关部门测算,到2015年,我国城市化速度如果每年能够提高1个百分点，将使2.5亿左右的农村人口转为市民。[2]可见,城市化进程的加快,必将为大量农业剩余劳动力转移到城市就业开拓广阔空间。现在，我国农业剩余劳动力转移开始进入加速期,但城市化进程却显得相对滞后,还不能完全接纳快速转移进城来的大量农民工,他们的就业发生了很大困难。因此,按照科学发展观的全面、协调、可持续发展的要求,必须要进一步加快我国的城市化进程,为大量农业转移劳动力进入城市就业提供更多的机会和更大的空间。

四、实施积极的就业政策,积极有效地促进充分就业

我国是一个劳动力资源大国。就业既是经济生活也是社会发展中的重大问题。党的十六届三中全会通过的《中共中央关于完善社会主义市场经济体制若干问题的决定》，根据我国国情和经济体制改革的客观进程，提出把扩大就业放在经济社会发展更加突出的位置,实施积极的就业政策。面对我国在一个相当长的时期内面临严重的就业压力,必须把改革与稳定、经济发展与社会发展有机结合起来，把扩大就业放在经济社会发展更加突出的地位;要改变过去单纯追求GDP的片面做法,把经济增长的就业效果作为我们衡量经济社会协调发展的重要方

3. 参阅赵国鸿:《论中国新型工业化道路》第211—212页,人民出版社,2005年5月。

4. 参阅国家统计局农调总队课题组:《中国农村剩余劳动力就业问题对策》,2004年2月。

面。为了实现这一目标,《决定》提出实施积极的就业政策,是我国宏观经济政策的完善和丰富。从宏观层面上看,积极的就业政策指以促进就业为取向的宏观政策体系,即不仅要将就业作为经济增长的前提和经济运行的结果,而且要将之作为经济发展的基本目标,在产业结构和产业布局的调整以及经济增长方式和增长速度的确定等重要决策中,充分考虑各项措施的就业效应,将能否促进就业增长作为宏观经济决策的基本原则。政府的目标是多重的,包括经济增长、市场稳定、社会公平和充分就业等,在经济发展的不同阶段,政府目标的侧重点也有所不同。根据我国当前的实际状况,将就业增长作为宏观政策体系的重心,在经济快速增长的同时实现就业增长,有效解决我国因经济结构调整和体制转型带来的严重的失业问题,有着重要的意义。从微观层面看,积极的就业政策主要体现在政府对劳动力市场的主动干预上。市场本身是有缺陷的,例如在劳动力市场上的歧视问题、不同特征的劳动者之间的分割问题、结构性失业问题等等,都不可能通过市场本身得到解决。所以,通过政府对市场的主动干预来引导市场行为,弥补市场功能的缺陷,从而实现整个社会福利的最大化,是十分必要的。积极的就业政策充分体现了科学发展观的要求,是用科学发展观指导就业,实现充分就业目标的宏观经济政策的又一范例。

五、提倡和鼓励创业型就业

现阶段,我国面临严峻的失业、就业压力。就业问题的一个突出困难就是,那种只想靠国家兴办国有企业的方式来解决就业问题的想法已经是完全行不通了,必须要有新的就业思路。科学发展观强调发展必须要坚持“以人为本”。以人为本,就是以实现人的全面发展为目标,从人民群众的根本利益出发谋发展、促发展。依照这样一个思想指导,在就业问题上,坚持以人为本,实现人的全面发展,就是要积极发挥人的主观能动性和创造性,走创业型就业之路。创业型就业就是创业者依据自己的设计和艰辛努力开创一个新企业,包括新公司的成立、组织中新单位的成立，以及提供新产品或新服务等，以实现创业者的理想。创业型就业与其他形式就业的根本区别就在于，创业型就业是通过自己创办一个企业或组织或社会提供某种服务的方式实现的一种就业；而其他形式的就业是择业者通过某种方式进入到别人已经创办的企业、组织中去就业。创业型就业不仅符合市场化就业方向,而且在解决创业者本身就业的同时,还能为其他人创造更多的就业机会,增加税收,搞活经济。我国一些沿海城市的经验表明,培育宽松的市场条件,努力营造良好的创业环境,鼓励创业,才是解决就业的根本对策。

清华大学中国创业研究中心在 2003 年 2 月发布了中国第一份全面、科学和独有的创业研究报告——《GEM 全球创业观察 2002 年中国报告》,GEM 即全球创业观察项目是当今唯一的全球创业研究项目,2002 年有 37 个国家和地区参加了该研究项目。根据这一报告,我国的全员创业活动指数在 37 个 GEM 参与国家和地区中排名第 9 位。然而，我国的创业环境却排名第 23 位。这表明我国的创业活动还存在明显差距。因此,改善创业环境是我国当前亟待解决的问题。由于我国的创业主体大多是劳动力市场的相对弱势群体，因此政府制定相应的扶持与优惠政策,劳动部门提供创业能力的指导与培训,改善创业者的融资环境,改善市场的交易环境等,对广大创业者都是非常需要的。[1]

10.2 充分就业与“以人为本”

10.2.1 对“以人为本”内涵的理解[2]

1. 参阅杨宜勇:《劳动就业体制改革攻坚》第 194—199 页,中国水利水电出版社,2005年 1 月。

2. 参阅包心鉴:《论以人为本》,《中共中央党校学报》2004 年第 3 期。

关于“以人为本”的科学内涵,胡锦涛同志《在中央人口资源环境工作座谈会上的讲话》作了深刻阐述。他指出:“坚持以人为本,就是要以人的全面发展为目标,从人民群众的根本利益出发谋发展、促发展,不断满足人民群众日益增长的物质文化需要,切实保障人民群众的经济、政治和文化权益,让发展的成果惠及全体人民。”在现代社会,人既是社会发展的出发点,又是根本目的,同时还是社会进步的主体力量。人在社会发展中贯穿全局的主体地位,决定了坚持以人为本在落实科学发展观中贯穿全局的地位,决定了以人为本的科学发展观包含着丰富的内涵。

一、以人为本就是一切发展都必须以人为出发点

把发展作为经济社会的主题和党执政兴国的第一要务,首先有一个发展出发点的问题。出发点是否正确,直接决定着发展的思路、发展的内涵、发展的手段、发展的目的是否正确,最终决定着发展的代价与效果。在现实经济生活中我们发现:有的地区打着“加大改革力度谋求快速发展”的旗号,不顾公有资产的严重流失和广大职工的实际承受能力,对公有资产实行“全部卖光”政策,暗箱操作,造成公有资产流失惊人;对公有企业职工实行“全部下岗失业”的政策,由于缺乏妥善的安置措施和保障对策,造成社会矛盾严重,影响一方安定。这种以损害公有利益、损害群众利益为代价的所谓改革和发展是违背科学发展观的,是极不可取的。而在这种所谓加大改革力度、谋求快速发展的背后,无不隐藏着某些决策者、领导者的狭隘出发点,或者是为了谋求地方利益,甚至私有利益,或者是为了追求个人的所谓政绩。这些现象深刻警示我们,在社会主义现代化进程中,端正发展的出发点至关重要。党和政府把以人为本作为科学发展观的本质和核心,把实现和维护人民的利益作为一切发展的出发点,不仅体现了对现代经济社会发展规律的尊重,而且体现了对广大人民权益的尊重。以人为出发点,谋求经济社会发展,包括丰富的内涵:⑴制定宏观经济指标,选择重要经济项目,出台与群众利益有直接关系的重大改革措施等，都必须以人民群众的实际承受力作为重要前提。⑵一些重要发展措施、项目，都应倾听人民群众的意见和建议，以此作为领导者决策的重要依据。⑶各方面的发展，都应统筹兼顾人民群众各方面的利益，不仅要使人民群众得到眼前的实惠，而且要有利于长远发展；不仅要使人民群众获得经济利益，而且要注重创造良好的环境利益和政治利益。只有真正从人民的利益出发的发展，从有利于人的全面发展出发的发展，才是能得到人民群众支持、促进和掌声的发展，才是科学的发展。

二、以人为本就是一切发展都必须依托人的主体性

依靠人民群众的主体性、创造性建设社会主义，是社会主义发展的内在要求，是我们党领导中国特色社会主义建设的一条宝贵经验。依托人民群众的主体性推进经济社会发展，包括丰富的内涵：⑴尊重人民群众，注重人民群众的实践经验与创造精神，善于从人民群众的主体意志和实践指向中把握经济社会发展的契机。⑵依靠人民群众，注重把发展这个主题转化为人民群众的自觉行动，充分调动人民群众支持发展、参与发展的积极性。⑶保护人民群众，切实保障人民群众享有的各项权利，千方百计增加人民群众的实际利益，使人民群众从发展当中得到实惠、尝到甜头，这是调动人民群众参与发展、支持发展的积极性的重要基础。

三、以人为本就是一切发展都必须以人为目的

人既是推动社会发展进步的主体，又是推进社会发展进步的全部目的。一切发展都必须依靠人民，一切发展都是为了人民，这是我们党执政兴国的真谛，是科学发展观的社会本质。发展先进生产力，建设高度物质文明，目的是不断满足广大人民日益增长的物质生活需要，使全体人民逐步走向共同富裕。发展先进文化，建设高度精神文明，目的是不断满足广大人民日益增长的精神文化生活需要，实现人的全面发展。发展民主法制，建设高度政治文明，目的是不断满足广大人民日益增长的政治生活需要，切实保障人民的民主自由权利。是否对人民的利益实现有利，是判断发展政策正确与否的根本标准；人民满意不满意、高兴不高兴、放心不放心，是衡量发展是否有效益的根本尺度。以对人民群众深厚的感情和高度负责的精神着力解决关系人民群众切身利益的突出问题，是切实落实科学发展观的关键环节。以人为目的的加快经济社会发展，包括丰富的内涵：⑴把人民群众的长远利益与眼前利益结合起来，既注重长远利益谋发展，又注重眼前利益的维护和实现。⑵把人民群众的经济利益与政治权益结合起来，既注重物质文化利益的满足，又切实保障人权。⑶把人民群众的利益实现与解决实际困难结合起来，既注重发展带来的利益，又着力解决关系到人民群众切身利益的突出问题。群众利益无小事。能否把人民群众的利益放在首位，能否给人民群众带来实际的眼前利益和长远利益，是是否坚持以人为本的科学发展观的最终标志。

10.2.2　“以人为本”是实现充分就业的价值基础

一、充分就业是人民群众根本利益的要求所在，而以人为本为实现充分就业提供了科学发展观的支持

就业作为劳动者进入工作岗位通过劳动获取经济收入的手段或方式，它是人民群众实现根本利益的必然要求。但广大劳动者能否实现充分就业除了自身的素质和努力外，与党和政府树立和坚持什么样的发展观有密切关系。如果它树立和坚持的是“单纯经济增长的发展观”，那么，它就会把实现经济高速增长作为整个经济社会发展的出发点和归结点，一切都服从于经济的高速增长，为了达到经济高速增长的目的，可能就会忽视或损害经济增长与其他发展因素、社会因素的良好协调关系，例如以牺牲充分就业为代价等，而这样做的最终结果必然使经济增长的质量受到严重损害，可持续发展受到破坏，人民群众的利益受到严重影响，增加了社会的不稳定因素。而以“以人为本”为本质和核心的科学发展观则根本不同于上述发展观的做法，它就会从人民群众的根本利益出发谋发展、促发展，切实尊重和保障人民群众的权益，把实现人民群众的利益作为发展的目的。现在，党和政府实施积极就业政策，把实现充分就业作为政府的宏观经济目标，提出就业优先、积极促进就业的政策导向，把实现充分就业作为关心和保障人民群众利益的具体行动，全党上下、全社会上下，都来重视和积极努力促进就业、再就业问题，这充分体现了以"以人为本"为本质和核心的科学发展观与人民群众利益要求的一致性，以人为本也就成为了充分就业价值观的本质内容。以人为本成为实现充分就业的价值基础，成为充分就业的价值判断的依据。根据这样一个价值判断标准，人民群众对党和政府的评价，政府的上级对下级的评价，就可以从是否实现充分就业这个具体侧面，来评价其是否树立和落实了科学发展观，或树立和落实的程度；换句话说，从是否实现充分就业这个具体侧面，来评价其是否真正把关心和保障人民群众的利益问题落到了实处，或落实的程度。

二、以人为本要求实现人的全面发展，而充分就业为实现人的全面发展提供了必要的物质基础

中国特色社会主义的基本特征之一就是物质文明、政治文明、精神文明共同进步，经济、政治、文化协调发展。建设中国特色社会主义的经济和文化，是为人的全面发展创造物质文化条件；建设中国特色社会主义的政治，是为人的全面发展提供制度保证。在党的十六大报告中又进一步明确指出："形成全民学习、终身学习的学习型社会，促进人的全面发展。"在当今的现实社会里要实现人的全面发展所要求的内容，需要接受必要的学习教育、参与相关社会活动，需要相关的设施、设备等物质技术手段等，这些都必须以一定的经济基础作为保障。对于家庭、个人来说，他们在实现人的全面发展过程所要耗费的经济性成本，一般都要由自己来承担，而承担的这些成本费用，又必须通过就业岗位上的劳动收入来补偿。而一旦失业，就意味着他们失去了经济收入来源，若处于长期失业状态，甚至造成生活极其困难，他们也就失去了获取全面发展的经济支持。如果这种情况不断发生，甚至形成社会问题的积累，人的全面发展就会受到严重影响，其中的一些人就可能成为由过去的人的全面发展的参与者、促进者和受益者而变为人的全面发展的观望者，甚至对立者。一个家庭或一个人的就业所实现的经济利益，会给这个家庭或个人的全面发展带来经济支持；若实现了社会的充分就业，也必然使社会上更多的家庭和更多的人具有了全面发展的经济基础，那必将有助于促进全社会的人的全面发展。正如马克思所说："代替那存在着阶级和阶级对立的资产阶级旧社会的，将是这样一个联合体，在那里，每个人的自由发展是一切人的自由发展的条件。"而有的劳动者则通过就业或不断的就业选择以获得充分展现自己的聪明才智，自由发展自己的实践舞台。

三、以人为本是政府制定失业、就业政策的根本价值指导

以人为本说到底就是以人民的根本利益为本，就是要求我们的一切制度规范和政策措施的创建与制定都要以尊重、关心和实现人民的根本利益为指导之本。在建立社会主义市场经济体制过程中，必然要对传统体制下企业不合理的劳动力资源配置、劳动就业制度、就业政策等进行根本上的改革，以适应生产力发展的要求。不破不立，有破有立。在劳动就业体制破立过程中，失业是不可避免的，通过劳动力市场实现就业是必然的选择。失业、就业是直接关系到人民群众的切身利益，且影响社会稳定的大问题，切不可盲目、草率从事。政府由过去对就业的统包职能，转变为宏观指导、服务、促进的职能。政府在制定失业下岗政策、就业再就业政策、安排重大的调整劳动力配置的改革决策与时机时，都必须要始终坚持把以人为本作为制定政策、决策的最高价值指导，就是要考虑到失业下岗政策、决策对人民群众的可承受程度、对人民群众利益的影响程度、涉及群众面的范围、就业再就业的安置政策与失业下岗政策的配合协调关系等等，以保证政策、决策的人民性和科学性。

10.3 充分就业与构建和谐社会

10.3.1 对和谐社会的理解

胡锦涛总书记在省部级主要领导干部提高构建社会主义和谐社会能力专题研讨班开班式上指出，我们所要建设的社会主义和谐社会，应该是民主法制、公平正义、诚信友爱、充满活力、安定有序、人与自然和谐相处的社会。上述这些基本特征是相互联系、相互作用的，需要在全面建设小康社会的进程中全面把握和体现。换一个角度认识，社会主义和谐社会实际上是指以人为主体的社会和谐发展状态，它包括人与自然之间的和谐、人与人之间的和谐、社会结构之间的和谐。

一、和谐社会是包含着人与自然之间关系的和谐发展

从人与自然的关系来看，和谐社会表现为人们在合理利用自然资源过程中创造更多的社会财富，即社会生产力的提高与进步。社会生产力的不断提高不仅是人们的生活水平得以不断改善的基础，而且也是和谐社会形成和不断发展的基础。发展中的和谐才是真正的和谐。没有发展，人们的生活就难以得到保障和改善，在财富极度匮乏的社会中必然潜伏着许多不稳定的因素，难以形成和谐社会。当然，我们所追求的发展不是高消耗、高污染、粗放型的旧式增长模式，而是高效、低耗、环保、集约型的发展模式。这种发展模式就是，人们在利用自然资源发展的过程中，不仅要维护人类自身的利益，而且要维护自然界的平衡，使人类社会系统与自然生态系统和谐相处，协调发展。

二、和谐社会是包含着人与人之间关系的和谐发展

人们的一切行为皆根源于利益。人与人的关系说到底是利益关系。正如马克思所说的，人们奋斗所争取的一切，都同他们的利益有关。人与人之间关系的和谐发展，是指人们之间没有根本的利益冲突，能够各尽其能地劳动，各得其所地生活。但是，人们从现实生活中观察到了许多利益差别、利益矛盾等问题的存在。如,由于人的聪明才智、劳动技能等劳动力个人素质的差异,而会带来劳动收入的差异;由于各企业、部门的经济效益差别,而会带来不同企业、部门间的劳动者劳动报酬水平的差别;由于有的行业、部门对某些特殊资源的垄断性占有使用和经营(如石化、电信、金融等行业对特殊资源的垄断性),使这些行业、部门比其他行业、部门获取到更多更大的垄断性收益;由于社会分配不公、市场机会不公、信息不对称等因素导致的许多投资者、经营者之间获利水平高低差别悬殊,等等。上述这些经济利益差别、经济利益矛盾的产生,在现阶段是不能回避的,也是难以避免的。在建设社会主义和谐社会过程中,人与人之间的利益关系发生这样和那样的利益差别、利益矛盾同样是正常的,不可避免的。建设和谐社会,问题的关键不在于有没有利益差别、利益矛盾,而在于如何认识和解决这些差别和矛盾。在一个利益主体多元化的社会中,实现社会和谐的制度安排往往并不表现为其中有没有或很少有利益上的矛盾和冲突,而是表现为它能够容纳和化解这些矛盾和冲突。建设社会主义和谐社会绝不是不允许利益矛盾、利益冲突的存在,相反,这个和谐社会对不同利益主体的包容和对矛盾以至冲突的化解本身就是社会和谐的一个重要表现。简言之,建设社会主义和谐社会不是要建成一个没有利益矛盾甚至利益冲突的社会,而是建成一个人们能够积极运用经济的法律的道德的方式去化解矛盾与冲突,维护和创造这个大家共处的而人人都需要和谐的文明社会。

三、和谐社会是包含着不同社会阶层之间关系的和谐发展

改革开放20多年来,我国原有的社会阶层因在改革过程中所处的位置和所扮演的角色不同,出现了分化和重组。随着社会成员在不同所有制、不同行业、不同地区之间频繁流动,人们的职业和身份经常变动,新的社会阶层不断产生;随着原有生产要素配置的分化和向不同生产经营主体的集中,不同社会阶层在收入和利益分配上的差距不断地扩大,社会矛盾、摩擦和冲突

也随之产生。虽然各阶层成员之间的利益关系存在相容互补的一面，但矛盾的对立性是客观存在的。对这些矛盾如果不能及时加以协调和化解，任其发展、激化，就有可能导致社会动荡。社会主义和谐社会，应当是各社会阶层之间和谐相处，发生矛盾通过合理合法的手段妥善化解，在共同利益的基础上实现劳动合作和利益共享。

四、和谐社会是包含着管理者与被管理者之间的和谐发展

任何一个组织内部都存在着管理者与被管理者的划分，大到一个国家内部，小到一个生产经营单位内部都是如此。管理者与被管理者是组织系统内一对对立统一体，他们之间的矛盾是绝对的，统一则是相对的。管理者与被管理者在其所参与的各种实践活动中，发生各种各样的摩擦、矛盾是不可避免的，是完全正常的，其中由利益问题引起的摩擦、矛盾是最深刻最根本的。特别是在当今的改革、发展市场经济的环境下，管理者与被管理者之间由利益分配、调整导致的摩擦、矛盾，甚至冲突是最为突出和经常的。在建立社会主义和谐社会过程中，管理者和被管理者都应该本着民主法制、公平正义、诚信友爱、充满活力、安定有序的社会主义和谐社会原则化解之间的摩擦、矛盾和冲突，在各自所处的角色上既正确享用权利，又积极尽好义务，共同营造良好和谐环境，促进和谐发展。在管理者与被管理者的矛盾体中，管理者往往是矛盾的主要方面，因此，在共建和谐社会中，管理者，特别是指政府管理者要树立服务意识，忠实履行全心全意为人民服务的宗旨，把实现人民群众的利益作为追求政绩的根本目的，用关爱和善意化解社会矛盾，用清正廉洁维护社会公正，用全心全意为人民利益服务来搭建政府与人民群众之间的和谐之桥。

10.3.2 实现充分就业与构建和谐社会的紧密关系

实现充分就业与构建和谐社会，它们具有共同的价值认同；存在相互需要、相互促进的密切关系。

一、"以人为本"是实现充分就业和构建和谐社会共同的价值认同

实现充分就业的价值内涵是以人为本。就业是指人的就业，充分就业是指尽可能让那些具有劳动能力且又需要工作的人都能实现就业的一种就业状态。就业是劳动者获取工作岗位，通过劳动实现经济利益的途径。一般来说，劳动者实现了就业就意味着他有了获取经济利益的保障；充分就业就意味着有更多的劳动者有了获取经济利益的保障。实现充分就业的实质就是实现劳动群众经济利益的保障。充分就业完全体现了以人为本的价值内涵。构建社会主义和谐社会是树立和落实科学发展观的内在要求。科学发展观的价值基础是以人为本，决定了和谐社会的价值基础也必然是以人为本。以人为本成为了实现充分就业和构建和谐社会共同的价值认同。

二、实现充分就业让广大劳动人民群众增进了对政府和社会的信任，使构建和谐社会具有了广泛的群众基础

由于就业同劳动群众的利益实现有着十分密切的关系，因此，实现充分就业是广大劳动者的普遍需要和要求。劳动者的就业需要和要求一旦得到满足或实现，他们的心理会比较稳定，加之就业岗位对他们的管理和牵扯作用，使他们与政府、社会的摩擦、矛盾会逐渐减少，而趋向和谐。劳动群众能够实现充分就业，重要因素是取决于政府对充分就业工作的重视和政府制定、实施的充分就业宏观目标及其相关就业政策的正确；也取决于社会众多的用人企业、单位在政府充分就业目标政策的指导下，根据本企业、本单位的用人需要，最大可能地吸收更多劳动力就业。充分就业的实现让广大劳动群众增进了对政府和社会的信任，政府和社会取信于民，使构建和谐社会具有了广泛的群众基础，广大劳动群众就会成为促进构建和谐社会的强大积极因素。

三、实现充分就业是评价和谐社会的重要指标

实现充分就业，一方面是为构建和谐社会打造了深厚的群众基础，而另一方面，它同时又是衡量和谐社会建设水平的重要指标。构建和谐社会绝不简单是一句指导和号召的口号，它是一项复杂、庞大的社会工程。这一工程则需要扎扎实实、实实在在具体工作去落实，去建造。为了推动和检查这一社会工程的发展,需要设计一系列衡量、考核的指标。由于充分就业与构建和谐社会有十分密切的关系，因此指标中必然包括充分就业的因素。

10.3.3 构建社会主义和谐社会要求相应调整充分就业政策与措施[1]

一、科学把握构建和谐社会与就业水平之间的关系

毫无疑问,充分就业应当作为我们的政策取向和长远目标。按照经济学理论,“充分就业”不等于“完全就业”。在充分就业情况下,仍然会存在摩擦性失业、自愿失业等现象。因此,充分就业与一定的失业率可以并存,只是这种失业率应严格控制在合理的水平上。显然，构建和谐社会应当包括实现充分就业这一目标。大量非自愿失业的存在、过高的失业率,无疑是与和谐社会的目标相悖的。不过,考虑到我国就业问题的复杂性,在较短的时期内实现充分就业的目标是不现实的，我们的阶段性目标应定位在积极促进充分就业上。与实现充分就业相比，促进充分就业所要求的是把失业率控制在社会可承受的范围内。应当把阶段性目标与长远目标结合起来，在促进充分就业不断发展的基础上,最终实现充分就业。

二、科学把握构建和谐社会与就业质量之间的关系

适应构建社会主义和谐社会的要求，应当把就业质量问题摆在一个更加重要的位置。就业质量的基本构成要素主要包括就业的稳定性、就业的收入水平和就业的社会保障水平等。拓展开来,还可以借鉴国际劳工组织提倡的“体面劳动”概念中的

---

1. 参阅信长星:《制定促进就业战略须着眼于和谐》,《人民日报》2005 年 11 月 2 日第 9 版。

一些合理成分。在实现比较充分的社会就业基础上逐步实现充分就业、优化就业结构、提高就业质量三位一体，构成了构建社会主义和谐社会对就业问题的基本要求，应当同时加以重视和研究。

三、科学把握构建和谐社会与就业结构之间的关系

构建社会主义和谐社会，不仅要求在实现比较充分的社会就业的基础上逐步实现充分就业，同时也要求逐步优化就业结构，在产业结构、所有制结构、企业结构、技术结构以及劳动力素质结构调整的基础上，使三次产业的就业结构从目前的宝塔型逐步优化为倒金字塔形。从一定意义上讲，就业结构的调整有利于提高就业弹性，增强经济增长对就业的拉动能力。没有就业结构的调整，就不可能实现促进充分就业和最终实现完全充分就业的目标。

四、着眼于构建和谐社会的目标，研究制定促进就业的相关措施

除了制定合理的促进充分就业战略目标外，在实现目标的路径选择、实施步骤的规划以及推进方式、配套措施等方面的制定，还应注意一些问题：⑴把积极的就业政策制度化、法律化。应在总结经验的基础上加快制定就业促进法，将行之有效的充分就业政策上升为法律规范，增强其强制性和约束力。⑵关注长期失业群体。失业问题的严重性不仅表现为失业率的攀升，更为严重的是，假如一部分劳动者长期失业，就有可能被“边缘化”，难以进入劳动力市场。从国际经验看，长期失业问题比高失业率更难解决，单靠经济增长拉动就业难以奏效，还必须辅之以特殊的社会保护政策。从我国目前的经验看，比较可行的就是将再就业援助制度常规化，同时在职业指导和职业培训上提供“一对一”的个性化服务。在制度上，应借鉴一些国家“从救济到工作”的经验，强化领取低保或失业救济金的约束。例如，欧洲一些国家实行积极的劳动力市场政策就是从此起步的。⑶进一步消除或避免就业歧视。公平就业是和谐社会的基本要求之一，就业权利的实现是保障劳动者其他各项合法权益的基础和前提。应加大执法力度，消除现实生活中存在的就业歧视现象。

主要参考文献

1.《中华人民共和国国民经济和社会发展统计公报》2002，2003，2004年。

2. 国家统计局社会统计司编：《中国劳动工资统计资料》（1949—1985），中国统计出版社1987年7月版。

3. 世界银行：《1997年世界发展报告——变革中的政府》，中国财经出版社1997年版。

4. 杨宜勇：《劳动就业体制改革攻坚》，中国水利水电出版社2005年1月版。

5. 盛洪主编：《现代制度经济学》，北京大学出版社2003年3月版。

6. 金鑫著：《中国问题报告》，中国社会科学出版社2000年11月版。

7. 张国、林善良主编：《中国发展问题报告》，2001年9月版。

8. 聂希斌：《现代西方经济学》，中共中央党校出版社1999年3月版。

9. 华迎放：《城市贫困群体的就业保障》，《经济研究参考》2004年第11期。

10. 夏杰长：《大力发展服务业是解决"增长型失业"的有效途径》，《经济研究参考》2004年第11期。

11. 赵国鸿:《论中国新型工业化道路》,人民出版社 2005 年 5 月版。

12. 国家统计局农调总队课题组:《中国农村剩余劳动力就业问题对策》,2004 年 2 月。

13. 曹进祥、郭谦:《我国农村剩余劳动转移的现状、困难与对策》,《山东经济》2003 年第 9 期。

14. 李强:《不得已的非法生存》,《改革内参》2003 年第 2 期。

15. 孙立:《转型中国之隐性失业分析与治理》,中国经济出版社 2005 年 12 月版。

16. 王家宠:《国际劳动公约概要》。

17.姚裕群:《走向市场的中国就业》,中国人民大学出版社 2005 年 4 月版。

18. 薛俊侠:《农村劳动力转移与农村就业结构的调整优化》,《现代经济探讨》2004 年第 2 期。

19. 潘文荣:《对我国失业统计的探讨》,国家统计局统计教育中心 ,2005 年 3 月 31 日。

20. 姚裕群等:《美国劳动市场》, 中国大百科全书出版社 1995 年版。

21. 中外统计体系比较研究课题组:《中外政府统计体制比较研究总报告》(上),《中国统计》2001 年第 11 期。

22. 李佐军:《解决就业问题的主线是推进“以人为本”的新型工业化》,《经济要参》2004 年第 7 期。

23. 刘军:《促进就业要坚持数量和质量并重的原则》,《经济要参》2004 年第 10 期。

24. 任淮秀:《对投资和就业关系的几点认识》,《劳动经济与劳动关系》2004 年第 1 期。

后 记

本书是2005年浙江省哲学社会科学规划课题和2005年杭州市哲学社会科学规划课题研究的最终成果。研究中国式充分就业和适度失业率控制问题，是中国理论界的一大难题，又是无法回避的问题。改革开放20多年来，中国的失业问题已经成为制约社会经济成长和社会和谐的重要瓶颈。现在面临的理论问题并不是承不承认失业的问题，而是如何解释中国式失业的机理，如何化解和缓解失业的压力，以及中国需要一个什么样的充分就业格局。本课题的研究，不可能说明所有问题，但求将所思考的问题提出，供社会各界加以探讨和研究。在此诚恳求教于有识之士和同行专家们。

史及伟　杜辉

二零零六年九月

图书在版编目（CIP）数据

中国式充分就业与适度失业率控制研究／史及伟 杜辉著.
-北京：人民出版社，2006 年 11 月
ISBN 7-01-005926-8
Ⅰ.中...　Ⅱ.①史...②杜...　Ⅲ.①劳动就业－研究－中国②失业－研究－中国　Ⅳ.F249.214
中国版本图书馆 CIP 数据核字（2006）第 130553 号

中国式充分就业与适度失业率控制研究

ZHONGGUOSHI CHONGFEN JIUYE YU SHIDU SHIYELÜ KONGZHI YANJIU

作　　者：史及伟 杜　辉
责任编辑：关　宏
装帧设计：祁小嘉
版式设计：陈　岩

人民出版社 出版发行
地　　址：北京朝阳门内大街166号
邮政编码：100706
经　　销：全国新华书店
印刷装订：永恒印刷有限公司印装
出版日期：2006年11月第1版　2006年11月第1次印刷
开　　本：880毫米×1230毫米　1/32
印　　张：10.5
字　　数：250千字
书　　号：ISBN　7-01-005926-8
定　　价：30.00元

人民东方图书销售中心电话：（010）：65250042　65289539